Les Hommes de Paille

Michael MARSHALL

LES HOMMES
DE PAILLE

Traduit de l'anglais par Jean-Pascal Bernard

Titre original :
The Straw Men

© Michael Marshall Smith, 2002.
© Michel Lafon Publishing, 2003, pour la traduction française.
7-13, boulevard Paul-Émile-Victor - Île de la Jatte
92521 Neuilly-sur-Seine Cedex

À Jane Johnson

*Nous venons trop tard pour les dieux
et trop tôt pour l'Être.
L'homme est un poème
que l'Être a commencé.*

Martin Heidegger
L'Expérience de la pensée

Palmerston, Pennsylvanie

Palmerston n'est pas une grande ville, ni de celles dont on puisse sérieusement vanter le dynamisme. Elle est simplement là, telle une trace sur le trottoir. Comme toutes les villes, elle a un passé, et elle avait jadis un avenir, même si cet avenir ne lui a réservé qu'un peu plus de poussière et de torpeur, achevant de la placer en marge de l'histoire : elle évoque un vieux robinet au bout d'un conduit rouillé qui, à force d'accumuler les fuites, finira par ne plus produire une seule goutte d'eau.

La ville borde la rivière Allegheny, à l'ombre de collines rebondies, et possède plus d'arbres qu'on n'en peut compter, à moins d'avoir beaucoup de temps à perdre et d'être gravement atteint. La voie ferrée passait tout près, de l'autre côté du fleuve, mais au milieu des années soixante-dix la gare fut condamnée et la plupart des rails démontés. Il n'en reste plus grand-chose, hormis des souvenirs et un musée fatigué que même les groupes scolaires ont déserté. Quelques touristes s'y arrêtent de loin en loin, contemplent avec une indifférence consommée les clichés grisâtres, puis regagnent leur voiture en estimant avoir assez traîné comme ça. Trente ans plus tard, les résidents de longue date (à Palmerston ils le sont tous, de longue date, et non sans une certaine fierté) souffrent encore de l'absence de la voie ferrée, comme d'un membre amputé qui les démangerait de temps en temps. Certains avaient lutté contre sa disparition à coups de pétitions et de meetings, d'autocollants à pare-chocs et de collectes ; pour d'autres, le changement s'était fait en douceur, d'un œil résigné, comme participant de quelque virage entropique de l'histoire. Dans une ville un peu plus grande et animée, cette ancienne voie envahie de mauvaises herbes serait l'endroit parfait pour acheter de la drogue ou se faire agresser. Mais à Palmerston, elle permet surtout aux parents de promener leurs enfants le week-end, de leur montrer les oiseaux et les arbres ; puis quelques années plus tard, à ces mêmes enfants de mettre une grossesse en route afin de goûter à un nouveau style d'aliénation.

La ville est bâtie autour d'un carrefour en T, motif brouillé par des rues adjacentes à l'utilité douteuse. Le tronc est jalonné de stations-service, d'un lavage de voitures, d'un vidéo-shop, de deux petits motels et d'une supérette qui brade tout un stock de CD des plus grands succès du Marshall Tucker Band. Dans l'angle se dresse une vieille église en bois à la peinture écaillée qui, sur un fond de ciel bleu, demeure pittoresque. La branche droite s'enfonce dans les collines vers l'État de New York et des Grands Lacs.

Si vous prenez à gauche, comme pour suivre la route 6 vers l'ouest jusqu'au réservoir de l'Allegheny – et c'est quasiment la seule raison qui puisse vous mener par là –, vous déboucherez sur Main Street et trouverez quelques banques et boutiques. Les vitres des premières sont réfléchissantes et anonymes ; celles des secondes, qui mériteraient un bon nettoyage, proposent des antiquités de valeur limitée, dont l'arrangement brouillon suggère qu'elles auront tout le temps de se bonifier sur place. Suivent deux petits cinémas, dont l'un s'essaya aux films d'art et d'essai voilà une dizaine d'années, et fut récompensé par une audience si faible qu'il décida, dans un accès de dépit, de mettre la clé sous la porte ; l'autre, resté fidèle aux canons de la culture populaire, fourgue des rêves inaccessibles aux accros du pop-corn. Du côté sud de la rue, au milieu d'un vaste terrain isolé, s'élève une splendide maison victorienne. Elle est vide depuis des années, et si la plupart des carreaux sont intacts, la peinture est encore plus écaillée que celle de l'église, et quelques planches commencent à se détacher.

Si vous avez faim, vous avez toutes les chances d'échouer au McDonald's, juste à côté du musée du Chemin de fer. C'est ce que font la plupart des gens. Palmerston n'est pas un vilain endroit. La vie y est paisible, les habitants aimables. C'est un coin du monde agréable, qui jouit d'une faible criminalité et de sa proximité avec la forêt d'État de Susquehannock. Vous pourriez y naître, y élever vos gosses et y mourir sans vous sentir particulièrement floué par le destin.

L'ennui, c'est qu'il n'y a pas grand-chose à y faire entre-temps.

Le mercredi 30 octobre 1991, à l'heure du déjeuner, le McDo était bondé. Les tables étaient presque toutes occupées, et quatre files d'attente s'étiraient depuis le comptoir. Deux fillettes de quatre et six ans, en sortie avec leur mère, réclamaient à cor et à cri des Chicken McNuggets. Les autres clients étudiaient les menus affichés avec tout le respect qui leur était dû.

Trois non-résidents étaient présents, une aubaine pour l'industrie touristique de Palmerston. Le premier était un homme en costume entre deux âges, attablé seul dans un coin. Il s'appelait Pete Harris et rentrait à Chicago au terme d'une tournée commerciale fort décevante. De son siège, il considérait, tout en mastiquant, la tour italienne de la maison victorienne, consterné que personne n'ait entrepris de la retaper.

Les deux autres étaient un couple de touristes anglais, que le hasard avait installés à la table voisine de Pete. Mark et Suzy Campbell avaient sauté le petit déjeuner pour parcourir trois cents kilomètres dans la matinée ; autrement dit, ils étaient très en appétit. Ils avaient ratissé la ville en quête de cuisine du terroir avant de se rabattre sur le fast-food. Entamant leurs burgers d'un air farouche, ils furent d'abord alarmés puis somme toute satisfaits de se découvrir assis à côté d'un autochtone sachant parler. Le dénommé Trent était grand, âgé d'une quarantaine d'années, et bien pourvu en cheveux roux. En apprenant que le couple entamait tout juste la traversée du pays, il acquiesça du bout des lèvres devant une pratique qu'il pouvait comprendre mais qui n'éveillait en lui aucun intérêt, comme de collectionner les boîtes d'allumettes, pratiquer l'escalade ou avoir un boulot. Il connaissait l'Angleterre de nom, lui savait une sacrée longue histoire et une grosse industrie rock, et dans les deux cas il était à fond pour.

La conversation finit par se tarir, s'abîmant dans les limbes de leurs expériences réciproques. Suzy fut un brin déçue : elle avait apprécié leur échange. Mark était préoccupé : il souhaitait faire des emplettes. La veille, le réceptionniste de leur hôtel avait passé un bon moment à sonder les ondes en quête d'un truc à diffuser à plein volume. Il était accidentellement tombé sur une fréquence de musique classique, et l'espace d'un instant bref et merveilleux, quelques mesures des *Variations Goldberg* avaient traversé le bar. Mark s'était représenté cette station de radio comme l'œuvre d'un individu perché sur sa montagne, la porte barricadée contre des hordes armées jusqu'aux dents de disques de Garth Brooks. Les notes de Bach avaient résonné dans le crâne de Mark tout au long des heures suivantes – baignées, elles, de ballades sirupeuses opposant la fragilité du mariage à la fidélité des chiens –, et il brûlait d'acheter le CD pour l'écouter dans la voiture. Palmerston ne possédait pas de magasin de disques.

Trent fut vite rejoint par une troupe d'adolescents dégingandés et disgracieux, et en tendant l'oreille Suzy comprit que le rouquin tâchait de convaincre ces jeunes de l'aider à déplacer un gros tas de terre qui gênait sa caravane, près de l'ancienne voie ferrée. En revanche, la raison pour laquelle il fallait s'en débarrasser séance tenante lui échappait. Les garçons se montrèrent naturellement sensibles à l'idée d'une rétribution, laquelle prit la forme d'une caisse de bière. Puisqu'il leur fallait patienter encore trois ans pour être en âge d'acheter de l'alcool, le marché fut vite conclu. En attendant que Trent ait terminé de barboter dans ses sandwiches, ils restèrent tapis comme une bande de mouettes véreuses, à échanger les insultes affectueuses et les injonctions ineptes qui fondent le discours des garçons. Il émanait de leurs propos qu'en dépit des marques de surf agrémentant leurs tee-shirts, aucun n'avait jamais surfé, peu avaient déjà quitté l'État, et un seul avait vu la mer.

En entendant cela, les Campbell mesurèrent ce qu'il y avait d'exceptionnel à explorer un pays différent du leur, à la faveur d'une lubie surgie par une nuit arrosée dans un pub à dix mille kilomètres de là. Soudain ivres de fierté et édifiés par la dimension de leur entreprise, ils sirotèrent leur café d'un air méditatif, s'accordant cinq ou six minutes de plus. Sans cette pause, ils seraient ressortis vers 12 h 50. Avec, ils auraient repris la route vers 12 h 56 au plus tard. Alors Suzy aurait eu envie d'une cigarette, ce que les affiches murales prohibaient au moyen de phrases courtes et faciles à lire, et d'une iconographie à portée universelle. Pete Harris, quant à lui, n'était pas vraiment pressé, et se serait trouvé là de toute façon : toujours absorbé par la maison isolée, à se demander vaguement combien elle pouvait coûter, mais conscient que, même s'il parvenait à rassembler la somme nécessaire, son épouse destinerait déjà ce pécule à d'autres projets.

À 12 h 53 une femme hurla au milieu du restaurant.

Ce fut une interjection brève et puissante, qui n'exprimait rien d'autre que l'urgence. Les gens s'écartèrent d'instinct, créant un vide dans l'allée centrale. Il apparut alors que deux hommes – l'un approchant de la vingtaine, l'autre en plein dedans, tous deux vêtus de longs manteaux – étaient la cause de cette détresse. Les cheveux du second étaient courts et blonds, ceux du premier moins clairs et plus longs. Bien vite il apparut aussi qu'ils portaient des fusils semi-automatiques.

L'éclairage de la pièce sembla soudain très vif, et les sons anormalement clairs et secs, comme si l'on venait d'évacuer un gaz cotonneux. Quand vous êtes assis chez McDonald's à midi en semaine, devant un café qui atteint juste la bonne température, et que vous voyez d'un coup le ciel vous tomber sur la tête, le temps bascule dans un lent moment de lucidité.

13

Telle la longue seconde précédant l'impact entre deux voitures, ce sursis ne vous sera d'aucun secours. Ce n'est pas une planche de salut, ni la main tendue de Dieu, et tout effort sera vain sinon celui d'essayer d'accueillir la mort et de se demander ce qui l'a retenue si longtemps.

L'une des larves de la bande à Trent eut à peine le temps de lancer : « Billy ? » d'un ton idiot, et les deux hommes ouvrirent le feu.

Plantés dans l'allée centrale, ils tiraient avec calme et rapidité, la crosse de leur arme fermement calée contre l'épaule. Alors que la première victime tombait à la renverse, le visage empreint d'une stupeur muette, les tueurs poursuivaient leur besogne : ils semblaient soucieux de montrer à une autorité supérieure qu'ils étaient dignes de cette mission et y mettaient tout leur savoir-faire.

Après environ une seconde, et deux morts supplémentaires, la foule quitta son état d'hébétude. Le temps repartit tambour battant, et les cris jaillirent. Les gens tentèrent de fuir, de se cacher ou de s'abriter les uns derrière les autres. Certains s'élancèrent vers les portes, mais les fusils virevoltèrent à l'unisson et raflèrent les déserteurs. La ligne de tir balaya les étrangers de passage, et Mark Campbell reçut un coup direct dans la nuque à l'instant où le visage de sa femme se répandait sur la vitre blindée qui arrêta les deux balles. Trent mourut furieusement peu après, à moitié debout, comme il s'élançait de son siège dans le fol espoir de se jeter sur l'ennemi. Peu furent suffisamment maîtres d'eux-mêmes pour envisager une telle action, et ceux qui le firent périrent sur-le-champ. Les deux canons pivotaient en symbiose, mus par un même fil, et nos héros de comprendre que si le tabagisme passif était mauvais pour la santé, l'absorption passive de balles vous emportait bien plus vite.

La majorité chercha simplement à courir. À s'enfuir. Le vice-président de Bedloe Insurance s'y essaya, tout comme sa bonne à rien de secrétaire. Douze écoliers s'y essayèrent. Tous à la fois, de sorte qu'ils se gênèrent mutuellement. Beaucoup se prirent les pieds dans les corps des blessés et moururent sans grâce, se déboîtant le genou ou la hanche dans leur chute. Ceux qui avaient la voie libre furent happés dans leur course, s'écrasant contre les tables, les murs ou le comptoir sous lequel la dernière employée en vie était recroquevillée, consciente de croupir dans une flaque de sa propre urine. De son poste elle apercevait les pieds convulsés de Duane Hillman, le jeune homme qu'elle avait suivi dernièrement le long de la voie ferrée. Il s'était montré tendre, et avait proposé d'utiliser un préservatif. Sachant qu'il n'avait pas seulement reçu une balle, mais s'était effondré alors qu'il portait un bac d'huile bouillante, elle était peu encline à poser les yeux sur lui. Elle espérait plutôt qu'en ne regardant nulle part, et en se faisant toute petite, elle serait épargnée. Un peu plus tard une balle perdue traversait l'épaisseur du comptoir pour se loger dans sa colonne vertébrale.

Il y a ceux qui ne tentèrent même pas de s'échapper, mais se figèrent, les yeux grands ouverts, quittés par leur âme avant même que les projectiles ne perforent leurs poumons, bassin ou ventre. Au moins l'une des victimes, chez qui on venait de diagnostiquer le cancer qui avait tué son père à petit feu, ne vit pas la tournure des événements sous un jour totalement négatif. C'était idiot, car le jeune médecin de l'hôpital, dont elle se méfiait en grande partie parce qu'il ressemblait vaguement au méchant dans son feuilleton préféré, aurait su la sauver si elle avait vécu et suivi ses conseils.

Rien ne motivait chez les autres un tel détachement. Ils étaient juste incapables de bouger, du moins tant que ce choix leur appartenait encore.

Dans une salle remplie de cadavres, les meurtriers ressemblent à des dieux. Les hommes continuaient de tirer, leurs fusils girouettant de concert pour mitrailler un coin inattendu de la salle. Ils rechargèrent à plusieurs reprises, mais jamais au même moment. Ils étaient très efficaces. Aucun n'ouvrit la bouche pendant toute la durée de l'opération.

Sur les cinquante-neuf personnes présentes au McDonald's ce midi-là, seules trente et une entendirent le bruit étouffé de la dernière détonation. Douze de celles-là moururent avant la nuit, portant le bilan à quarante morts. Parmi les survivants se trouvait la fille du comptoir, qui ne recouvrerait jamais l'usage de ses jambes et deviendrait alcoolique avant de trouver la foi puis de la perdre. L'une des fillettes eut elle aussi la vie sauve. Elle fut confiée à une tante dans l'Iowa, et mena une existence relativement paisible. L'un des copains de Trent s'en sortit, et devint quatre ans plus tard garde-côte à Laguna Beach.

Pete Harris survécut lui aussi. En toute justice il aurait dû mourir très tôt, dès la première salve frappant le côté gauche du restaurant, mais le corps de Suzy Campbell s'était écrasé sur lui alors même qu'il tentait de se nicher sous la table. Le poids de la femme l'avait fait riper de son siège, pour le plaquer la tête la première sur le sol. Ils furent rejoints quelques instants plus tard par le mari de Suzy, qui était déjà mort. Aucun des deux Campbell n'eût été identifiable d'après les photos de leurs passeports (précautionneusement rangés dans leurs poches respectives, au cas où l'on eût forcé la voiture pendant qu'ils déjeunaient). En revanche, les vêtements que portait le couple – certains provenant d'Angleterre, d'autres d'un déstockage Gap dans le vieux Back Bay de Boston – étaient quasiment immaculés. Un simple époussetage, et ils auraient pu franchir la porte, remonter dans leur voiture de location et reprendre la route. Peut-être, dans un monde meilleur, cette issue-là eût-elle été permise, et Mark aurait trouvé par un coup de chance les *Variations Goldberg* lors de la prochaine halte, et ils auraient suivi toute la journée une longue voie rectiligne plantée d'arbres dont les feuilles semblaient éclairées de l'intérieur, avalant les crêtes et les creux de l'autoroute qui les entraînait dans l'après-midi puis dans la soirée, sans jamais remarquer qu'ils roulaient tout seuls.

Dans ce monde-ci ils s'en tinrent à sauver une vie, celle de Pete Harris qui gisait sous eux, sonné par la rencontre de sa tête avec le sol carrelé. Tout autour de lui s'étalaient des membres, et ce qu'il voyait n'était que mort et chaos ; tout ce qu'il sentait n'était que l'élancement de ses entrailles et un mal de crâne glacial qui évoluerait en commotion si aiguë qu'il aurait parfois l'impression qu'elle ne cesserait jamais. Une jeune infirmière, qui semblait lui vouer une superstitieuse vénération car il était l'un des rares survivants, passa la nuit à le maintenir éveillé à l'hôpital de Pipersville, quand il aurait nettement préféré dormir.

Mais cela viendrait un peu plus tard, comme la crise cardiaque qui accomplirait ce que les balles avaient manqué. Il ne chercha jamais à savoir si la maison victorienne était à vendre. Il se contenta de travailler jusqu'à épuisement.

Derrière les *pan !* rythmés de la pétarade et les râles et cris des mourants, s'éleva au loin le son caractéristique de sirènes à l'approche. Les tueurs prolongèrent le feu une vingtaine de secondes, liquidant une petite poche près du comptoir où la maman et ses filles avaient provisoirement trouvé refuge. Puis ils s'arrêtèrent.

Ils balayèrent la salle du regard, leurs visages ne trahissant aucune réaction devant le résultat obtenu. Le plus jeune des deux – le dénommé Billy – recula d'un pas et ferma les yeux. Le deuxième homme lui tira dans le visage à bout portant. Pendant que le corps étendu de Billy rendait ses derniers spasmes alanguis, l'homme s'accroupit et trempa ses mains dans le sang. Il se releva pour écrire quelque chose sur la porte vitrée, avec des gestes posés, en grandes lettres dégoulinantes, puis scruta la pièce à nouveau, calme et décontracté. Il n'eut pas un regard pour les voitures de flics qui déboulaient sur Main Street, bien trop tard pour empêcher un fait divers qui propulserait enfin Palmerston sur le devant de la scène.

Puis, lorsqu'il fut prêt, l'homme plongea à travers la vitre éclatée derrière les corps des Campbell et disparut dans la nature – le long de l'ancienne voie ferrée, supposa-t-on. Il ne fut jamais appréhendé. Personne n'en fournit une description précise, et avec le temps ce fut comme s'il s'était dégagé de l'événement. Au final on mit tout sur le dos de Billy, ce jeune garçon qui n'avait fait qu'obéir aux ordres d'un homme qu'il prenait pour un nouvel ami.

En entendant les véhicules de police s'arrêter sur le parking, Pete Harris tenta de se redresser, de déployer assez de force pour repousser les corps des Campbell. Il échoua, mais parvint à relever la tête, juste assez pour déchiffrer ce qu'on avait inscrit en lettres de sang sur la porte. L'écriture avait coulé, et sa vision était embrumée par une lueur blanche dans son crâne, mais les mots étaient tout à fait lisibles. « Les Hommes de Paille ».

Onze années passèrent.

PREMIÈRE PARTIE

De la colline, et non sur la colline...

Frank Lloyd Wright,
à propos de l'architecture de Taliesin

CHAPITRE 1er

L'enterrement fut des plus satisfaisants, dans la mesure où l'assistance était nombreuse et vêtue de manière appropriée, et où personne ne se leva pour lancer : « Vous comprenez que ça signifie qu'ils sont morts ? » La cérémonie eut lieu dans une église située au bout de la ville. J'ignorais de quelle obédience elle relevait, et plus encore pourquoi cette précision eût figuré dans les instructions laissées à Harold Davids. À ma connaissance, mes parents n'avaient aucune foi religieuse, hormis quelque athéisme de bon aloi et la conviction tacite que si Dieu existait il devait conduire une belle voiture, très certainement de fabrication américaine.

Le cabinet de Davids avait organisé les funérailles avec maestria, de sorte que je n'avais pas grand-chose à faire, à part attendre. Je passai l'essentiel de ces deux jours au Best Western. J'aurais dû me rendre à la maison, je le savais bien, mais c'était au-dessus de mes forces. Je lus la majeure partie d'un mauvais roman et feuilletai une flopée de magazines de style hôtelier, sans rien apprendre, sinon que l'on peut dépenser une somme astronomique pour une montre. Chaque matin je quittais l'hôtel de bonne heure, décidé à remonter la grand-rue, mais je ne dépassais jamais le parking. Je savais ce que recelaient les vitrines de Dyersburg, Montana, or je ne recherchais ni matériel de ski, ni objets d'« art ». Je prenais mes dîners au restaurant de l'hôtel et déjeunais d'un sandwich

21

au comptoir. Chaque repas était assorti de frites, dont la texture suggérait que de nombreux processus industriels étaient intervenus entre la terre et mon assiette. Il était impossible de ne pas avoir de frites. Je soumis la question par deux fois aux serveuses, mais capitulai devant leurs regards paniqués.

Après que le pasteur nous eut expliqué en quoi la mort n'était pas le désastre complet qu'elle paraissait de prime abord, nous sortîmes de l'église en file indienne. J'étais navré de partir. Je m'étais senti en lieu sûr là-dedans. Dehors il faisait un froid de canard, dans un air piquant et sourd. Derrière le cimetière se dressaient les contreforts de la chaîne de Gallatin, aux lointains sommets estompés comme s'ils étaient peints sur du verre. On avait creusé deux caveaux voisins. Une quinzaine de personnes allaient assister à l'inhumation. Davids était là, flanqué d'une femme qui devait être sa secrétaire. Mary se tenait à mes côtés, sa chevelure blanche ramenée en un chignon austère, les rides de son visage lissées par le froid. Je crus reconnaître vaguement deux autres individus.

Le pasteur proféra encore quelques mensonges de réconfort permettant d'emballer le tout. Possible que certains y eussent été sensibles. Pour ma part je les entendais à peine, trop occupé à empêcher mon crâne d'exploser. Puis deux hommes – dont c'était le métier, qui répétaient ce genre de choses toutes les semaines – descendirent avec des gestes experts les deux cercueils sous terre. Les cordes coulèrent entre leurs mains, et les cercueils s'arrêtèrent exactement six pieds sous la plaine où se tenaient encore les vivants. Suivirent quelques dernières phrases de baume, débitées à la va-vite – comme si l'Église admettait que son temps de parole était révolu. On ne peut enterrer des gens dans de grandes boîtes sans que le public trouve ça suspect.

Une ultime déclaration à mi-voix, et voilà. C'était fini. Rien n'arriverait jamais plus à Donald et Beth Hopkins. Rien qu'on pût décemment envisager, en tout cas.

Certains participants s'attardèrent un moment, désormais sans but. Puis je me retrouvai seul. Deux êtres en un. Le premier à la gorge scellée comme de la pierre, qui se voyait déjà paralysé à vie ; le second ayant conscience de sa posture très cliché face à ces deux tombes, comme du fait que, un peu plus loin, les gens passaient en voiture, écoutaient les Dixie Chicks et avaient des soucis d'argent. Chacune de mes deux moitiés trouvait l'autre ridicule.

Je savais que je ne pouvais demeurer planté là éternellement. Ils ne l'auraient pas souhaité. Cela n'aurait aucun sens, ne changerait rien, et il faisait vraiment très froid. Relevant enfin les yeux, je vis que Mary était également restée, postée un ou deux mètres derrière moi. Ses yeux étaient secs, endurcis par la certitude de connaître le même sort d'ici peu, et qu'il n'y avait pas lieu d'en rire ni d'en pleurer. Je pinçai mes lèvres, elle posa la main sur mon avant-bras. Nous restâmes silencieux un certain temps.

Lorsqu'elle m'avait appelée, trois jours plus tôt, je me trouvais sur la terrasse d'un joli petit hôtel sur De la Vina Street à Santa Barbara. Temporairement sans emploi, ou *de nouveau* sans emploi, je consacrais mes maigres économies à des vacances non méritées. J'étais assis face à un bon merlot du cru, que je m'employais à assécher. Ce n'était pas la première bouteille de la soirée, aussi quand mon portable sonna je fus tenté de laisser tourner la messagerie. Mais, en jetant un coup d'œil sur l'appareil, je vis qui m'appelait. J'enfonçai la touche verte.

— Salut, dis-je.

— Ward, répondit-elle.

Puis rien.

Je perçus un faible bruit au bout de la ligne. Un son doux et visqueux.

— Mary ? Tu vas bien ?

— Oh, Ward... dit-elle d'une voix brisée, marquée par l'âge.

Je me redressai sur mon siège, dans le vain espoir qu'une pseudo-préparation, qu'un ressaisissement de dernière minute puissent d'une façon ou d'une autre limiter la force avec laquelle allait s'abattre la massue.

— Qu'y a-t-il ?

— Il vaudrait mieux que tu viennes, Ward.

23

Au bout du compte je parvins à la faire parler. Un accident de voiture en plein centre de Dyersburg. Tués l'un et l'autre.

Je crois que je m'attendais à quelque chose de cet ordre. Il fallait que mes parents soient tous deux concernés pour que Mary m'appelle. Mais même là, alors que nous nous tenions ensemble dans ce cimetière, les yeux baissés sur leurs cercueils, j'étais incapable d'envisager la réalité de leur disparition. En outre, il m'était désormais impossible de répondre au message laissé par ma mère une semaine plus tôt. Je n'avais pas eu le temps. Je n'avais pas prévu qu'ils seraient subitement rayés de la surface de la terre et placés sous celle-ci, là où ils ne pouvaient m'entendre.

Soudain je n'avais plus envie de rester près de leurs dépouilles. Je reculai d'un pas. Mary plongea la main dans sa poche et produisit une chose attachée à une languette en carton. Un jeu de clés.

— J'ai sorti la poubelle ce matin, dit-elle, et débarrassé quelques produits du réfrigérateur. Le lait, par exemple. Pour qu'il ne répande pas une sale odeur. J'ai laissé le reste tel quel.

J'acquiesçai, les yeux rivés sur les clés. Je n'en possédais aucun double. Pas besoin. Ils avaient toujours été là lors de mes rares visites. C'était la première fois, pensai-je, que je croisais Mary ailleurs que dans la cuisine ou le séjour de mes parents. Ça se passait comme ça, avec mes vieux : c'est toujours eux qui recevaient. Ils se plaçaient toujours au centre des choses.

— Ils parlaient de toi, tu sais. Souvent.

J'opinai de nouveau, sans trop savoir si je la croyais. Le plus clair de ces dix dernières années, ils n'avaient même pas su où je me trouvais, et tout ce qu'ils avaient à raconter concernait un homme plus jeune, un enfant unique qui avait grandi et vécu chez eux dans un autre État. Ce n'était pas une question de manque d'amour. On s'était aimés, à notre façon. Disons que je ne leur avais pas souvent donné l'occasion de parler de moi, les privant de ces joies qui permettent aux parents de fanfaronner devant amis et voisins. Pas de femme, pas d'enfants, pas de job sérieux. Je vis que Mary avait toujours la main en l'air. J'empochai les clés.

— Tu restes combien de temps ? demanda-t-elle.

— Le temps que ça prendra. Peut-être une semaine. Peut-être moins.

— Tu sais où me trouver. Ne te sens pas obligé de jouer les étrangers, d'accord ?

— Promis, soufflai-je dans un sourire gêné.

Je regrettais de ne pas avoir un frère ou une sœur qui eût assuré cette conversation à ma place. Un être responsable et doué pour les civilités.

Elle me rendit mon sourire, mais avec réserve, comme si elle savait que le choses ne sont jamais aussi simples.

— Au revoir, Ward, dit-elle avant de s'éloigner vers la pente.

À soixante-dix ans elle était un peu plus âgée que mes parents, et sa démarche s'en ressentait. Elle avait toujours vécu à Dyersburg, mené une carrière d'infirmière, et c'est tout ce que je savais d'elle.

J'aperçus Davids posté de l'autre côté du cimetière, tuant le temps avec sa secrétaire, sûrement en train de m'attendre. Il avait l'air d'un type décidé à agir vite et bien, à régler tous les détails.

Un dernier coup d'œil sur les tombes, et je descendis le chemin d'un pas lourd, pour affronter les formalités administratives occasionnées par la disparition de ma famille tout entière.

Davids avait chargé l'essentiel de la paperasse dans sa voiture, et il proposa de tout m'expliquer devant un déjeuner. J'ignore si le résultat s'avéra moins déplaisant que dans le cadre d'un bureau, mais je fus sensible à de tels égards venant d'un homme qui me connaissait à peine. Nous nous rendîmes dans le centre historique de Dyersburg, dans un établissement baptisé Auntie's Pantry. On s'était donné du mal pour décorer ce « garde-manger de Tantine » façon cabane de bois, avec un mobilier taillé par des lutins. Le menu offrait un choix terrifiant de soupes bio et de pains maison, accompagnés de salades

à base de germes de soja. Au risque de paraître vieux jeu, je
ne considère pas les germes de soja comme de la nourriture.
Ils n'ont même pas l'air comestible. On dirait des larves
mutantes. Il n'existe rien de pire, hormis peut-être la semoule
de couscous, elle aussi présente en force sur la carte. Je ne
connais pas de tante sur cette planète qui mange ce genre de
merde, mais le personnel comme les clients semblaient ravis.
Limite illuminés.

Après une brève attente un peu embarrassée, on nous
attribua une table près de la devanture. Cela contraria la jeune
famille proprette postée derrière nous, qui lorgnait la table
depuis un moment et ne comprenait pas qu'être premier dans
une file vous confère certains avantages. La femme fit part de
son mécontentement à la serveuse, en remarquant à voix haute
que la table pouvait accueillir quatre personnes quand nous
n'étions que deux. En temps normal ce genre de situation
éveille ce qu'il y a de meilleur en moi, en particulier si mes
adversaires portent tous le même caban bleu marine, mais là
mes ressources étaient à sec. Si le mari était hors compétition,
les deux enfants étaient blonds et sérieux, comme une paire
de juges séraphiques. Je ne voulais pas me froisser avec le
ciel. La serveuse, l'une de ces femmes bronzées et plutôt jolies
quoiqu'un peu dodues qui se massent dans les endroits comme
Dyersburg en période de sports d'hiver, choisit de rester
neutre, préférant fixer intensément un point du sol à peu près
équidistant des deux groupes de belligérants.

Davids dévisagea brièvement la matriarche. Du même âge
que mes parents, grand, et affublé d'un pif conséquent, il avait
tout l'air du type que Dieu dépêche pour nous faire vivre
l'enfer. Il ouvrit sa sacoche et tira de nombreux documents,
sans chercher à dissimuler le type d'événement auquel ils ren-
voyaient. Il les disposa devant lui comme lors d'un rendez-
vous d'affaires, puis saisit la carte et l'étudia. Lorsque j'eus
terminé d'observer ses gestes, je m'aperçus que la petite
famille détournait scrupuleusement les yeux. J'attrapai mon
propre menu, et tentai de me figurer en quoi son contenu pouvait m'intéresser.

Davids était l'avocat de mes parents, et ce depuis qu'ils avaient quitté la Californie. Nous avions échangé quelques mots une ou deux fois par le passé, lors d'un pot de Noël ou de Thanksgiving à la maison, mais dans mon esprit il ne représentait qu'une de ces multiples relations qui allaient connaître un point final. D'où, en mon for intérieur, un curieux mélange de distance et de désir de prolonger le contact, que je peinais toutefois à concrétiser sur le plan conversationnel.

Par chance, Davids prit les devants dès qu'arrivèrent nos bols de soupe à la courge et aux lichens. Il récapitula les circonstances du décès de mes parents, qui en l'absence de témoins se réduisait à un fait unique : vers 23 h 05 le vendredi précédent, au retour d'une partie de bridge chez des amis, leur voiture avait embouti de front un véhicule stationné le long du trottoir, au croisement des rues Benton et Ryle. L'autopsie avait révélé un taux d'alcoolémie équivalent à environ une demi-bouteille de vin chez mon père, qui était le passager, et à beaucoup de jus de myrtille chez ma mère. La chaussée était glissante, le carrefour n'était pas très bien éclairé, et un accident s'était produit au même endroit pas plus tard que l'an dernier. Voilà tout. Une de ces choses qui arrivent et contre lesquelles on ne peut rien, à moins de se lancer dans une procédure civile perdue d'avance, ce qui n'était pas mon intention. Il n'y avait rien à ajouter.

Puis Davids passa aux choses sérieuses, qui consistaient à me faire signer toute une série de documents, par lesquels j'acceptais d'acquérir la maison et son contenu, ainsi que quelques terrains en friche et le portefeuille d'actions de mon père. La transmission soulevait une légion de questions fiscales qui furent dûment expliquées puis expédiées au moyen de quelques paraphes supplémentaires. Ce petit cours de finances m'entra par une oreille pour ressortir par l'autre, et je n'accordai à ces papiers qu'un bref coup d'œil. Mon père avait tenu Davids en haute estime, or Hopkins senior n'était pas homme à faire confiance au tout-venant. Ce qui convenait à papa me convenait.

Sur la fin j'écoutais à peine un mot sur deux, car à vrai dire j'appréciais ma soupe – maintenant que j'avais amélioré la recette en ajoutant une bonne dose de sel et de poivre. Je regardais les cuillérées monter à ma bouche, savourant leur goût d'une manière studieuse, réfléchie, et les encourageant à occuper le maximum de mon esprit. Je ne refis surface que lorsque Davids mentionna UnRealty.

Il expliqua que l'agence de mon père, spécialisée dans l'immobilier haut de gamme, était liquidée. La valeur des derniers actifs serait transférée sur le compte de mon choix, sitôt la procédure achevée.

– Il a fermé UnRealty ? demandai-je en relevant les yeux. Quand ça ?

– Non, répondit Davids en secouant la tête, tout en essuyant son bol avec un morceau de pain. Il a souhaité qu'il en soit ainsi à sa mort.

– Sans que j'aie mon mot à dire ?

Il regarda par la fenêtre, et se frotta les mains dans un mouvement économique qui délogea quelques miettes de ses phalanges.

– Il s'est montré très clair à ce sujet.

Ma soupe s'était subitement refroidie, et avait un goût d'épis d'eau bouillis. Je repoussai le bol. Je comprenais à présent pourquoi Davids avait tenu à traiter la paperasse après les obsèques, et non avant. Je ramassai les exemplaires qui me revenaient et les rangeai dans l'enveloppe fournie par ses soins.

– C'est tout ? fis-je d'une petite voix sèche.

– Je crois bien. Je suis navré de vous avoir infligé tout ceci, Ward, mais il fallait en finir une fois pour toutes.

Il sortit un portefeuille de sa veste et considéra l'addition comme si, en plus de douter du total, il prenait en grippe l'écriture de la serveuse. Son pouce s'arrêta sur une carte de paiement, avant d'opter pour du liquide. J'y vis la décision de ne pas faire passer ce repas en note de frais.

– Très aimable de votre part, dis-je.

Davids balaya le compliment d'un revers de main, avant de laisser un pourboire de dix pour cent tout ronds.

Nous nous levâmes et zigzaguâmes entre les tables de touristes diserts pour quitter le restaurant. Je voulus détourner le regard au moment de croiser la table du bataillon atomique en cabans bleus, mais trop tard : je l'avais déjà sous les yeux. Père et mère discutaillaient pour savoir où dormir à Yellowstone, tandis que le petit garçon tâchait de reproduire au moyen de sa cuiller et de sa soupe l'effet d'un astéroïde s'écrasant dans le Pacifique. Les deux mains sur une timbale en plastique, sa sœur rêvait béatement, le regard vague. Puis elle sourit à mon approche, comme devant un gros chien. C'était sûrement un sourire charmant, mais sur le moment j'eus envie de l'effacer.

Dehors nous restâmes plantés côte à côte quelques instants, à regarder des bandes affamées de bourgeoises nanties errer dans College Street, la carte de crédit frémissante.

Finalement Davids rangea ses mains dans son manteau.

– Vous repartez bientôt, je présume. Si je puis faire quoi que ce soit d'ici là, n'hésitez pas à me joindre. Je n'ai pas le pouvoir de ressusciter les morts, bien sûr, mais dans d'autres domaines je pourrai peut-être me rendre utile.

Nous échangeâmes une poignée de main, et il s'éloigna dans la rue d'un pas plutôt leste, le visage délibérément fermé. Et là je compris, avec un retard impardonnable, que Davids n'avait pas seulement été l'avocat de mon père, mais aussi son ami, et que je n'étais peut-être pas le seul à avoir connu une matinée éprouvante.

Je serrai les poings jusqu'à mon hôtel, et vers 21 heures j'étais complètement soûl. Les portes de l'établissement ne s'étaient pas refermées derrière moi que j'avais les deux mains sur mon premier *boilermaker*. Je sus dès la première gorgée que je commettais une erreur. Je l'avais su durant tout le trajet du retour, l'avais su au cimetière et depuis l'instant où j'avais ouvert les yeux ce matin-là. Ce n'était pas comme si je réduisais à néant des années de sevrage, tournais le dos à mon libre arbitre et faisais tout pour me réveiller entre deux ogresses dans un pays inconnu, certes. Mais se cuiter, c'est un peu comme de passer la nuit dans un autre lit pour se venger d'une infidélité : un geste qui n'apporte rien d'autre que des souffrances, en même temps qu'il tronque le piédestal moral auquel, pour une fois dans votre vie, vous auriez pu prétendre. Le problème, c'est que je ne voyais aucune autre réponse sensée à la situation.

Je commençai perché au bar, puis au bout d'un moment je m'exilai vers l'une des tables longeant la baie vitrée. Un gros pourboire préventif me garantissait de ne pas devoir attendre, ni même bouger, pour refaire les niveaux. Une bière, puis un scotch. Une bière, puis un scotch. Un moyen rapide et efficace de se torcher, et le dévoué barman maintenait la cadence comme demandé.

Je sortis les documents de l'enveloppe kraft de Davids et les étalai devant moi, obnubilé par un point précis.

Durant toute mon enfance, j'avais compris une chose au sujet de mon père : c'était un homme d'affaires. Cela résumait sa fonction et son identité. *Homo sapiens affairis*. Le matin il partait faire des affaires, et rentrait le soir après en avoir conclu de fameuses. Mes parents ne parlaient jamais de leurs premières années de mariage, et rarement de choses importantes, mais j'en connaissais un rayon sur UnRealty. Mon père avait travaillé de nombreuses années dans une petite agence, avant d'inviter ma mère dans un restaurant gastronomique pour lui annoncer qu'il se lançait en solo. C'est en ces termes exacts qu'il aurait annoncé la nouvelle, comme s'il tournait une pub pour des prêts bancaires. Il avait rencontré des gens et noué des contacts, imbibé de la mythologie entreprenariale qui reconnaît à chacun le droit de prendre un jour la parole au country club pour dire : « Je me suis fait tout seul. » Il en avait sûrement bavé, mais mon père avait une certaine force de caractère. Garagistes et plombiers, contractuelles et guichetières, tous savaient au premier regard qu'il ne fallait pas le chercher. Quand il poussait la porte d'un restaurant, le personnel recevait pour consigne de se tenir droit et de cesser de cracher dans la marmite. Son entreprise, et l'histoire de celle-ci, étaient l'aspect du personnage que je connaissais le mieux.

Et pourtant, en rédigeant son testament, il avait décidé qu'UnRealty s'éteindrait avec lui. Au lieu de confier cette décision à son fils, il avait tranquillement tiré un trait sur vingt années de labeur.

Quand Davids m'avait appris cela, j'en avais tout de suite compris la raison : mes parents n'avaient pas voulu que je reprenne l'agence. Ce qui pouvait s'expliquer. J'avais vendu beaucoup, beaucoup de choses, et brassé toutes sortes de biens, mais jamais de maisons de luxe, c'est vrai. Je m'y connaissais, pourtant. Et comment. Je connaissais le magazine *Unique Homes*, le Registre DuPont et *Christie's Great Estates*. Je pouvais disserter sur les sites protégés et les ranches, savais apprécier l'artisanat d'antan, une vue plongeante sur le fairway du trou numéro 15, un havre d'intimité où la sérénité abonde. Comment y aurais-je échappé ? Mon sang en était imprégné. J'avais même fait deux années de fac d'archi, avant de changer de voie suite à un fâcheux incident. Et malgré tout, mon père n'avait pas voulu, ou jugé déraisonnable, que je reprenne le flambeau. Plus j'y pensais, et plus j'avais mal.

Je continuai de boire, pour voir si cela arrangeait quoi que ce soit. Cela n'arrangeait rien. Je continuai quand même. Le bar resta calme jusqu'en milieu de soirée. Puis, sur le coup de 22 heures, il y eut un soudain afflux d'hommes et de femmes en costumes et tailleurs, réchappés de quelque séminaire casse-couilles avec polycopiés, transparents et micros-cravates. Ils se répandirent au milieu de la salle, fourmillant frénétiquement, excités comme des puces à l'idée de se lâcher un bon coup et de s'envoyer une ou deux bières allégées. À ce stade ma cervelle était lourde et froide. Le vacarme ne fit qu'empirer, comme si j'étais cerné de forçats charriant des galets.

Je rongeai mon frein dans mon box, foudroyant les envahisseurs du regard. Deux types tombèrent la veste. Un larron desserra même sa cravate. Les sous-fifres se rapprochaient de leurs chefs, les collaient tels des bécasseaux, comme s'ils pensaient ainsi s'infiltrer dans leurs petits papiers. Je tiendrais bon. Je laisserais passer l'orage. Ces gens-là savaient peut-être se servir d'un tableur et redresser des entreprises, mais soumis à un test d'endurance au bar, ils avaient encore besoin de flotteurs. J'étais confiant. J'étais dans mon élément. J'étais aussi, rétrospectivement, encore plus rond que je ne pensais.

Trois types apparurent dans l'entrée. Ils s'immobilisèrent, regardèrent autour d'eux.

L'instant d'après les gens criaient, et les endimanchés plongeaient pour s'abriter. Tout d'abord je pris peur, avant de comprendre que c'était moi qu'ils fuyaient.

Je titubais au milieu de la salle, les vêtements imprégnés d'éclaboussures de bière. J'avais un flingue dans la main, braqué sur les visiteurs de l'entrée, et leur aboyais une longue suite d'ordres contradictoires. Ils avaient l'air mort de trouille. Sûrement parce que face à un type qui pointe un flingue sur vous, vous avez envie d'obéir. Mais ce n'est pas facile quand lui-même ne sait pas ce qu'il veut.

Je finis par me taire. Je comptai soudain six hommes à la porte, puis de nouveau trois. La salle était redevenue silencieuse, mais j'avais l'impression que mon cœur allait couler une bielle. Tout le monde attendait que la situation s'apaise ou s'aggrave.

– Désolé, murmurai-je. Simple malentendu.

Je rangeai le flingue dans ma veste, récupérai mes papelards et filai vers la sortie. J'atteignis le milieu du vestibule avant de trébucher, entraînant dans ma chute une table, un grand vase et une centaine de dollars de fleurs.

À 3 heures du matin, refroidi à coups d'eau glacée, j'étais allongé, de dos, sur le lit de ma chambre.

J'avais rencontré la direction de l'hôtel et les autorités locales, qui s'étaient montrées compréhensives, malgré leur désir de confisquer mon arme jusqu'à la fin de mon séjour. J'invoquai les funérailles. Je possède un permis de port d'arme, ce qui parut les surprendre. Mais ils firent remarquer, avec un certain bon sens, que ce document ne m'autorisait pas à l'agiter dans les bars.

Les papiers du cabinet de Davids, ceux qui me déclaraient détenteur de 1,8 million de dollars de liquidités, étaient soigneusement étendus sur le radiateur. J'avais ravalé ma rancœur. Le fait que les dernières volontés de mon père sentent désormais la bière semblait lui donner raison.

Au bout d'un moment je me retournai, décrochai le téléphone et composai un numéro. Six sonneries, puis le déclenchement d'un répondeur. Une voix que je connaissais mieux que la mienne indiquait que M. et Mme Hopkins étaient navrés de ne pouvoir répondre, mais qu'ils m'invitaient à laisser un message. Ils me rappelleraient.

CHAPITRE 2

À 10 heures le lendemain matin je me trouvais, pâle et piteux, devant l'allée de mes parents. Je portais une chemise propre. J'avais pris un petit déjeuner. Je m'étais excusé auprès de tous ceux que j'avais croisés à l'hôtel, jusqu'au gars qui nettoyait la piscine. J'étais stupéfait de ne pas avoir passé la nuit en cellule. Je me sentais tout merdeux.

La maison était située vers le bout d'une route étroite et pentue, dans la partie à flanc de montagne du principal secteur résidentiel de Dyersburg. Elle m'avait un peu déconcerté lors de l'emménagement de mes parents. Le terrain était de belle taille, environ deux mille mètres carrés, avec deux vieux arbres qui ombrageaient le mur latéral. Elle était flanquée de demeures victoriennes fin d'époque, de volume comparable, que personne ne semblait pressé de repeindre. Une haie impeccable délimitait le terrain de part et en part. Mary occupait la maison suivante, et cette femme ne roulait pas sur l'or. De l'autre côté résidaient depuis peu un professeur d'université et sa doctorante d'épouse. Je crois d'ailleurs que c'est mon père qui leur avait vendu leur habitat. Des gens charmants, eux aussi, mais pas vraiment le genre à prendre des bains au champagne. La maison elle-même possédait un étage, un superbe porche circulaire, un atelier en sous-sol et un garage qui mordait sur le jardin. C'était sans conteste une belle baraque, jolie et bien pourvue, dans un quartier agréable. On voudrait vous installer ici, vous n'iriez pas râler. Mais *Baraques de stars* n'y consacrerait pas un numéro spécial pour autant.

J'agitai la main par-dessus la clôture au cas où Mary serait à sa fenêtre, et remontai lentement le chemin. J'avais l'impression d'approcher une usurpatrice : la vraie maison de mes parents, celle où j'avais grandi, se trouvait loin dans le temps et cinq cents kilomètres plus à l'ouest. Je n'avais jamais remis les pieds à Hunter's Rock depuis le déménagement, mais je me souvenais de cette maison-là comme si j'y vivais encore. La disposition des chambres avait scellé ma conception de l'espace domestique. La maison que je contemplais à présent était comme une seconde épouse, arrivée trop tard pour obtenir de ses beaux-enfants davantage qu'une tiède cordialité.

Une poubelle en fer galvanisé reposait à côté de l'entrée, le couvercle soulevé par un sac plein. Pas de journal sur le perron. Davids avait dû résilier l'abonnement. À juste titre, sauf qu'ainsi la maison paraissait déjà couverte d'un drap. J'extirpai de ma poche le trousseau de clés et ouvris la porte.

La maison baignait dans un silence d'agonie. Je ramassai le courrier, principalement des prospectus, et le posai sur la console. Puis je flânai un moment, de pièce en pièce. On aurait dit des show-rooms annonçant je ne sais quel vide-grenier, où chaque objet provenait d'un logis différent et affichait un prix bien en deçà de sa valeur. Même les choses qui allaient par lot – les livres dans le bureau de mon père, les poteries anglaises des années trente de ma mère, soigneusement alignées sur le vieux buffet en pin du salon – paraissaient irrémédiablement soustraites à mon toucher comme au temps. Je n'avais pas la moindre idée de ce que j'allais en faire. Les mettre dans des boîtes et les entreposer quelque part pour qu'elles prennent la poussière ? Les vendre et conserver la recette, ou la reverser à une bonne cause ? Ou bien vivre parmi tous ces objets, en sachant que je n'aurais jamais à leurs yeux qu'un regard de seconde main ?

La seule solution qui me parût un tant soit peu avisée était de tout laisser tel quel, de sortir de là et de ne plus jamais revenir. Ce n'était pas ma vie. Ce n'était la vie de personne, plus maintenant. En dehors de l'unique photo de mariage du hall, il n'y avait aucun cliché nulle part. Il n'y en avait jamais eu dans notre famille.

Je finis par me retrancher au salon. Il donnait sur le jardin, face à la route, à travers de grandes fenêtres qui transformaient en chaleur la lumière froide de l'extérieur. Il y avait un divan et un fauteuil assortis, aux motifs raffinés. Un petit téléviseur seize neuvièmes, posé sur un meuble à vitres fumées. Sans oublier le fauteuil de mon père, une vieille antiquité en bois foncé et tissu vert, l'unique rescapé de l'ancienne maison. Une nouvelle biographie de Frank Lloyd Wright était posée sur la table basse, la page marquée par un reçu de Denford's Market. Huit jours plus tôt, l'un de mes parents avait acheté de la charcuterie, un gâteau à la carotte (ça alors), cinq grandes bouteilles d'eau minérale, du lait écrémé et un tube de vitamines. La plupart de ces produits devaient figurer parmi ceux que Mary avait éliminés du frigo. Il restait peut-être de l'eau minérale, ainsi que les vitamines. J'irais peut-être me servir après.

Dans l'immédiat je me carrai dans le fauteuil de mon père. Je frottai mes mains sur les accoudoirs élimés, avant de les reposer sur mes genoux tout en contemplant le jardin.

Et là, par vagues violentes, je pleurai longuement.

Bien plus tard, je me souvins d'une soirée qui remontait loin en arrière. Je devais avoir dix-sept ans, du temps où nous habitions encore la Californie. C'était un vendredi soir, et j'avais rendez-vous avec les potes dans un bouge situé sur une petite route à l'orée de la ville. Lazy Ed's était l'un de ces bars à bière de type boîte-à-chaussures-plus-parking que l'on croirait conçus par les Mormons pour donner de la boisson une image non seulement impie, mais morne, triste et désespérée. Ed savait qu'il n'était pas en position de jouer les difficiles, et puisque nous ne faisions jamais d'histoires et alimentions en pièces de vingt-cinq son billard et son juke-box – Blondie, Bowie et ce bon vieux Bruce Stringbean, à la grande époque de Molly Ringwald et des couleurs à la Mondrian –, notre clientèle de jeunots était bienvenue chez lui.

Ma mère était de sortie, partie chez une copine pour faire ce que peuvent bien faire les femmes quand leurs hommes ne sont pas là à semer le désordre, à prendre un air blasé ou à ne pas écouter avec suffisamment de gravité les mésaventures de gens qu'ils ne connaissent ni d'Ève ni d'Adam, et qui de toute façon ont l'air assez nazes, à en juger par les problèmes en question. À 18 heures, papa et moi étions assis à la grande table de la cuisine, devant des lasagnes que maman avait laissées dans le frigo, ignorant la salade verte. J'étais perdu dans mes pensées. Lesquelles, je ne puis dire. Je ne sais pas davantage me glisser dans ma tête à dix-sept ans que dans celle d'un indigène de Bornéo.

Je finis par constater que papa avait terminé de manger, et qu'il m'observait.

– Quoi ? demandai-je, relativement affable.

Il repoussa son assiette.

– Tu sors, ce soir ?

J'opinai lentement, pétri d'embarras adolescent, et me remis à précipiter la bouffe dans ma gorge.

J'aurais tout de suite dû saisir le sens de sa question. Mais celui-ci m'échappa, de même que m'échappait la raison de cette petite portion de salade dans son assiette par ailleurs vide. Je ne voulais pas de cette merde verte, alors je n'en prenais pas. Lui non plus n'en voulait pas, mais il en prenait quand même – bien que maman fût absente. Je comprends aujourd'hui que le but du jeu était de réduire le volume du saladier, pour éviter les sermons sur nos mauvaises habitudes alimentaires. En jeter une partie directement à la poubelle eût paru déloyal, mais si elle transitait d'abord par son assiette, la morale était sauve. À l'époque, je n'y voyais qu'une absurdité sans nom.

Je vidai mon auge, et constatai que papa était resté assis. Ça ne lui ressemblait pas. D'ordinaire, sitôt le repas terminé, il fallait qu'il s'active. Charger le lave-vaisselle. Sortir la poubelle. Mettre le café en route. Puis passer à la suite. En abattre, toujours en abattre.

— Et toi, qu'est-ce que tu vas faire ? Regarder la télé ? demandai-je au prix d'un effort que j'estimais très adulte.

Il se leva et débarrassa son assiette. Il y eut un silence, puis il répondit :

— Je me demandais.

Cela ne s'annonçait guère passionnant.

— Tu te demandais quoi ?

— Si ça te dirait de tirer quelques bandes avec un vieux bonhomme ?

Mon regard se planta dans son dos. Le ton de sa requête était aux antipodes de son assurance habituelle, en particulier cette tentative affectée d'autodénigrement. Comment pouvait-il croire que je mordrais à l'hameçon ? Il n'était pas vieux. Il faisait du jogging. Au tennis et au golf il écrasait des plus jeunes que lui. Surtout, c'était la dernière personne que j'imaginais penchée sur une table de billard. Il n'avait tout simplement pas le profil. Si vous aviez dû dessiner un diagramme de Venn comprenant les cercles « individus ayant l'air de joueurs de billard », « individus ayant peut-être l'air de joueurs de billard » et « individus n'ayant pas l'air de joueurs de billard, mais l'étant peut-être », il n'aurait même pas figuré sur la feuille. Il portait ce soir-là, comme si souvent, un pantalon de coton sable repassé avec soin et une chemise toute propre en lin blanc, qui ne provenaient ni l'un ni l'autre d'une marque aussi grand public que Gap. De belle taille, il avait la peau mate, les cheveux foncés et grisonnants, et le genre d'ossature qui donne envie aux gens de voter pour vous. Il paraissait destiné à se prélasser sur le pont d'un grand yacht, dans les eaux de Palm Beach ou de Jupiter Island, à discuter d'art. Et tout particulièrement de l'art qu'il essaierait de vous vendre. J'étais pour ma part blond et maigre, vêtu des réglementaires Levi's et tee-shirt noirs. L'un et l'autre semblaient avoir servi à régler des moteurs de voiture. Ils en avaient aussi l'odeur, sûrement. Celle de papa devait être la même que d'habitude, dont je n'avais pas conscience à l'époque mais que je sais

retrouver aujourd'hui comme s'il se tenait juste derrière moi :
une odeur sèche, propre, convenable, comme du bois de chauf-
fage soigneusement empilé.

– Tu veux venir jouer au billard ? demandai-je, vérifiant
que je n'avais pas perdu la raison.

Il haussa les épaules.

– Ta mère est sortie. Il n'y a rien dans le poste.

– Tu n'as pas une cassette en réserve ?

C'eût été inconcevable. Papa vouait à son magnétoscope les
mêmes sentiments qu'un maître à son vieux chien, et des étagères entières de vidéos soigneusement étiquetées s'alignaient
aux murs de son bureau. J'en ferais tout autant, bien entendu,
si j'avais une adresse fixe. Je leur attribuerais même des codes-
barres si j'en avais le temps. Mais, à l'époque, ce hobby était
l'aspect de son personnage qui m'évoquait le plus facilement
des images d'État policier.

Il ne répondit rien. J'éliminai les reliefs de ma propre
assiette, avec une application à la fois franche et inconsciente,
du fait que j'étais à l'âge où montrer de l'affection envers sa
mère est difficile, et qu'éviter que la merde ne bouche son
précieux lave-vaisselle était un geste qui passait inaperçu, y
compris à mes propres yeux. Je ne voulais pas que papa vienne
au bar. C'était aussi simple que ça. Mes sorties obéissaient à
une certaine routine. J'appréciais le trajet en voiture. C'était
du temps *pour moi*. Et puis les potes allaient trouver ça bizarre.
C'*était* bizarre, sans déconner. Mon copain Dave, qui avait
toutes les chances d'arriver complètement murgé, allait faire
une attaque en me voyant accompagné de ce suppôt de l'autorité, du conservatisme et de la ringardise.

Je le dévisageai, cherchant une façon d'exposer mon point
de vue. Les assiettes étaient rangées dans le lave-vaisselle. Le
reste de salade dans le réfrigérateur. Papa avait essuyé le
comptoir. Si d'aventure une brigade de la police scientifique
s'infiltrait en milieu de soirée pour chercher des traces d'activité alimentaire, elle repartirait bredouille. Et cela avait le
don de m'agacer. Mais quand papa replia le torchon et le sus-
pendit à la poignée du four, j'eus un avant-goût de ce que

j'éprouverais pour de bon, presque vingt ans plus tard, le jour où je me retrouverais assis en larmes dans son fauteuil, dans une maison vide de Dyersburg. La découverte que sa présence n'était ni incontournable ni acquise ; qu'un jour le saladier demeurerait plein et les torchons en boule.

— Si ça te dit, répondis-je.

Redoutant aussitôt la réaction des copains, j'avançai de quarante minutes notre départ de la maison. Ainsi nous disposerions peut-être d'une heure entière avant d'être confrontés au regard des autres, car les potes étaient toujours en retard.

Nous roulâmes jusqu'à chez Ed, moi au volant, papa sur le siège passager, peu bavard. À l'approche du bar il rapprocha son visage du pare-brise.

— C'est ici que tu joues ?

Je confirmai, un peu sur la défensive. Il grogna. Comme nous traversions le parking, je songeai que débarquer avec mon père risquait de nourrir les doutes d'Ed au sujet de mon âge, mais je ne pouvais plus faire marche arrière. Et puis on ne se ressemblait pas tant que ça. Peut-être me croirait-on simplement copain avec un type plus âgé. Un sénateur, ou un truc dans ce goût-là.

La salle était quasi déserte. Deux viocs inconnus étaient affalés sur une table du coin. Cet endroit ne s'animait que très tard, et encore, dans une ambiance des plus précaires, que deux mauvais choix consécutifs sur le juke-box pouvaient suffire à plomber. En attendant qu'Ed daignât quitter son arrière-boutique, papa s'adossa au comptoir et scruta les lieux. Il n'y avait pas grand-chose à voir. Des tabourets délabrés, une couche de poussière antédiluvienne, un billard, une pénombre et des néons. Je ne souhaitais pas que ça lui plaise. Ed apparut enfin, souriant à ma vue. D'ordinaire je buvais ma première bière tout en lui faisant la conversation, et il s'attendait sûrement qu'on remette ça ce soir.

Puis il remarqua mon père et s'arrêta. Pas comme s'il avait heurté un mur, mais il eut un mouvement d'hésitation, et son sourire fit place à un masque impénétrable. Mon père n'était pas le genre de type à fréquenter un tel endroit, et je suppose qu'Ed se demandait quelle impensable erreur d'orientation l'avait amené jusqu'ici. Papa se retourna vers lui et hocha la tête. Ed lui rendit la politesse. J'avais hâte d'en finir.

— Mon père, fis-je.

Ed opina de nouveau, et sur cette note s'acheva ce grand moment de socialisation virile.

Je commandai deux bières. En attendant qu'elles arrivent je regardai papa s'éloigner vers le billard. Gamin, je m'étais habitué à ce que les gens l'interpellent dans les magasins, pensant qu'il en était le directeur, et à ce titre la seule personne capable de démêler je ne sais quelle bagatelle montée en psychodrame. Paraître tout aussi à l'aise dans ce bar miteux était une sorte de gageure, qui déclencha en moi un accès d'admiration. Il s'agissait certes d'une forme de respect bien spécifique et limitée, celle que l'on éprouve devant une qualité dont il n'est pas exclu qu'on la convoite un jour, mais il n'empêche qu'elle était bien là.

Je le rejoignis au pied du billard, après quoi notre session de resserrement affectif partit en eau de boudin. Je gagnai les trois parties. Toutes trois longues et lentes. Il n'était pas si nul que ça, mais il lui manquait toujours cinq pour cent de précision, et j'avais la maîtrise de la table. Nous parlâmes très peu, occupés à nous pencher sur la table, à jouer nos coups, à encaisser nos ratés. Au terme du deuxième jeu, il partit chercher une seconde bière pendant que je piégeais les billes dans le triangle. J'avais secrètement espéré qu'il s'en tiendrait à une seule, aussi avais-je à peine touché à la mienne. Nous disputâmes la dernière partie, qui fut un brin meilleure, mais non moins atroce. Puis papa raccrocha sa queue au râtelier.

— Tu t'arrêtes là ? demandai-je d'un ton qui se voulait nonchalant.

J'étais tellement soulagé que je pris le risque de brandir une nouvelle pièce de 25 cents.

Il secoua la tête.

— Je ne te complique pas beaucoup la tâche.

— Alors, tu ne vas pas dire : « T'es drôlement doué, fiston », ou un truc de ce genre ?

41

– Non, répondit-il calmement. Parce que ce serait faux.

J'écarquillai les yeux, mortifié comme un môme de cinq ans.

– Ah, d'accord, parvins-je finalement à articuler. Merci pour ces encouragements.

– Ce n'est qu'un jeu, dit-il en haussant les épaules. Ce qui me dérange, ce n'est pas que tu sois mauvais. C'est que tu t'en satisfasses.

– Quoi ? m'étranglai-je. Tu sors ça d'où, d'un bouquin de développement personnel ? Balancez une vacherie au bon moment et votre gosse finira P-DG ?

Toujours aussi calme :

– Arrête tes conneries, Ward.

– C'est toi qui déconnes, répliquai-je. Tu *pensais* que je serais mauvais, et que tu pourrais venir me donner une leçon, alors que tu ne touches pas une bille !

Il resta figé un moment, les mains dans son pantalon de coton, à me considérer. Il avait un drôle de regard, froid et songeur, mais non dénué d'amour. Puis il sourit.

– Peu importe, fit-il.

Et sur ces mots il s'en alla – pour rentrer à pied, je suppose.

Je me retournai, attrapai ma bière et la vidai d'un trait. J'essayai d'expédier l'une de ses dernières boules au fond d'une poche d'angle, et mis un kilomètre à côté. Jamais je n'avais haï mon père comme à cet instant.

Je fondis sur le bar, pour découvrir qu'Ed m'avait déjà servi un nouveau demi. Je plongeai la main dans ma poche, cherchant ma monnaie, mais il secoua la tête. Une grande première. Je me perchai sur un tabouret, et restai muet pendant quelques minutes.

Puis la discussion s'engagea malgré tout, sur divers sujets : les opinions d'Ed concernant la politique et le féminisme – en gros, les deux lui déplaisaient –, et la cabane qu'il envisageait de bâtir dans les bois. Je voyais mal Ed peser de quelque façon que ce fût sur les deux premiers, ou retrousser ses manches pour édifier sa planque, mais je l'écoutai quand même.

Lorsque Dave arriva je parvins à feindre la plus parfaite routine.

Ce fut une soirée convenable. Bavardage, boisson, affabulations. Nous jouâmes quelques parties, sans grand talent. Puis je regagnai la voiture, et m'arrêtai en découvrant un mot pincé sous l'un des essuie-glaces. C'était l'écriture de mon père, mais bien plus petite que d'habitude.

« Si tu n'arrives pas à lire ceci du premier coup, fais-toi raccompagner. Je te ramènerai demain pour que tu récupères la voiture. »

Je chiffonnai et jetai le papelard, avant de prendre le volant – en redoublant de prudence. À mon retour maman était couchée. Il y avait de la lumière dans le bureau de papa, mais la porte était fermée, alors je montai droit dans ma chambre.

Je me levai une fois, en fin de matinée, pour me préparer une tasse de café soluble. À part ça, je stagnai dans le fauteuil jusqu'au milieu de l'après-midi, quand le soleil vint m'éblouir à travers la vitre. Cela me sortit de ma léthargie, et en me relevant je sus que je ne m'assoirais plus jamais là. D'une, c'était inconfortable. Le coussin était râpé et bosselé, et après plusieurs heures passées dessus, j'avais drôlement mal au cul. Je retournai à la cuisine, rinçai ma tasse, la reposai à l'envers sur le bord de l'évier. Puis je me ravisai : l'essuyai et la rangeai dans le placard. Je repliai le torchon et l'accrochai à la poignée du four.

Je restai paralysé dans le couloir, ne sachant que faire ensuite. Une partie de mon être estimait que l'attitude la plus filiale eût consisté à rendre ma chambre d'hôtel pour passer la nuit ici. Mais tout le reste de mon âme s'y opposait. Catégoriquement. Je voulais des lumières vives, un hamburger, une bière, et quelqu'un qui me parle d'autre chose que de mort.

Redevenu d'un coup triste et grincheux, je me ruai dans le salon pour récupérer mon téléphone sur la table basse. J'avais mal dans le bas du dos, sûrement à cause de ce fauteuil pourri.

Le fauteuil. Peut-être était-ce dû au changement de lumière : le soleil avait traversé toute la largeur du jardin, créant de nouvelles ombres. Ou bien, plus probable, ces quelques heures de larmes m'avaient un peu éclairci les idées. Quoi qu'il en soit, maintenant que j'avais les yeux dessus, le siège présentait un drôle d'aspect. Tout en rempochant mon Nokia, j'ajustai mon regard. Le coussin, qui était solidaire de la structure, se renflait bel et bien au milieu. J'y posai la main, palpai la bosse. Elle était un peu dure.

Peut-être papa l'avait-il fait retapisser, ou rembourrer de je ne sais quoi. De cailloux, peut-être. Je me redressai, prêt à oublier ce meuble et à quitter la maison. La gueule de bois commençait à me reprendre. Mais un autre détail retint mon attention.

Il existe tout un art d'agencer les objets entre eux, surtout lorsqu'ils sont volumineux. Certaines personnes ne voient pas ça. Elles se contentent de disposer leur mobilier au petit bonheur la chance, collé contré les murs, en angles droits, ou de telle sorte que toute la famille puisse voir la télé. Mais mon père avait toujours veillé à l'équilibre esthétique entre les meubles et se mettait en rogne si on en déplaçait un seul. Or le fauteuil de papa n'était pas à sa place. Il ne manquait pas grand-chose, et je doute que personne d'autre l'eût remarqué. Il était trop d'équerre avec le reste, et paraissait trop en avant. Ça ne rendait pas bien, tout simplement.

Je m'accroupis pour examiner la jointure entre le coussin et l'ossature. Elle était longée d'une ganse effilochée. Je l'attrapai par un bout et tirai. Elle vint facilement, révélant une ouverture qui semblait autrefois cousue.

J'y glissai ma main. Mes phalanges naviguèrent dans une matière sèche et molle, sûrement des copeaux de mousse. Parvenues au centre, elles se heurtèrent à un corps dur. Je l'exhumai.

C'était un livre. Un polar à succès, en édition poche, d'aspect récent, le genre d'ouvrage que ma mère avait pu choisir sur un coup de tête et parcourir en un après-midi. Sauf qu'il n'avait pas l'air entamé. La tranche n'était pas cassée, or ma mère n'avait jamais accordé un soin particulier à l'état des couvertures. Je ne comprenais pas. Il n'avait pu arriver là-dedans par accident.

Je feuilletai les pages. Vers le milieu du bouquin se trouvait un bout de papier. Je le retirai. Un petit mot, une seule phrase, écrite de la main de mon père :

« Ward, nous ne sommes pas morts. »

CHAPITRE 3

Un ruisseau dans le sud du Vermont, à l'eau claire et froide, courant sur un lit de galets pâles entre les flancs d'une vallée nichée dans les Green Mountains. Le ciel semble commencer quelques mètres à peine au-dessus de la cime des arbres, un drap de barbe à papa figé dans le gris du jour déclinant. Les feuilles au sol, bris d'ampoules aux couleurs de vitrail, sont inégalement saupoudrées de neige. De part et d'autre du cours d'eau, réuni par deux vieux ponts de pierre espacés d'une cinquantaine de mètres, s'étend le petit village de Pimonta. Il doit comprendre une vingtaine d'habitations en tout, quoiqu'une bonne douzaine d'entre elles semblent réservées aux vacances d'été, voire simplement abandonnées. Contre l'une d'elles repose la carcasse d'une antique Buick, colorée par l'oxydation dans des tons orageux. Quelques véhicules sont parqués dans les allées, des modèles robustes laissant deviner que leurs propriétaires possèdent plusieurs enfants et au moins un chien. Il règne un silence parfait, hormis le bruit du ruisseau, qui court depuis si longtemps que sa clameur tient plus de la couleur que du son. De la fumée s'échappe indolemment de quelques cheminées, dont celles du Pimonta Inn, un confortable bed and breakfast adossé au ruisseau et quasi complet en cette dernière semaine de défoliation.

Sur l'un des ponts se tient un homme, appuyé contre le muret, le regard plongé dans les remous de l'eau. Il s'appelle

John Zandt. Il mesure un mètre quatre-vingts et porte un épais manteau pour se protéger du froid. Ce vêtement accentue sa carrure, large et compacte. Il a l'air capable de transporter deux valises sur une longue distance ou de cogner quelqu'un extrêmement fort. Les deux sont vrais. Ses cheveux sont courts et sombres, ses traits rugueux mais harmonieux. Une barbe de deux jours lui recouvre les joues et le menton. Il a passé la semaine au Pimonta Inn, dans une suite composée d'une chambre, d'une salle de bains et d'un petit salon avec cheminée, le tout onéreusement douillet, dans un style rustique négligé. Il a consacré ses journées à arpenter les monts et les vallées de la région, en évitant les sentiers balisés et leurs chapelets de randonneurs bariolés qui redoutent les ours. Il est parfois tombé sur des vestiges de fermettes, réduites à des tas de fagots disséminés dans les sous-bois. On a beau tendre l'oreille, aucun écho ne parvient jusqu'ici, et des sites jadis en bordure de sentier ont à présent disparu des cartes. Les routes ont trouvé de nouveaux chemins, transformant certains coins en destinations et laissant les autres à la nature, peut-être pour toujours.

Zandt aime s'asseoir un moment dans ces lieux, à imaginer ce qu'ils avaient pu être. Puis il se remet en marche, jusqu'à ce que survienne la fatigue et qu'il soit temps de regagner l'auberge. En début de soirée il s'installe dans le grand séjour chaleureux, en évitant poliment la conversation des autres pensionnaires et des propriétaires. Les ouvrages de la petite bibliothèque traitent de fossiles et d'épanouissement personnel. Une quarantaine de personnes a dû le saluer au cours des deux dernières semaines, sans connaître son nom ni rien apprendre sur son compte.

Après le dîner, d'ordinaire excellent malgré la lenteur du service, il réintègre sa suite, fait du feu et reste éveillé aussi longtemps qu'il le peut. Il a beaucoup rêvé ces derniers jours. Parfois de Los Angeles, d'une vie révolue pour de bon et qui dès lors ne peut être fuie. Par le passé il s'est essayé à l'alcool comme à l'héroïne, sans y trouver grand secours, même à doses excessives. À présent il se contente de veiller, allongé sur le dos, attendant le matin, songeant au vide. Il n'a jamais tenté de se tuer. Ce n'est pas dans sa nature. Sinon il serait déjà mort.

Là, appuyé sur le muret du pont dans le jour déclinant, il s'interroge sur la suite des événements. Il a de l'argent, dont une partie lui reste d'un été de travail manuel intensif. Il se demande si le temps n'est pas venu de reprendre son baluchon, pour repartir vers une grande ville. Peut-être quelque part dans le sud, bien qu'il se soit découvert un goût pour le froid et les forêts sombres. Sa volonté est bridée par le fait qu'il n'a besoin d'aucune rentrée d'argent supplémentaire ni, pour celui qu'il possède déjà, de projets particuliers. Et que, après toute une vie passée au milieu des buildings, ceux-ci ont soudain perdu tout intérêt à ses yeux. Les routes désertes et les espaces vierges lui parlent davantage.

Il relève la tête en distinguant le bruit d'une voiture s'approchant par le nord. Au bout d'un moment une lumière de phares, allumés plus tôt que ne le veut la coutume locale, pointe au sommet de la colline, puis précède la voiture jusque dans le village, croisant la petite épicerie et la vidéothèque. Il s'agit d'une Lexus, très noire et récente. Elle s'arrête en douceur devant l'auberge.

L'automobile cliquette tandis que le moteur refroidit. Dans un premier temps, personne n'en sort. Zandt finit par comprendre que les deux passagers ont les yeux rivés sur lui. Son propre véhicule, une chose étrangère et bon marché qu'il a dégottée sur un parking désolé du Nebraska, est garé devant la dépendance qui abrite sa suite. Les clés de la voiture sont dans sa poche, mais impossible de l'atteindre sans se rapprocher de la Lexus. Il pourrait se retourner, traverser le pont, s'enfoncer dans l'autre partie du village et gagner les hauteurs, mais il n'en a pas le courage. Il sait qu'il aurait dû payer son séjour en liquide. Comme il le fait d'habitude. Mais il est arrivé les poches vides, et il était tard. Retirer de l'argent au distributeur de la ville la plus proche aurait laissé une trace tout aussi visible. Cela fait donc deux semaines que la confron-

tation est inévitable. Alors il contemple de plus belle le ruisseau sous ses pieds, et attend.

La portière passager s'ouvre et une femme descend. Cheveux bruns mi-longs, tailleur vert bouteille, taille moyenne.
Son visage est saisissant, ce qui signifie qu'on la jugera soit
laide, soit splendide. La plupart des gens se rallient à la première opinion, ce qui lui convient tout à fait. Son silence durant
le voyage a agacé l'agent Fielding, qui la connaît depuis seulement trois heures – et, n'eût-il été chargé de la conduire à
Pimonta, il aurait retrouvé ses pénates depuis belle lurette.
Fielding ignore encore le motif de ce périple, ce qui n'est pas
plus mal, car c'est à peine si cette mission peut être considérée
comme officielle. Il fait juste ce qu'on lui dit, talent assez
sous-estimé.

La femme referme la portière avec un clac qu'elle sait per-
ceptible par l'homme sur le pont. Ce dernier ne bouge pas, ne
relève même pas la tête avant qu'elle ait atteint l'auberge puis
l'échoppe murée d'un défunt potier, pour s'engager sur le pont.

Elle s'arrête à quelques mètres de lui, se sentant un peu bête
et assez frigorifiée.

– Bonjour, Nina, dit-il toujours sans la regarder.
– Quel flegme ! Je suis épatée.

Il se tourne vers elle.

– Joli tailleur. Très Dana Scully.
– On veut toutes lui ressembler ces derniers temps. Même
certains mecs.
– C'est qui, dans la voiture ?
– Un local. De Burlington. Le gentil monsieur a bien voulu
m'emmener.
– Comment tu m'as trouvé ?
– Carte de crédit.
– Évidemment. Ça fait un sacré voyage.
– Tu le vaux bien.

Il considère d'un air sceptique la femme qu'il avait autrefois
trouvée splendide et juge à présent quelconque.

– Alors, qu'est-ce que tu veux ? On gèle. J'ai faim. Ça
m'étonnerait qu'on ait quelque chose à se dire.

L'espace d'un instant elle paraît de nouveau splendide, et blessée. Puis, comme si rien de tout cela n'avait d'importance à ses yeux, ou n'en avait jamais eu :

– Ça vient de se reproduire, dit-elle. J'ai pensé que tu préférerais le savoir.

Elle tourne les talons et se dirige vers la voiture. Le moteur tourne déjà quand elle rouvre sa portière, et en deux minutes la vallée redevient vide et silencieuse, autour d'un homme sur un pont, la bouche entrouverte, le visage blême.

Il la rattrapa trente kilomètres au sud, roulant à tombeau ouvert sur d'étroites routes de montagne, la voiture ballottant dans les lacets. Le sud du Vermont n'est pas conçu pour la vitesse, et par deux fois le véhicule chassa sur le verglas. Zandt n'y prêta aucune attention, pas plus qu'à la poignée d'automobilistes du cru qui eurent à peine le temps de ciller avant qu'il ne fonde sur eux et les laisse pantelants dans son sillage. À Wilmington, la route partait en fourche. La Lexus n'était visible dans aucune des deux directions. Présumant que Nina filait vers le premier endroit d'où elle pourrait regagner la civilisation par les airs, il prit à gauche sur la route 9 en direction de Keene, juste derrière la frontière du New Hampshire.

La chaussée plus large lui permit d'augmenter sa moyenne, et il ne tarda pas à distinguer au loin les feux arrière caractéristiques de la Lexus, qui vacillaient derrière les arbres quand la route sinuait, ou s'éteignaient au passage d'un col. Il finit par la rejoindre dans une ligne droite à l'orée de Hardsboro, où la route longeait un lac lisse et froid qui réfléchissait un ciel couvert de nuages.

Il fit un appel de phares. Aucune réponse. Il se rapprocha, recommença. Cette fois-ci la Lexus reprit un peu de vitesse. Zandt enfonça l'accélérateur. Il vit Nina se retourner et s'aviser de sa présence à travers la lunette arrière. Elle s'adressa au chauffeur, qui ne ralentit pas.

Pied au plancher, Zandt déboîta, doubla et se rabattit avant de freiner à fond. Le moteur n'était pas encore arrêté qu'il bondissait hors de l'habitacle, imité par Fielding, qui sortait la main de son blouson.

— Range ça, conseilla Zandt.

— Va te faire foutre.

L'agent tenait son arme à deux mains. Nina s'extirpa de la voiture à son tour, en tâchant d'éviter la boue.

— Je vous préviens, lui dit Fielding d'une voix calme, vous devriez rester en retrait.

— Tout va bien, dit Nina. Merde, mes pompes...

— Tout va bien, mon cul ! Il a essayé de nous mettre dans le fossé.

— Peut-être qu'il avait juste envie de parler. On se sent facilement seul là-haut.

— Qu'il parle à mon cul, rétorqua Fielding. Vous, vos mains sur la voiture !

Zandt resta là où il était jusqu'à ce que Nina ait contourné la Lexus et foulé la chaussée.

— Tu es sûre que c'est lui ? demanda-t-il.

— Tu crois que j'aurais fait tout ce chemin si ce n'était pas le cas ?

— Je n'ai jamais rien compris à ta manière d'agir. Jamais. Alors réponds seulement à ma question.

— Tu vas foutre tes mains sur ce toit, oui ou merde ? hurla Fielding.

Tinta alors le son mécanique d'une sécurité qu'on débloque.

Zandt et Nina se tournèrent vers l'agent. Il était hors de lui. Nina scruta le route, où approchait une grosse Ford blanche fleurant bon « location », qui roulait au pas de sorte que ses occupants puissent apprécier la vue du lac dans ce qu'il restait de lumière.

— Du calme, fit Nina. Vous avez vraiment envie d'expliquer à votre chef que vous avez descendu un collègue ?

Fielding jeta un œil par-dessus son épaule. Vit la voiture s'immobiliser sur un refuge du bas-côté, à une centaine de mètres. Il baissa son arme.

— Vous allez enfin me dire ce qui se passe, bordel ?

Nina secoua dédaigneusement la tête puis revint à Zandt :

– Oui, j'en suis sûre, John.

– Alors pourquoi tu n'es pas là-bas ?

Elle haussa les épaules, comme à son habitude.

– Pour tout te dire, je ne sais pas. Je ne devrais pas être ici, et encore moins te parler. Tu comptes m'envoyer paître, ou tu préfères qu'on aille discuter ailleurs ?

Zandt détourna le regard vers la surface lisse du lac. Elle était noire par endroits, gris gelé par d'autres. De l'autre côté se trouvaient une petite clairière et une maison de vacances en bois, avec un tas de bûches empilées sur le côté. La structure ne paraissait ni préfabriquée ni choisie sur catalogue – c'était plutôt comme si quelqu'un ou « quelques deux » avaient passé de longues soirées dans un endroit invivable à dessiner les plans sur des blocs rapportés du bureau, brûlant de se transporter dans une tout autre dimension. Une fois de plus, Zandt regretta de ne pas être un autre. Le type qui vivait là, par exemple. Ou l'un des touristes arrêtés plus haut sur la route, qui étaient descendus dans les fourrés au bord de l'eau pour admirer les arbres, et ressemblaient dans leurs anoraks chamarrés à une harde de feux tricolores.

Enfin il hocha la tête. Nina retourna auprès de Fielding et lui parla quelques instants. Au bout d'une minute, le pistolet de l'agent avait regagné son étui. Le temps que Zandt détache ses yeux du lac, Fielding était remonté dans le véhicule, l'air décrispé.

Nina attendit Zandt à sa voiture, un épais dossier sous le bras.

– Je lui ai dit que je partais avec toi, expliqua-t-elle.

Comme Nina s'installait sur le siège, Zandt s'avança vers la Lexus. Fielding l'observa par le carreau avec une expression impénétrable, et démarra. Puis il pressa le bouton pour baisser sa vitre.

– Allez, je passe l'éponge pour cette fois, dit-il. À la prochaine.

Zandt se fendit d'un sourire. Un sourire mince, qui n'avait rien d'une manifestation de joie.

– Il n'y aura pas de prochaine fois, répondit-il.

Fielding se raidit.

— Et qu'est-ce que je suis censé comprendre ?

— Que si jamais on se recroise et que tu braques un flingue sur moi, la surface d'un joli lac sera jonchée de petits morceaux de fédéral. Et je me branle de savoir si ça nique l'écosystème.

Là-dessus, Zandt tourna les talons, laissant l'agent bouche bée.

Fielding fit une marche arrière nerveuse, soulevant une giclée de gravier. Il fit vrombir son moteur et détala, ne s'arrêtant que pour se pencher du côté passager et tendre le majeur de sa main droite.

En regagnant sa voiture, Zandt découvrit Nina assise, les bras croisés, qui le dévisageait en levant un sourcil.

— Tes facultés relationnelles ne cessent de progresser, dit-elle. Tu devrais, je sais pas, moi, donner des conférences. Ou écrire un livre. Sérieusement. C'est un don. Ne le réprime pas, partage-le. Va au bout de ton véritable ego.

— Ferme-la, Nina.

Il conduisit en silence jusqu'au retour à Pimonta. Nina tenait son dossier sur les genoux. La nuit était tombée lorsqu'ils retrouvèrent le village, et de nouvelles autos étaient apparues sur le parking des pensionnaires. Plusieurs fenêtres étaient éclairées. Zandt se gara devant l'entrée de l'auberge, coupa le contact. Il ne fit aucun geste pour ouvrir sa portière, alors Nina resta immobile.

— Tu as toujours faim ? finit-elle par demander.

L'habitacle se refroidissait. Deux couples avaient déjà croisé la voiture en se dirigeant vers le bâtiment principal, le visage rond à l'heureuse idée de manger.

Zandt s'étira, comme au terme d'un long voyage.

— C'est comme tu veux.

Elle tenta l'enthousiasme :

— Ça m'est égal.

— Détrompe-toi. Ici, on dîne entre 18 h 30 et 21 heures.

Alors c'est maintenant ou demain matin. Le petit déj' est servi entre 7 et 8. Et plutôt chiche.

– Tu veux dire qu'il n'y a pas moyen de bouffer un hamburger dans l'intervalle ? Ou qu'on ne te servira nulle part un petit sandwich ?

Zandt tourna la tête, et cette fois-ci son sourire parut presque sincère.

– Tu n'es pas du coin, n'est-ce pas ?

– Dieu merci, non. Et toi non plus. Chez nous on peut manger quand on veut. On donne de l'argent, et on reçoit de la nourriture en échange. C'est moderne et pratique. Ou bien es-tu resté trop longtemps chez les ploucs pour t'en souvenir ?

Il s'abstint de répondre. Sans prévenir, elle laissa tomber le dossier sur le tapis et ouvrit sa portière.

– Attends-moi, dit-elle.

Zandt attendit, la regardant s'éloigner d'un pas décidé vers le bâtiment. La faim qu'il avait ressentie après sa promenade s'était dissipée. Il se sentait congelé, dedans comme dehors. Il avait perdu l'habitude de côtoyer des gens qui le connaissaient bien et il se sentait déboussolé, ses pensées et sentiments déphasés. Il avait passé un sacré temps sur la route, à se fondre dans le décor : l'homme au bar qui commande un deuxième verre ; le gars qui fait des extras pendant quelques jours ; le type dans une station-service fouettée par le vent, qui contemple le vide par-dessus le toit de sa voiture pendant qu'il fait le plein, puis repart aussitôt et disparaît au loin. Pendant de longues périodes il avait pensé à très peu de choses, aidé en ce sens par l'absence de liens avec son passé. La présence de Nina changeait sensiblement la donne. Il regrettait de ne pas avoir bougé un jour plus tôt, pour qu'elle se casse les dents sur une chambre vide. Mais Zandt connaissait son obstination mieux que personne : une fois décidée à le débusquer, elle n'aurait jamais renoncé.

Il regarda le dossier plutôt épais abandonné sur le plancher. Il n'avait aucune envie de le toucher, encore moins de découvrir son contenu. Il en connaissait déjà l'essentiel. Et le reste ne serait pas bien différent. Il lui inspirerait un mélange d'hébétude et d'horreur, des lames de rasoir dissimulées dans des boules de coton.

Au bruit d'une porte qu'on referme, il leva les yeux pour voir Nina qui revenait de l'auberge. Elle tenait quelque chose dans une main. Il sortit de la voiture. La température avait sensiblement chuté. Un ciel de plomb. De la neige.

— Bon sang, fit-elle, le visage embrumé par son souffle. Tu n'avais pas tort. Nourriture réservée aux heures de repas. J'ai quand même trouvé ceci. (Elle brandit une bouteille de whisky irlandais.) J'ai dit qu'on en avait besoin comme pièce à conviction.

— Je ne bois plus vraiment, tu sais.

— Moi si. Tu n'auras qu'à me regarder.

Elle ouvrit sa portière afin de ramasser le dossier. Zandt vit qu'elle vérifiait son emplacement sur le tapis, pour voir s'il y avait jeté un coup d'œil en son absence.

— Qu'est-ce que tu fais ici, Nina ?

— Je suis venue te sauver. Fêter ton retour dans le monde.

— Et si je ne veux pas revenir ?

— Tu es déjà revenu. Tu l'ignores encore, c'est tout.

— Ça veut dire quoi, ça ?

— Écoute, John, il fait plus froid que dans le slip d'une bonne sœur, ici. Allons à l'intérieur. Je suis sûre que ton nouveau regard-qui-tue-à-mille-mètres fonctionne aussi bien entre quatre murs.

Surpris, il émit un rire rauque :

— Où sont passées tes bonnes manières ?

Elle haussa les épaules.

— Tu connais les règles du jeu. Couche avec une femme, et elle gagne le droit de te malmener jusqu'à la fin de tes jours.

— Même si c'est elle qui a pris l'initiative ? Puis tout arrêté ?

— Autant que je me souvienne, tu ne t'es pas défendu bec et ongles, ni au début ni à la fin. Laquelle de ces granges rustiques est ton domicile actuel ?

De la tête, il indiqua son bâtiment, et elle se mit en marche. Après avoir envisagé un instant de remonter en voiture pour filer, il la suivit.

CHAPITRE 4

Il prépara le feu pendant qu'elle l'observait, assise dans l'un des fauteuils râpés, les pieds sur la table basse. Il la sentait qui jaugeait la pièce dans la lumière électrique : les tapis délicieusement usés, le mobilier chic minable, les tableaux que seul un hôtelier pouvait trouver à son goût. Le plancher était peint en blanc cassé, et un bouquet de fleurs locales se dressait gaiement dans un vase à quelques centimètres des pieds de Nina.

— Alors, à quelle heure Martha Stewart doit-elle passer ?

— Sitôt que tu seras partie, répondit-il en se rendant à la salle de bains pour trouver des verres. Elle et moi, c'est comme un truc animal.

Nina sourit, et contempla le petit bois dans l'âtre. Le feu crissait et craquait, ravi d'être éveillé, prêt à se consumer. Il lui semblait qu'elle n'avait pas vu de vrai feu depuis une éternité. Cela lui rappela ses vacances d'enfant, et lui donna des frissons.

Zandt revenu, elle ouvrit la bouteille et versa deux mesures. Il resta debout quelques instants, comme s'il ne pouvait encore se résoudre à la suivre, puis finit par prendre le second fauteuil. La pièce commença lentement à se réchauffer.

Des deux mains, elle porta le verre à sa bouche, sans quitter Zandt des yeux.

— Alors, John, quoi de neuf ?

56

Il garda le regard rivé sur le feu.
– Viens-en au fait, répondit-il.

Trois jours plus tôt, la jeune Sarah Becker s'était trouvée assise sur un banc de Third Street Promenade à Santa Monica, en Californie. Elle écoutait un minidisc sur le lecteur qu'elle avait reçu pour ses quatorze ans. Elle s'était fabriqué une belle petite étiquette avec l'ordinateur familial, de sorte que ses nom et adresse figuraient au dos de l'appareil, recouverts de Scotch transparent pour empêcher l'encre de s'effacer. Bien qu'elle s'en fût voulu de gâter ainsi le chrome brossé du lecteur, elle aurait eu plus de remords encore de le perdre. Quand celui-ci fut retrouvé, il apparut que l'album qu'elle écoutait s'intitulait *Generation Terrorists*, d'un groupe anglais baptisé Manic Street Preachers. Sauf que, comme le savait Sarah, on disait simplement les Manics. Ils n'avaient pas trop la cote dans son école – raison de plus pour les écouter. Tous ses camarades se pâmaient devant des princesses pop aboyeuses et des boys-bands insipides, ou balançaient la tête pendant qu'un rappeur de supermarché braillait l'argot de l'année dernière sur une mélodie archiconnue depuis sa villa fortifiée de Malibu. Sarah préférait les artistes qui donnaient l'impression que, à un moment donné, ils avaient voulu exprimer quelque chose. Elle y voyait un gage de maturité. À quatorze ans, on n'était plus une gamine, loin de là. Plus aujourd'hui. Pas à L.A. Pas en 2002. Ses parents peinaient à se mettre à la page, mais même eux savaient qu'il en était ainsi. À leur manière ils se faisaient à cette idée, tels des hommes de Neandertal regardant avec circonspection les premiers Cro-Magnon descendre de la colline en sifflotant.

Là où elle était assise, près de la fontaine face au Barnes and Noble, le bout de la Promenade était assez vide en ce milieu de soirée. Quelques personnes entraient dans la librairie, et l'on distinguait les clients à travers la baie vitrée sur deux étages : feuilletant intensément livres et journaux, salivant devant les fiches techniques des ordinateurs dernier cri ou cherchant des formules magiques dans des manuels d'écriture scénaristique. L'an passé, elle avait séjourné quinze jours à Londres en famille, et elle avait été frappée par l'indigence des librairies de la capitale anglaise. Elles étaient carrément bizarres. Genre il n'y avait que des livres. Pas de café, zéro magazine, même pas de toilettes. Rien que des rangées et des rangées de bouquins. Les gens se servaient, payaient, et repartaient aussi sec. Si sa mère semblait trouver ça plutôt cool, Sarah y voyait l'un des aspects les plus craignos de l'Angleterre. Puis ils avaient déniché un grand Borders flambant neuf, et elle s'y était précipitée, pour découvrir les Manics sur l'une des bornes d'écoute. Les groupes anglais étaient cool. Les Manics étaient particulièrement cool. Londres était cool dans l'ensemble. C'est clair.

Opinant de la tête tandis que le chanteur se proclamait bruyamment « chien maudit », elle embrassait la Promenade du regard. À l'autre bout de cette zone piétonne longue de trois pâtés de maisons, s'enfilaient les restaurants. Son père l'avait déposée vingt minutes plus tôt, et passerait la reprendre à 21 heures précises, comme tous les mois. Elle devait retrouver sa copine Sian au Broadway Deli. Ces demoiselles dînaient en ville. Ce rendez-vous gastronomique était né de l'imagination de la mère de Sian, qui accompagnait l'adolescence de sa fille en ouvrant toutes les portes imaginables, de peur que le fait d'en laisser une seule fermée – et la mauvaise – ne ruine leur relation privilégiée. La mère de Sarah s'était facilement laissé convaincre par ce projet : d'une part tout le monde se laissait facilement convaincre par Monica Williams, d'autre part Zoe Becker demeurait suffisamment à l'écoute de la jeune fille qu'elle avait été pour savoir combien elle aurait aimé faire la même chose au même âge.

Le père de Sarah avait toutefois un droit de veto occasionnel, et pendant un long et pénible moment elle avait craint qu'il ne l'exerce. On avait en effet assisté quelques mois plus tôt à une recrudescence des meurtres entre gangs, liée aux mouvements de restructuration saisonniers dans l'industrie du crack. Mais au bout du compte, après avoir proposé et conclu avec sa fille un contrat déclinant un arsenal de mesures sécuritaires – la déposer et la récupérer à des lieux et heures fixes, exiger qu'elle présente une batterie de portable pleine, et lui faire réciter les principaux gestes de bon sens pour éviter l'impondérable intrusion du mauvais sort –, papa avait donné son feu vert. Ce rituel faisait désormais partie de leur calendrier mondain.

Le problème, c'était que Sian n'était pas là quand la voiture s'arrêta au carrefour habituel. Michael Becker se dévissa le cou, scrutant la rue de haut en bas.

– Où est donc passée la fameuse miss Williams ? marmonna-t-il tout en pianotant sur le volant.

Il y avait un os dans la série qu'il concevait en ce moment pour la Warner, et c'était le stress des grands jours : un calme lourd ponctué de sautes d'humeur. Sarah ne savait quel était le problème au juste, mais elle connaissait le credo paternel selon lequel, dans le Business, les choses avaient mille façons d'aller de travers, et une seule d'aller droit. Il lui avait soumis quelques idées en vue de l'épisode pilote, il avait même fait appel à ses lumières sur certains points, considérant sa réaction comme représentative d'une certaine frange de l'audience visée. À vrai dire, et non sans surprise, Sarah avait estimé que la série s'annonçait plutôt cool. Mieux que *Buffy* ou *Angel*, en tout cas. En son for intérieur, elle voyait en Buffy une petite emmerdeuse, et jugeait que le vieil Anglais qui la cornaquait tenait beaucoup moins de Hugh Grant qu'il ne semblait le croire, que ce soit dans la voix ou dans l'allure. L'héroïne de *Dark Shift* était en revanche plus indépendante, moins frimeuse, et moins prompte aux pleurnicheries. Elle était aussi, sans que Sarah en eût conscience, librement inspirée de la fille de Michael Becker.

– La voilà, avait lancé Sarah en pointant du doigt.

Son père fronça les sourcils.

– Je ne la vois pas.

– Mais si, regarde : sous le réverbère là-bas, devant Hennessy and Ingels.

À cet instant un connard derrière eux klaxonna, et son père se retourna vivement pour le foudroyer du regard. Il se mettait très rarement en rogne au sein du cercle familial, mais il lui arrivait de passer ses nerfs sur le monde extérieur. Sarah savait, pour l'avoir récemment étudié en classe, que ce comportement relevait de la hiérarchisation des espèces, avec la jungle des rues comme lieu de confrontation – mais elle redoutait qu'un de ces jours son père ne choisisse le mauvais gorille pour affirmer son ascendant. Il n'avait pas l'air de comprendre que les pères peuvent eux aussi attirer le mauvais sort et que l'âge influe peu sur la violence du châtiment.

Elle ouvrit sa portière et sauta sur le trottoir.

– Je cours la rejoindre. Ne t'inquiète pas.

Les mâchoires serrées, Michael Becker regarda la LeBaron du type pressé contourner leur voiture.

Puis il se retourna, et son visage se métamorphosa. L'espace d'un instant, on aurait oublié que derrière ses yeux défilaient en boucle des trames narratives et des taux d'audience, comme s'il voyait le monde à travers une grille de distributions et de cessions de droits étrangers. Il ressemblait juste à un type fatigué, qui aurait eu besoin de caféine chaude, et à son papa.

– À plus, dit-elle avec un clin d'œil. Fais une crise cardiaque sur le chemin du retour.

Il consulta sa montre.

– Pas le temps, désolé. Peut-être un petit ennui de prostate, alors. À 9 heures ?

– Tapantes. Je suis toujours en avance. C'est toi qui es en retard.

– Voyez-vous ça ! Touche Dubois, petite dame.

– Touche Dub', papa.

Elle claqua la portière et le regarda s'engager dans le trafic. Il la salua d'un petit signe de main, puis s'éloigna, rappelé par son monde intérieur, à la merci de gens qui lui achetaient du texte au mètre et attendaient le jour de la diffusion pour savoir ce qu'ils voulaient vraiment. Comme la voiture s'éloigna, Sarah se répéta le serment qu'elle s'était fait : jamais elle ne céderait aux sirènes du Business.

Bien entendu, elle n'avait pas aperçu Sian sous le réverbère. Elle avait juste fait semblant, pour ménager son père, lui permettre de regagner au plus vite la maison et sa table de travail. Sian continua de ne pas être là pendant dix minutes, puis le téléphone de Sarah sonna.

C'était Sian. Elle se trouvait sur Sunset, plantée à côté de la voiture maternelle, écumant de rage. Sarah distinguait en fond sonore la voix de Mme Williams qui déchargeait vertement sa bile sur un pauvre mécano, lequel avait dû, devant cette image d'une mère et de sa fille en détresse, se projeter mentalement le synopsis d'un porno en direct live. Sarah espérait qu'il avait compris que non seulement il pouvait ravaler ses fantasmes, mais qu'il était un homme mort s'il ne réparait pas cette bagnole fissa.

Quoi qu'il en soit, Sian n'allait pouvoir honorer le rendez-vous. Ce qui plongeait Sarah dans l'embarras. Son père ne serait pas encore rentré, et quand il atteindrait l'allée de la maison, son cerveau ne serait plus qu'un maelström d'impacts de balles et de pannes d'intrigue – peut-être même serait-il déjà en ligne avec son coauteur Charles Wang, à se demander par quels tours de passe-passe sortir le projet de la zone de turbulences. Un important petit déjeuner d'affaires avec le studio était prévu le lendemain matin, une réunion fatidique devant décas et omelettes sans cholestérol. Son père redoutait comme la mort ce type de rendez-vous, pour la simple raison qu'il ne mangeait jamais le matin et détestait picorer ses toasts pour éviter de tripoter ses couverts. Bref, elle ne voulait pas ajouter à son stress, sachant que sa cadette Melanie ferait assez de boucan pour lui taper sur le système.

Puis elle se dit qu'au fond rien ne l'obligeait à appeler. Elle avait un peu moins de deux heures devant elle. L'étendue de la Promenade était le paradis du lèche-vitrine, avec ses innombrables boutiques dont la plupart étaient encore ouvertes. Elle pourrait simplement traîner, munie d'un Frappuccino. Musarder chez Anthropologie, à la recherche d'idées de cadeaux. Vérifier les bornes d'écoute chez Barnes and Noble, au cas où ils se seraient décidés à proposer du neuf. Ou même déguster sa salade Cobb en solo au Deli. N'importe quoi, en fait, du moment qu'elle pourrait revenir au carrefour à l'heure dite. Puis, selon l'humeur de son père, elle révélerait que Sian ne s'était pas pointée ou prétendrait que tout s'était déroulé au poil.

Elle composa le numéro de Sian pour s'assurer que son plan ne serait pas compromis pas un coup de fil inopiné de Mme Williams à sa mère. Mais elle ne put obtenir la communication. La voiture devait être réparée et se trouver momentanément isolée au milieu d'un canyon. Cela dit, Sarah serait déjà au courant si sa mère avait été alertée. Le ciel serait investi d'hélicos, et Bruce Willis descendrait à sa rescousse au bout d'une corde.

Elle laissa un message à Sian, se mit en marche et poussa la porte du Starbucks. Il lui était venu à l'esprit qu'en se rendant au Deli toute seule, elle pourrait savourer le menu de ses envies, et déroger à cette maudite salade Cobb qu'elles commandaient invariablement, s'imposant un régime vingt ans plus tôt que de besoin. Elle pourrait carrément s'offrir un hamburger. Un bon gros burger, saignant, avec du fromage. Et des frites.

Elle se disait que c'était peut-être ça, la vie de grande, et que ça pouvait s'avérer somme toute intéressant.

Elle était parvenue au bout de son Frappuccino, et les Manics de leurs braillements, quand elle vit un grand type sortir de la librairie. Il fit quelques pas, puis s'arrêta pour examiner le ciel. La nuit n'était pas complètement tombée, mais le crépuscule déclinait. Le type mit la main dans sa poche, sortit un paquet de cigarettes et tenta d'en extraire une sans reposer ce qui était à l'évidence un gros sac de livres. La scène dura un bon moment, sans que l'homme remarque le regard amusé de Sarah. À sa place, songeait-elle, elle aurait sans doute posé le sac par terre, mais cette solution ne l'avait visiblement pas effleuré.

Au bout du compte, exaspéré, il se rendit à la fontaine pour caler son sac sur le rebord. Une fois sa cigarette allumée, il porta les mains à sa taille tout en considérant l'allée, avant de la considérer, elle.

— Salut, dit-il d'une voix douce et gaie.

Maintenant qu'il s'était approché, elle lui donnait une quarantaine d'années, voire un peu moins. Elle-même ignorait le pourquoi de cette déduction, car, dans le contre-jour du réverbère, son visage demeurait obscur. Il avait juste ce je-ne-sais-quoi du mec plus vieux.

— Répétez, pour voir ?

— Euh... Salut ?

Elle opina d'un air grave.

— Vous êtes anglais.

— Mon Dieu, ça crève les yeux, alors ?

— Vous avez un accent anglais, quoi.

— Ah, oui. Bien sûr.

Il tira de nouveau sur sa cigarette, puis avisa le banc.

— Je peux m'asseoir à côté de vous ?

Sarah haussa les épaules. Le haussement d'épaules était un bon plan. Ça ne voulait pas dire oui, ça ne voulait pas dire non. Peu importe. Le banc était assez grand pour deux, de toute façon. D'ici quelques secondes elle serait en partance pour une salade. Ou un burger. Elle hésitait encore.

L'homme s'assit. Il portait un pantalon en velours côtelé, pas particulièrement neuf, mais sa veste légère paraissait de première qualité. Il avait de grandes mains soignées. Sa blondeur naturelle avait été rehaussée, un travail de pro, et son visage était plutôt pas mal. Style prof de physique dans le coup – ou de sciences sociales. Le genre qui par principe ne couchait pas avec ses étudiantes, mais pourrait facilement s'il en avait envie.

— Alors vous êtes acteur, ou un truc de ce style ?

— Oh, non. Rien de si original. Je suis un simple touriste.

— Et vous restez combien de temps ici ?

— Deux semaines.

Il plongea la main dans sa poche et produisit un petit objet en métal brillant. Il en ouvrit la partie supérieure, révélant un petit cendrier de poche.

Sarah l'observa avec grand intérêt.

– Les Anglais fument beaucoup, n'est-ce pas ?

– Je l'admets, répondit l'homme, qui n'était pas anglais. (Il écrasa son mégot et rangea le cendrier dans sa veste.) C'est-à-dire que nous n'avons pas peur.

Ils bavardèrent quelque temps. Sarah évoqua ses souvenirs de Londres. L'homme parvint à lui donner la réplique, car deux jours plus tôt il se trouvait encore là-bas. Il se garda d'expliquer que son sac Barnes and Noble contenait des livres qu'il possédait depuis des années, et qu'il était resté assis une heure entière au rayon Économie et Politique, tournant le visage aux autres clients, à guetter par la baie vitrée l'arrivée de Sarah. Au lieu de ça, il s'enquit des curiosités de la ville, après avoir énuméré les hauts lieux de Los Angeles qu'il avait déjà visités, une sélection des pièges à touristes habituels.

Endossant avec sérieux cette lourde responsabilité, Sarah conseilla les fosses goudronneuses de La Brea, ainsi que Rodeo Drive et la tour Watts, un panel qui donnait à ses yeux un bon éclairage tant sur les origines de L.A. que sur son avenir. En outre, songea-t-elle, Rodeo Drive permettrait à ce type de troquer son velours côtelé contre une chose un peu plus *bon marché*[1], ainsi que Sian – qui avait séjourné à Antibes l'été précédent – aimait à répéter.

Puis l'homme se tut. Sarah jugea venu le moment de lécher l'enfilade de vitrines jusqu'au lieu de son dîner. Elle s'apprêtait à lui souhaiter une bonne soirée quand il pivota pour la dévisager.

– Vous êtes très jolie, dit-il.

Que ce fût vrai ou faux – ces temps-ci, Sarah était partagée sur ce point –, ce compliment sortait tout droit de la boîte estampillée « attention, barjo ! ».

– Merci, répondit-elle avec la tiédeur qui s'imposait.

Le soir parut soudain fraîchir, puis se stabilisa à mesure qu'elle prenait la situation en main.

---

1. En français dans le texte. (*N.d.T.*)

– Eh bien, ce fut une discussion sympa, conclut-elle.

– Je suis désolé, lâcha-t-il. C'était une déclaration pour le moins incongrue, je le sais bien. Mais vous me rappelez tellement ma propre fille ! Vous avez à peu près le même âge.

– Entendu, fit Sarah. Y a pas de souci.

– Elle est restée à Blighty, poursuivit-il bille en tête. Avec sa mère. J'ai hâte de les revoir, vous pensez bien. Une grande hâte. Par tous les lords de l'île. Lady Di, reposez en paix...

Son regard obliqua pour scruter rapidement les alentours. Sarah y vit un signe de gêne. En fait, il estimait que d'ici vingt secondes tous les paramètres seraient réunis, c'est-à-dire que toutes les lignes de vision dévieraient de ce banc. Il était très fort à ce jeu – savoir quand il serait repéré, et entrevoir les petits pas qui le ramèneraient dans l'ombre. C'était un talent inné chez lui. Il se rapprocha de quelques centimètres de la fille, qui se leva au même moment.

– Bon, dit Sarah, je dois y aller.

L'homme se mit à rire, en même temps qu'il voyait tous les feux passer au vert. Il attrapa la main de Sarah et tira avec une force inattendue. Elle glapit et retomba sur le banc, trop hébétée pour se débattre.

– Lâchez-moi, ordonna-t-elle, luttant pour garder son calme.

Le sol semblait se dérober sous ses pieds – sensation fluide et vertigineuse. Comme si on la prenait en flagrant délit de triche, ou de vol.

– Une très jolie fille, vraiment. (Il lui pressa la main plus fort.) À garder précieusement.

– Par pitié, lâchez-moi.

– Ferme ta gueule, marmonna-t-il, toute trace d'accent anglais disparue. Sale petite pute...

D'un geste ramassé, il lui flanqua son poing au visage.

La tête de Sarah partit en arrière, les yeux écarquillés, hagards. Oh non... gémit une voix intérieure. Oh non...

– Vise un peu, Sarah, chuchota l'homme d'un ton fébrile. Vise un peu tous ces veinards. Tous ces gens qui ne sont pas toi.

De la tête, il indiqua la Promenade. Un pâté de maisons plus loin, la rue était bondée. Va-et-vient continu à la porte des commerces, haltes devant la carte des restaurants. Mais autour de Sarah et du type, personne.

– Autrefois il n'y avait que des buissons, ici. Tu t'en rends compte, au moins ? Une côte déchiquetée, des rochers, des coquillages. De rares traces dans le sable. Si tu te tais, tu peux entendre comment c'était avant toute cette merde.

Clignant des yeux pour réprimer ses larmes, Sarah tâcha de deviner les intentions du type. Peut-être y avait-il quelque chose à tenter, une question subsidiaire à laquelle répondre, un moyen d'arracher un sésame.

– Mais les gens ne voient rien de rien, continua-t-il. Ils ne font même pas l'effort de regarder. Tous aveugles. Délibérément aveugles. Prisonniers de la machine.

Lui attrapant les cheveux, il lui tourna la tête, de sorte qu'elle voie le Barnes and Noble. Là aussi les gens étaient nombreux. Lisaient, flânaient, bavardaient. Pourquoi auraient-ils regardé dehors ? Et quand bien même, qu'auraient-ils vu de plus que deux silhouettes sur un banc ? Rien que de très normal.

– Je devrais te régler ton compte sur-le-champ, grogna-t-il. Juste pour montrer que c'est possible. Et que tout le monde s'en moque. Quand on passe sa vie entouré d'inconnus, comment repérer ce qui cloche ? Dans cinq kilomètres carrés de maladie, qui se soucie du sort d'un pauvre virus isolé ? Personne, sauf moi.

Sarah comprit qu'il n'y aurait pas de question de repêchage, ni maintenant ni jamais, aussi s'apprêta-t-elle à crier. Mais l'homme la sentit gonfler ses poumons, et plaqua une main sur son visage. Il saisit à deux doigts sa lèvre supérieure, par au-dessus, et tira fort. Le cri ne quitta pas la gorge de Sarah. Elle voulut se débattre mais cette main la paralysait, couplée au poids du bras appuyant sur son crâne.

– Personne ne regarde, promit le type avec le même calme haineux. J'y ai veillé. Je sais marcher sans être vu.

Des sons confus sortirent de la bouche de la jeune fille, comme si elle voulait parler. Il parut la comprendre et répondit :

– C'est faux. Ils ne sont pas en route. Ils sont à la maison. Maman est belle comme un Jackson Pollock dans sa cuisine. Papa est au jardin, avec la petite sœur. À poil tous les deux. Ils forment un tableau intéressant. Obscène, même, diraient certains.

En fait, la maman de Sarah et sa sœur Melanie étaient au même moment plantées devant une rediffusion des *Simpson*. Il s'agissait, Zoe Becker s'en souviendrait toujours, de l'épisode où George Bush s'installe à Springfield. Michael Becker pianotait furieusement dans son bureau, ayant enfin trouvé, espérait-il de tout son cœur, une trame cohérente. S'il pouvait simplement modifier les dix premières minutes, et imposer l'idée que certains personnages avaient dépassé l'adolescence, tout fonctionnerait au poil. Et sinon, rien à foutre, il les ferait tous ados – et rétablirait tous ces panoramiques à la con sur le fronton du lycée, comme le réclamait Wang. À quelques kilomètres de là, Sian Williams venait d'écouter le message de Sarah, et jalousait un peu l'aventure solitaire de sa copine.

– Si tu continues à gesticuler, je t'arrache les dents, menaça le type. Je n'hésiterai pas, crois-moi. Ce n'est pas très facile, mais ça vaut le détour. Le bruit est très insolite.

Sarah se figea, et tous deux restèrent immobiles un instant. L'homme semblait prendre plaisir à cette position, assis derrière la fille, lui infligeant à la bouche une douleur indicible, comme s'ils partageaient un moment d'intimité au milieu d'une rue peuplée.

Puis il soupira, comme un lecteur captivé contraint de reposer son magazine. Il se leva, entraînant Sarah avec lui. Le baladeur se fracassa au sol. Le type y jeta un œil, sans y toucher.

– Bonsoir et bonne nuit, braves gens, susurra-t-il en regardant au fond de la rue. Vous allez tous pourrir en enfer, et j'adorerais vous y conduire moi-même. (Ramenant son coude dans la nuque de Sarah, il lui couvrit la bouche d'une main, et de l'autre ramassa son sac de livres.) Mais j'ai un rancard, et on doit y aller.

Là-dessus, par de longues foulées rapides, il emmena Sarah de l'autre côté de la rue, jusqu'à l'allée où il était garé. Elle n'avait d'autre choix que de le suivre. Il était grand et costaud.

Il ouvrit la portière arrière, puis lui agrippa de nouveau les cheveux pour lorgner son visage. L'horrible gros plan sur la figure du type paralysa l'esprit de Sarah.

– Viens, mon cœur, notre carrosse nous attend.

Et de lui flanquer un violent coup de tête, juste au-dessus des yeux.

Lorsque ses genoux cédèrent, l'adolescente eut une dernière pensée des plus terre à terre. Dans sa table de chevet se trouvait un cahier où elle avait consigné ses réflexions. Les plus récentes traitaient entre autres de sexe : d'exaltantes rêveries sur un domaine de la vie qu'elle n'avait pas encore expérimenté, mais qu'elle savait plus ou moins imminent. La plupart étaient le fruit des confidences de Sian, mais aussi de sa propre imagination, comme de divers éléments glanés à la télé, au ciné, et dans une revue assez soft dénichée sous la Jetée.

Le cahier était planqué, mais grossièrement. À sa mort, son père et sa mère mettraient vite la main dessus, et sauraient alors qu'elle avait tout fait pour s'attirer de tels ennuis.

Nina ne connaissait pas tous ces détails, mais elle put décrire à Zandt les faits dans leurs grandes lignes. Quand elle eut terminé, elle remplit son verre. Zandt n'avait pas touché au sien.

– Quatre témoins situent Sarah Becker sur ce banc entre 19 h 12 et 19 h 31. Leur description de l'homme à ses côtés va de « ordinaire, plutôt grand » à « putain, aucune idée », en passant par « eh bien, c'était, disons, un mec. » Nous ne disposons même pas d'un âge ou d'une couleur de peau que je puisse entrer dans la banque de données, même si « blanc » et « blond » reviennent par deux fois dans les déclarations. Deux témoins se souviennent d'un long manteau, un autre d'un blouson. Personne ne les a vus s'en aller, alors que le banc se trouvait sous le nez de millions et de millions de personnes. Si le type est passé par la librairie avant de l'aborder, personne ne l'a remarqué. Un autre témoin dit avoir aperçu une voiture de couleur et de marque indéterminées dans la première rue latérale. Possible qu'on ait déplacé une poubelle pour cacher la plaque d'immatriculation – ce qui est plutôt astucieux, mais dénote un aplomb digne de Zeus. N'importe qui aurait pu bouger la poubelle, sans compter que c'était un stationnement interdit. Vers 20 h 15, le véhicule avait disparu.

« Le père de l'adolescente est arrivé par le sud de la Promenade à 21 h 07. Il s'est garé à l'endroit habituel, a patienté. Puis, voyant au bout de plusieurs minutes que ni sa fille ni Sian Williams n'arrivaient, il est entré dans le restaurant. Les serveurs avaient bel et bien enregistré une réservation bidon au nom de Williams mais n'avaient vu aucune des deux filles. Là-dessus il a appelé la mère de l'autre gamine, pour apprendre que le dîner avait été annulé au dernier moment à cause d'une panne de voiture. Nos experts ont examiné celle-ci, et ne peuvent affirmer qu'elle n'a pas été sabotée.

« Michael Becker a tenu à interroger personnellement la copine. Elle a fini par avouer que Sarah avait laissé un message disant que, pour éviter de déranger son papa, elle allait tuer le temps jusqu'à son retour. M. Becker a fouillé la rue de long en large, sans trouver la moindre trace de sa fille. Puis il s'est rendu tout au bout de la Promenade, et après avoir inspecté le Barnes and Noble, il a repéré un lecteur de minidisc Sony à moitié caché sous le banc. L'identité de sa propriétaire était doublement attestée : par l'étiquette que Sarah y avait collée, et du fait qu'il avait lui-même acheté l'appareil. Il renfermait un CD de son groupe préféré, dont elle avait le poster dans sa chambre. Alors Becker a contacté le bureau du shérif, le département de police de Los Angeles, puis la nana qui lui sert d'agent – va comprendre. Il a dû se dire qu'elle aurait plus d'emprise sur les flics que lui. Enfin il a appelé sa femme, pour lui dire ne pas bouger au cas où leur fille arriverait en taxi.

« Tout le secteur a été passé au crible. Rien. Le lecteur ne comporte pas d'autres empreintes que celles de Sarah. Il y avait bien une centaine de mégots autour du banc, mais nous ne savons même pas si le coupable fumait. L'un des témoins a toutefois déclaré que ce n'était pas exclu, et c'est pourquoi, à l'heure où je te parle, un pauvre gus procède au fond de son labo à une recherche ADN sur tout un sac de clopes.

— Le père n'est pas suspect ?

— En aucun cas. Ils étaient très proches, mais dans le bon sens du terme. Certes, pendant un ou deux jours, les gens se sont posé la question. Mais non. On ne pense pas que ce soit lui, et puis ça ne collerait pas du tout avec son emploi du temps. On a aussi écarté son associé Charles Wang. Il se trouvait à New York.

Zandt leva lentement son verre, le vida, le rabaissa. L'histoire ne s'arrêtait pas là.

— Et ensuite ?

Nina ôta ses pieds de la table, se pencha pour saisir le dossier posé par terre. Outre une liasse de documents photocopiés, il contenait un mince paquet enveloppé de kraft. Nina n'en retira qu'une photographie.

— C'est arrivé au domicile des Becker le lendemain en fin d'après-midi. Entre 16 h 30 et 18 heures. Ils l'ont découvert posé dans l'allée.

Elle tendit le cliché à Zandt. On y voyait un pull couleur lilas, soigneusement plié en carré. Il était entouré d'une sorte de ruban strié attaché par un nœud à boucles.

— Il a été ficelé avec des cheveux tressés. Ceux de Sarah étaient longs, et la couleur correspond. Les techniciens ont prélevé des échantillons sur sa brosse et nous donneront très vite la confirmation.

Zandt vit que son verre s'était rempli tout seul. Il but. Le whisky piquait sa gorge sèche et lui donnait la nausée. Il avait l'impression d'avoir un ballon à la place de la tête, légèrement surgonflé, flottant à cinq centimètres de son cou.

— L'Homme Debout, dit-il.

— Eh bien, nous avons interrogé les familles des victimes

d'il y a deux et trois ans, ainsi que chaque agent ayant participé aux enquêtes, et nous sommes quasi persuadés que la nature des colis reçus n'a jamais été divulguée. Peut-être avons-nous tout de même affaire à un imitateur. Mais j'en doute. J'ai fait lancer une veille multimédia, Internet compris, pour toute occurrence des expressions « Garçon de Courses » et « Homme Debout ».

— Internet ?

— Ouais, une sorte de gadget informatique. Ça fait fureur ces temps-ci.

— C'est bien lui, affirma Zandt.

Lui seul mesurait toute l'ironie qu'impliquait son assurance.

Elle l'observa, puis rouvrit le dossier à contrecœur. Une seconde photo montrait le pull déplié et posé à plat. Le prénom de Sarah était brodé sur le devant en grandes lettres majuscules.

— Les cheveux qui forment ce nom sont très bruns. Et bien plus secs que ne devaient l'être ceux de Sarah, ce qui laisse à penser qu'ils ont été coupés depuis un moment déjà.

Elle se tut et regarda Zandt plonger lentement la main dans sa poche. Il sortit un paquet de Marlboro et une boîte d'allumettes. Il n'avait pas encore fumé depuis qu'ils s'étaient installés dans cette pièce dépourvue de cendrier. La main qui attrapa une cigarette était assez stable. John ne regarda pas Nina, mais seulement l'allumette qu'il craqua d'un air concentré et résolu, comme si ce geste lui était nouveau mais qu'il en saisissait instinctivement la finalité. Si l'allumette ne s'embrasa qu'à la troisième tentative, c'est peut-être qu'elle était humide.

— J'ai obtenu que les cheveux foncés soient analysés en premier, poursuivit Nina avant de prendre une longue inspiration. Ça colle, John. Il s'agit bien des cheveux de Karen.

Elle le laissa seul quelques instants, se retirant dans le froid pour écouter le silence de la nuit. Des rires assourdis s'échappaient du bâtiment principal, dont les vitres révélaient des couples d'âges divers, emmitouflés dans de gros chandails, planifiant leurs randonnées du lendemain. Derrière une porte béante de l'autre côté du bâtiment, quelqu'un lavait des assiettes qui ne lui appartenaient pas. Survint un léger bruissement vers les sous-bois, derrière la route, mais il demeura sans suite.

À son retour, elle trouva Zandt dans la position où elle l'avait laissé, tétant une nouvelle cigarette. Il ne releva pas les yeux.

Elle remit du petit-bois dans la cheminée, un peu au hasard, incapable de se rappeler s'il fallait l'empiler au milieu ou le disposer sur les côtés. Elle s'assit dans le fauteuil, se versa un autre verre. Et passa la nuit assise près de lui.

CHAPITRE 5

Dans l'après-midi je m'étais entretenu avec la police et les médecins de l'hôpital, et avant cela avec les voisins des deux côtés. J'avais prêté une oreille très attentive à ce qu'on me disait.

J'avais appelé les flics depuis la maison et on m'avait mis en contact avec un certain Spurling – par chance, il n'était pas de ceux qui m'avaient interrogé après l'esclandre au bar de l'hôtel. Le soir de l'accident, Spurling et son coéquipier McGregor étaient arrivés les premiers sur place, alertés par l'appel d'un automobiliste qui passait par là. Ils avaient attendu les secours, puis aidé à désincarcérer les corps. Ils avaient suivi l'ambulance sur le chemin de l'hôpital, et c'est sous l'œil de Spurling qu'on avait prononcé le décès de Donald et Elizabeth Hopkins. On avait identifié les victimes grâce à leurs permis de conduire, et aux confirmations de Harold Davids (avocat) et de Mary Richards (voisine), recueillies dans les deux heures suivantes.

L'officier Spurling comprenait mon désir d'éclaircir les circonstances entourant le décès de mes parents. Il me communiqua le nom du médecin qui les avait examinés, et me demanda si j'avais songé à la psychothérapie. Je supposai qu'il me conseillait là un traitement, non une reconversion. Je le remerciai de m'avoir accordé de son temps, et il me souhaita les meilleures choses. Je raccrochai en priant pour ne pas le

73

croiser en allant récupérer mon arme au commissariat, même s'il y avait fort à parier qu'il était déjà au courant. Son allusion à la psychothérapie n'était pas vide de sous-entendus.

Intercepter la toubib fut une autre paire de manches. Elle n'était pas de service quand j'atteignis l'hôpital, et vu le temps qu'il me fallut pour obtenir ce simple renseignement, après avoir subi un bataillon d'infirmières à cran et de standardistes blasées, je compris que j'allais devoir me déplacer. Les urgences sont conçues pour les vivants. Une fois mort, vous n'êtes plus qu'un souvenir incommodant, et n'êtes plus de leur ressort.

Je me rendis là-bas et patientai pendant une heure des plus silencieuses. Puis le Dr Michaels daigna enfin quitter son bunker pour me parler. Proche de la trentaine, elle cultivait un air surmené et une intense autosatisfaction. Après m'avoir sévèrement pris de haut, elle me répéta ce que je savais déjà. Traumatismes majeurs à la tête et dans le haut du corps. Morts de chez morts. Et à présent, si c'était tout, voulais-je bien l'excuser. C'était une grande fille maintenant, et elle avait des patients à examiner. Je fus plus que ravi de renoncer à sa compagnie, voire tenté de faciliter son départ d'un bon coup de pied où je pense.

Je ressortis de l'hôpital. Le jour s'était fondu dans un soir précoce d'automne. Quelques voitures étaient dispersées au hasard du parking, monochromes et anonymes sous la lumière des lampadaires. Une jeune femme fumait et pleurait en silence un peu plus loin.

Je me demandais que faire ensuite. Après avoir trouvé le message, j'étais resté assis sur la table basse un bon bout de temps. Ni le vertige, ni la sensation grouillante dans mon estomac n'avaient voulu cesser. Après un examen minutieux, le reste du livre s'était révélé vide. Il ne faisait aucun doute que ce billet portait l'écriture de mon père.

« Ward, était-il noté dans une écriture à nul égard différente de ce que j'aurais pu attendre, ni trop grande ni trop resserrée, ni forcée ni brouillonne, nous ne sommes pas morts. » Mon père avait inscrit cela sur un morceau de papier, l'avait glissé dans un livre, puis il avait planqué ce dernier dans son vieux fauteuil en prenant soin de replacer la ganse recouvrant la jointure. Mes vieux avaient laissé un message niant leur mort dans une cachette qui ne puisse être découverte qu'après leur disparition. Car en quelle autre occasion me serais-je trouvé seul dans cette maison ? Et pourquoi diable aurais-je choisi ce fauteuil ? À en juger par l'emplacement du billet, celui qui l'avait dissimulé avait prévu que j'opterais pour ce siège – quand bien même je le savais le moins confortable de la pièce. Eh bien, il ne s'était pas trompé. Je m'étais carré là-dedans, et pour un sacré bout de temps. Il leur avait paru logique que j'agisse ainsi à leur mort, tout du moins que j'y songe, ne serait-ce qu'en passant la main sur le tissu. C'était tout à fait le genre de chose qu'un fils en deuil était susceptible de faire.

Mais, et voilà qui me turlupinait, cela signifiait qu'avant de mourir l'un ou l'autre, ou les deux, avaient pris le temps d'imaginer ce qu'il adviendrait après leur décès. Ils avaient considéré la situation en détail, parié sur mes faits et gestes. Mais pourquoi ces pensées morbides, déjà ? C'était incompréhensible. C'était absurde.

À supposer qu'ils soient bien morts...

L'idée que ces derniers jours n'aient été qu'une sombre farce, que mes parents ne soient pas morts en fin de compte, était dure à avaler. Une partie de moi frémissait à cette perspective, celle-là même qui me réveillait toutes les nuits depuis le coup de fil de Mary. Même si je m'étais peu soucié d'eux, et regrettais surtout de ne pouvoir les incendier au sujet d'UnRealty, je voulais retrouver mes parents. Mais quand la chair est endommagée, l'organisme se met en branle dans les secondes qui suivent. Des globules blancs déferlent sur la zone accidentée, réparent, colmatent, empilent tous les sacs de sable à leur disposition. Le corps se protège, et il en va de même pour l'esprit. Mollement et imparfaitement, tel un travail bâclé par des ouvriers négligents, mais en quelques minutes une concrétion de mécanismes défensifs se déploie autour de la blessure, émoussant ses bords jusqu'à la sceller dans une cicatrice. Telle une écharde logée au fond d'une entaille, l'événement ne disparaîtra jamais, et au gré de certains mouvements il pressera une terminaison nerveuse et fera un mal de chien. Mais quelle que soit la douleur occasionnée, pour rien au monde on ne voudrait prendre un couteau pour rouvrir la plaie.

Je quittai la maison, la verrouillant avec soin, et allai sonner à côté, chez Mary. Avec une joie mêlée de surprise, elle me reçut dans une débauche de café et de gâteau. Abusant de sa gentillesse, je parvins par des moyens détournés à lui faire dire que mes parents étaient tout à fait eux-mêmes dans les jours et les semaines précédant l'accident, et qu'elle avait identifié les corps – comme allait ensuite me le confier l'officier Spurling. Je savais déjà tout ça. Elle me l'avait expliqué au téléphone, alors que je bullais amorphe à Santa Barbara. J'avais juste besoin de l'entendre à nouveau. Certes, rien ne m'aurait empêché d'aller me recueillir devant leur dépouille aux pompes funèbres, au lieu de croupir à l'hôtel pendant deux jours. Mais je ne l'avais pas fait, et maintenant j'avais honte. Je m'étais dit sur le moment qu'il valait mieux rester sur l'image de ce qu'ils avaient été, plutôt que sur deux bandes de chair broyée. Ce n'était pas faux. Mais j'avais surtout cédé à la peur, à la gêne, au refus.

Après avoir pris congé de Mary, je me rendis chez les autres voisins. Une jeune femme ouvrit presque instantanément. L'air sûr d'elle, pleine de vitalité, les vêtements couverts de peinture. Le couloir derrière elle était à moitié repeint dans un ton que j'estimais discutable. Je déclinai mon identité, avant d'exposer ce qui était arrivé à ses voisins. Elle était déjà au courant, comme je m'y attendais. Elle me présenta ses condoléances, et nous discutâmes un peu. Rien dans son attitude ne parut suggérer que l'accident n'était pour elle qu'une demi-surprise, ni que l'un ou l'autre des Hopkins ne tournait plus rond. Soit.

J'appelai les flics puis me rendis à l'hôpital. Comme je restais planté sur le parking après avoir parlé au médecin, je décidai que trois confirmations suffisaient. Mes parents étaient bel et bien morts. À ce stade, seul un fou aurait soutenu le contraire. Je pouvais toujours interroger Davids demain si l'envie m'en prenait – l'ayant raté à son cabinet, j'avais laissé un message –, mais je savais que tout ce qu'il dirait aboutirait à la même conclusion. Le petit mot n'était pas ce qu'il prétendait être. Ce n'était pas une carte « quittez la case chagrin ». Il ne pouvait défaire ce qui était.

Pourtant il y avait forcément une raison à son existence, fût-ce que l'un des deux n'avait plus toute sa tête. Cette missive avait une signification, et je voulais savoir laquelle.

Je fouillai le garage, puis l'atelier de mon père au sous-sol. Je pressentais qu'il fallait chercher une chose bien particulière, mais j'ignorais laquelle. Alors je me contentai de fouiner un peu partout. Perceuses, étaux, divers coffrets de bricolage à la finalité obscure. Clous et vis de toutes tailles soigneusement ordonnés. Moult chutes de bois, que la mort rendait inutiles et inexplicables. Aucun désordre apparent, mais toute la rigueur et la netteté que j'avais escomptées. Si l'ordre extérieur reflète l'état d'esprit, mon père n'avait pas varié d'un iota.

Je remontai dans la maison et m'attaquai d'abord au rez-de-chaussée. La cuisine et la buanderie, le salon, le bureau de mon père, la salle à manger, et la portion de porche convertie en véranda. Ici je m'appliquai davantage. Je regardai sous chaque coussin, sous les tapis, derrière chaque meuble. Dans le placard hi-fi et sous le téléviseur, où je ne trouvai rien de plus que de la technologie et une paire de DVD. Je vidai les placards de la cuisine, passai la tête dans le four et le cellier. Je secouai tous les livres que je trouvai, qu'ils fussent rangés dans la bibliothèque du couloir ou bien, méthode originale de ma mère, au milieu des paquets de pâtes. Il y avait beaucoup de livres. J'y consacrai un temps fou. Surtout dans le bureau, à l'entresol, que j'inspectai en tout premier. Je brassai le contenu des tiroirs, des étagères, et feuilletai les dossiers suspendus du classeur en chêne. J'allai jusqu'à allumer l'ordinateur pour survoler quelques fichiers, bien que cette intrusion me parût déplacée. Je n'aimerais pas que mes proches viennent passer en revue le contenu de mon portable. Les pauvres, ils auraient envie de me déterrer pour me faire rôtir. Je compris vite que je n'aurais jamais le temps de lire tout ce que renfermait la machine, qui a priori ne consistait qu'en une somme de factures et de courriers anodins. Je laissai l'ordinateur en marche, dans l'idée d'y revenir si je faisais chou blanc ailleurs, mais en tout état de cause mon père n'était pas un mordu de la bécane, et je doutais qu'il eût consigné un autre message sur un support si peu tangible.

Je me sentis rapidement lessivé. Non par l'effort physique, négligeable, mais par la charge émotionnelle. Décortiquer la vie de mes parents les ramenait de manière brutale, notamment à travers les babioles les plus triviales. La photocopie sous verre du tout premier acte de vente conclu par UnRealty, frappée d'un logo qui, je m'en apercevais seulement, semblait tracé à la main. Par ma mère, sans doute. Un cahier garni de recettes familiales, dont les fameuses lasagnes que je pouvais humer à la seule lecture des ingrédients.

Je fis une pause et passai les quinze minutes suivantes assis dans la cuisine, à boire leur eau minérale. J'essayai une nouvelle fois de me mettre à leur place, d'imaginer une deuxième étape évidente. En supposant qu'ils aient laissé ce mot dans le fauteuil pour attirer mon attention, il semblait logique que le message ou indice suivant fasse lui aussi résonance. Mais pas moyen de mettre le doigt dessus. J'avais remué toute la maison. Il n'y avait rien.

L'étage se révéla tout aussi décevant. Je regardai sous leur lit, fouillai tous les tiroirs. Prenant mon courage à deux mains, je parcourus leur garde-robe, en m'arrêtant sur les articles que je reconnaissais – les vieilles vestes de mon père, les sacs racornis de ma mère. Je fis quelques découvertes : des reçus, des talons de tickets, une poignée de petite monnaie – rien qui me semblât significatif. Je m'attardai devant une collection d'anciennes cravates, soigneusement rangées dans une boîte au fond de la penderie, de son côté à lui. Pour la plupart, je ne les avais jamais vues.

Je jetai même un coup d'œil sous le toit, en me hissant à travers la trappe étroite du couloir. Mon père y avait suspendu une ampoule, mais rien de plus. Les combles ne renfermaient rien d'autre que de la poussière et deux valises vides.

Je finis par regagner le rez-de-chaussée, et le fauteuil de mon père. L'après-midi touchait à sa fin. Je n'avais rien trouvé, et je me sentais idiot. Peut-être m'échinais-je simplement à arracher au chaos un ordre chimérique. Assis dans le fauteuil, je repris leur billet. Il n'avait pas plus ni moins de sens qu'auparavant, même à la centième lecture.

Mes yeux se posèrent une fois de plus sur le téléviseur. Il se trouvait dans le prolongement exact du fauteuil, ce qui me donna une idée. Si j'avais vu juste en estimant que le siège n'était pas tout à fait en place, peut-être sa position n'était-elle pas uniquement destinée à m'attirer vers le coussin, mais aussi à aiguiller mon attention vers une tout autre direction.

Je me relevai pour ouvrir les portes vitrées du meuble télé. J'y découvris la même chose que précédemment : un magnétoscope, un lecteur DVD, et deux vieux films sur DVD. Rien d'autre.

Aucune cassette. Bizarre.

Je n'avais pas vu une seule vidéo dans cette maison. Deux étagères de DVD dans le bureau, et une troisième dans la chambre d'amis. Mais pas la moindre bande.

Mon père était un téléspectateur quasi professionnel. Aussi loin que je me souvienne, la maison avait toujours grouillé de cassettes. Où étaient-elles donc passées ?

Je rebroussai chemin jusqu'au bureau. Pas davantage de cassettes ici, malgré la présence d'un second magnéto sur une étagère basse. Je renonçai à reparcourir les tiroirs et les placards. Je savais qu'ils n'en contenaient aucune. Pas plus que la maison, l'atelier ou le garage. Je tâchai de me remémorer l'avant-dernier Thanksgiving, où j'avais daigné leur tenir compagnie pendant vingt-quatre heures. Là non plus, je ne me souvenais pas d'avoir remarqué des cassettes. Ni leur absence, du reste. J'avais passé le plus clair du temps à picoler.

Mon père aurait-il donc vu dans le DVD l'aube tant attendue d'un nouvel âge du divertissement familial, déclaré la cassette vidéo morte, et érigé un bûcher dans le jardin ? Je n'y croyais guère. Dyersburg possédait sûrement une décharge quelque part, mais je n'adhérais pas davantage à ce scénario. Même si au fil des ans une large partie de sa collection avait cessé de l'intéresser, il n'aurait pas jeté tous ses vieux classiques comme ça. Je commençais à me demander si créer l'absence d'un objet banal n'était pas un moyen subtil d'attirer l'attention d'un proche, d'une personne ayant la notion des choses censées peupler votre environnement.

Soit ça, soit je perdais mon objectivité, m'emballais sur la mauvaise pente. J'avais retourné toute la maison. À quoi bon désormais savoir ce que je cherchais vraiment ? Ce n'était pas là. La faim commençait à poindre, et la colère. Si mon père avait quelque chose à me dire, pourquoi ce subterfuge ? Pourquoi ne pas m'avoir passé un coup de fil ? Laissé une lettre à Davids ? Envoyé un e-mail ? C'était à n'y rien comprendre.

Je savais cependant que lorsque je quitterais cette maison, ce serait pour de bon. Alors il valait mieux en avoir le cœur net. Autant garder une cicatrice aussi résistante que possible.

J'allumai l'éclairage extérieur pour faire un tour sur le porche. Aucune latte n'était décollée, et je ne voyais pas comment on aurait pu se faufiler là-dessous. Une grande caisse de bois reposait sur le côté, mais au bout de deux pénibles minutes il s'avéra qu'elle n'abritait que des bûches et des araignées. Je descendis les quelques marches menant au jardin, m'éloignai sur la pelouse à reculons et considérai la maison, exaspéré.

Cheminée, planches horizontales, fenêtres. Les pièces du haut. Leur chambre. La chambre d'amis.

Je regagnai l'intérieur. Comme je dépassais le bureau de mon père, un détail me frappa le coin de l'œil. Je m'arrêtai, revins sur mes pas et scrutai la pièce, sans trop savoir ce que j'avais vu. La réponse me vint au bout d'une seconde ou deux : le magnéto.

Comme un imbécile, je n'avais pas regardé à l'intérieur des deux engins. J'inspectai d'abord celui du salon. Il était vide. Puis je regagnai le bureau et me penchai sur le second, à la recherche de la touche d'éjection. En la pressant, j'obtins un ronronnement contrarié, qui demeura sans effet. Je découvris alors que la fente était obturée par une bande d'adhésif noir. Pour dissuader les gens d'y introduire une cassette, ou empêcher mon père de le faire par inadvertance ? Peu probable : si la machine était foutue, il en aurait simplement racheté une neuve.

Je tentai d'arracher l'adhésif, mais il aurait pu souder deux planètes tant il était costaud. Je sortis mon canif de ma veste. La première lame, longue et pointue, sert à couper. L'autre est un tournevis. On ne soupçonne pas comme il est fréquent d'avoir besoin de l'un juste après l'autre. Je dépliai la lame coupante et tranchai la bande noire en son milieu.

Le compartiment n'était pas vide. J'élaguai le reste de l'obstacle jusqu'à ce que l'éjection s'opère. L'appareil rugit et se vida.

Il recracha une cassette VHS standard. Je la saisis et l'examinai un long moment.

Comme je me redressais lentement, mon père appela d'en bas :

– Ward ? Ward ?

Après un instant de violente hébétude, mon corps voulut filer vers un lieu sûr dont il connaissait visiblement l'existence. Y disparaître sur-le-champ. Ailleurs. J'ignorais où. Dans l'Alabama, peut-être. Par acquit de conscience, j'essayai toutes les directions à la fois.

Je bondis en arrière, lâchant la cassette et manquant m'étaler de tout mon long sur la moquette. Je ramassai l'objet et le fourrai dans ma poche, à peine conscient de mes gestes, mais me sentant piégé, coupable et menacé. Des pas gravirent les dernières marches de l'escalier, marquèrent une pause, puis s'approchèrent de la porte du bureau. Je ne voulais pas regarder.

Il ne s'agissait pas de mon père, bien sûr. Juste une voix d'un registre similaire, surgie de nulle part dans une maison silencieuse. L'homme que j'avisai sur le palier était Harold Davids. L'air vieux, tendu et de mauvaise humeur.

– Seigneur, vous m'avez fichu une de ces peurs ! dit-il.

– Et vous, donc ! expirai-je en toussant presque.

Davids posa les yeux sur mes mains, et je vis que je n'avais pas rangé mon canif. Je le repliai et tentai de le rentrer dans ma poche, avant que mes doigts ne butent sur la cassette.

– Qu'est-ce qui vous amène ? demandai-je en m'efforçant d'être aimable.

– J'ai eu votre message, répondit-il en relevant lentement les yeux. J'ai appelé l'hôtel. Vous n'étiez pas dans votre chambre, alors j'ai pensé vous trouver ici.

– Je n'ai pas entendu sonner.

– La porte d'entrée était entrouverte, expliqua-t-il avec un brin d'irritation. J'ai craint qu'un rôdeur ne se soit introduit après avoir appris que la maison était vide.

– Ce n'était que moi.

– Je vois ça. L'incident est donc clos.

Il leva un sourcil bonhomme, et mon cœur reprit peu à peu son rythme normal.

De retour dans le couloir, il me demanda l'objet de mon appel. Une broutille, répondis-je, un vague problème de jargon juridique que j'avais fini par élucider seul. Il hocha la tête avec tiédeur avant de flâner jusqu'au salon.

– Quelle jolie pièce ! dit-il au bout d'un moment. Elle me manquera. Je passerai de temps à autre, si vous le voulez bien, pour vider la boîte aux lettres.

– Parfait.

Je n'avais rien contre lui, mais je ne souhaitais pas rester plus longtemps dans cette maison. Je remontai au bureau pour éteindre l'ordinateur. Ayant remarqué plus tôt que mon père possédait un lecteur ffiz !, je décidai sur un coup de tête de faire une copie du disque dur.

Lorsque j'eus tout éteint, je regagnai le rez-de-chaussée et retrouvai Davids dans l'entrée, l'air revigoré.

Nous descendîmes l'allée ensemble. Il ne paraissait guère pressé de vaquer à ses affaires et il s'enquit de mes intentions pour la maison. J'avouai ne pas savoir encore si j'allais la garder ou la vendre, et acceptai son offre implicite de services, valable dans un cas comme dans l'autre. Nous nous attardâmes cinq minutes devant sa grosse berline noire, à parler de choses diverses. Peut-être me recommanda-t-il quelques adresses de restaurants. Je n'avais plus tellement faim.

Pour finir, il se cala dans son siège et attacha sa ceinture avec tout le sérieux d'un homme qui n'a pas l'intention de mourir, jamais. Il eut un dernier regard pour la silhouette sombre de la maison, puis me fixa en opinant gravement. Flairant quelque chose de changé entre nous, je me demandai si Davids s'était mis en tête d'établir ce que le fils de Don Hopkins fabriquait là-haut avec un couteau si peu décoratif.

J'attendis sagement qu'il ait passé le virage, puis courus à ma voiture et partis en sens inverse.

CHAPITRE 6

Un peu d'argent et un doigt de flagornerie me valurent la livraison d'un magnétoscope dans ma chambre. Soit l'hôtel était d'un meilleur standing que je ne l'avais cru, soit mes acrobaties au bar avaient convaincu la direction que je faisais partie de ces clients dont les besoins méritent d'être satisfaits. Je regardai avec une impatience grandissante un jeune crétin se mélanger les pinceaux devant un problème de connexion enfantin, avant de le flanquer dehors.

Je sortis la cassette de ma poche et l'examinai. Elle ne portait aucune indication. À en juger par l'épaisseur de la bobine, elle devait durer entre quinze et vingt minutes, maximum une demi-heure.

J'attendis le café que j'avais commandé. Il me fallait un environnement optimal. La tasse finit par arriver, encore assez chaude. Par miracle, elle n'était pas accompagnée de frites.

J'enfonçai la cassette dans la machine.

Quatre secondes de purée cathodique, le son blanc de l'information zéro.

Puis un bruit de vent, et une vue sur un alpage. Au loin, un paysage de carte postale montrant une chaîne de sommets blancs – trop furtive pour être identifiée. Au premier plan s'étendait une douce montée enneigée, interrompue par un immeuble austère : pas le moindre salon de thé, ni boutique de vêtements de ski. Personne dans les parages, aucune voiture sur le petit parking. Hors saison. La caméra tourna pour montrer une deuxième structure d'aspect administratif, sous de menaçants nuages gris. Le plan dura quelques secondes, avec en fond sonore le bruit d'une manche claquant au vent.

Enchaîné sur un intérieur. La caméra était basse, comme si elle était cachée, et la scène ne durait à nouveau que quelques secondes. Je revins en arrière, pour figer le plan le plus net. Ce n'était pas le meilleur magnétoscope au monde, et l'image sautillait un peu, mais je parvins à discerner un espace collectif dans ce qui ressemblait à un chalet de ski, avec un plafond mansardé. Un long comptoir courait sur le côté, sûrement la réception, mais il était désert. Derrière, un grand tableau ornait le mur, dans le style habituel : abstrait sans peine, signé de quelque fumiste aussi sous-doué que surpayé. Je distinguai la partie gauche d'une imposante cheminée en gros galets. En bas, un feu d'agrément dégageait une ambiance policée. Des fauteuils en cuir noisette étaient soigneusement disposés autour de tables basses, chacune arborant une sculpture en bois vernissée célébrant la glorieuse et regrettée vie sauvage du vieil Ouest : un aigle, un ours, un Amérindien – que des espèces disparues, en somme.

Je laissai repartir la cassette et vis à la deuxième lecture que quelqu'un allait pénétrer dans le champ au moment de la coupure : on décelait une ombre sur le mur d'un corridor desservant la partie supérieure de la pièce, et des bruits de pas sur la pierre.

Puis un extérieur final, de retour sur le parking. Un certain temps avait dû s'écouler depuis la première prise – à supposer qu'elle datât du même jour. Le vent avait molli et le ciel était d'un bleu clair et perçant. Un plan moyen sur l'immeuble austère, a priori celui que nous venions de quitter. Plusieurs personnes se tenaient devant, dans la neige. Peut-être sept ou huit, difficile à dire, car elles étaient toutes vêtues de couleurs sombres et agglutinées les unes aux autres, comme en pleine discussion. Aucun visage n'était visible, et je n'entendais que le vent – sauf à la toute fin, quand le cameraman prononça quelques mots, une courte phrase. Je l'écoutai trois fois de suite. Elle demeurait inintelligible.

Enfin, comme l'un des protagonistes semblait sur le point de se retourner vers la caméra, l'image revint au son blanc.

J'appuyai sur « pause » et fixai l'écran tremblotant. Que penser de ce que j'avais vu ? Je ne m'étais pas attendu à ça. D'après la qualité de l'image, on aurait dit que la séquence avait été tournée au moyen d'un Caméscope numérique. Or je n'avais rien déniché de tel dans la maison. La vidéo avait pu être réalisée n'importe où entre les Rocheuses moyennes et septentrionales : Idaho, Utah, Colorado... Mais la logique désignait plutôt le Montana, et dans un secteur proche. Je connaissais le genre de lieux que montrait ce film. De grands complexes pour nantis, les plus beaux endroits du pays façonnés en résidences privées afin que les riches puissent dévaler les montagnes sans craindre de percuter un quidam aux revenus moyens. Certains étaient clôturés, mais la plupart n'avaient pas besoin de ça. En y posant un pied, vous saviez tout de suite si vous étiez le bienvenu ou non. Celui qui nourrissait des projets de cambriolage rebroussait chemin illico, ébranlé dans sa chair.

Mes parents connaissaient sûrement des gens qui s'étaient offert un chalet au pied des pistes. Peut-être même était-ce mon père qui le leur avait vendu. Et alors ?

Je remis la cassette en route.

Du vrai bruit. De la musique, des cris, des conversations bruyantes. Un visage flou, en très gros plan, qui riait aux éclats, puis disparut du cadre pour révéler un bar pris dans les turbulences d'une fiesta. La salle était bordée d'un grand comptoir, de rangées de bouteilles et d'une longue glace. Hommes et femmes y étaient accoudés, par grappes, qui braillaient entre eux, à l'adresse du barman ou en direction du plafond. Si la plupart semblaient jeunes, d'autres étaient nettement plus mûrs. Ils avaient tous l'air de fumer, et l'éclairage jaune pisseux était tout embrumé. Les murs étaient tapissés d'affiches arc-en-ciel ou d'un strict noir et blanc. En arrière-plan, un juke-box faisait des heures sup, réglé si fort qu'il faisait saturer aussi bien ses haut-parleurs que le micro de la caméra, m'empêchant même de reconnaître la chanson.

À l'évidence, cette scène était beaucoup plus vieille que la précédente. Non seulement l'image semblait repiquée sur du 8 mm, mais, à moins qu'il ne se fût agi d'une soirée rétro méticuleusement reconstituée, la tenue des gens renvoyait au début des années soixante-dix. Couleurs atroces, jeans atroces, coiffures atroces. Le look « soigné » avait dû se faire recaler à l'examen. Ma réaction n'était sans doute guère éloignée de celle des parents de l'époque : mais qui sont ces Martiens ? Que veulent-ils au juste ? Sont-ils aveugles ?

La caméra glissait et ondoyait à travers le bar, avec un entrain laissant penser que le réalisateur était soit sous l'emprise de substances hallucinogènes, soit soûl comme une bourrique. À un moment donné, l'image se resserra précipitamment, comme s'il (ou elle) avait manqué de se casser la figure. S'ensuivit un rot puissant et long, qui dégénéra en une violente quinte de toux, pendant que la caméra baissée montrait un carré de sol barbouillé de bière. Puis elle se redressa d'un coup et fonça dans le tas, comme fixée à l'avant d'une auto tamponneuse. Mes sourcils migrèrent lentement vers le haut de mon front, tandis que dans un embarras stupéfait je tâchais d'admettre que ce pouvait être mon père aux commandes. Quelques individus saluaient ou conspuaient l'objectif qui les frôlait, mais sans jamais prononcer un nom.

Parvenue à un coin de la pièce, l'image vira brusquement, débouchant sur une salle annexe peuplée sur tout le pourtour de gens assis ou debout. Au milieu se trouvait une table de billard. Un type était couché dessus, préparant son coup. Épais, doté d'un gros nez, le visage presque entièrement dissimulé sous ses cheveux, moustache et favoris. On aurait dit un ours galeux. Derrière lui végétait une blonde aux cheveux longs, agrippée à une queue comme si c'était la seule chose qui la maintenait debout. Elle tâchait tant bien que mal de se concentrer sur la partie, le visage ridé par l'effort, mais elle donnait l'impression de s'éteindre doucement. Son partenaire ne paraissait pas plus frais, qui mettait un temps fou à ajuster sa position. De l'autre côté de la table, dos à la caméra, un autre couple se tenait par la taille, chacun muni d'une queue. Tous deux étaient coiffés de longs cheveux bruns. La fille portait un ample chemisier blanc et une longue jupe bordeaux striée de vert ; le type arborait un jean à pattes d'eph fatigué et un gilet afghan qui paraissait tout juste apprivoisé.

Détachant ses yeux de la table, la blonde remarqua la caméra. Elle glapit, et montra l'appareil d'un geste du doigt à la fois vigoureux et extrêmement vague, comme si elle devait choisir entre trois images différentes mais oubliait sans cesse laquelle elle avait retenue. Le joueur jeta un regard sur l'objet désigné, roula des yeux et revint à son coup. Puis le couple aux cheveux bruns se retourna, et je découvris que ma gêne précédente était infondée.

Ce n'était pas mon père qui filmait. Je pouvais l'affirmer, dans la mesure où les deux bruns étaient mes parents.

Comme je fixais l'écran bouche bée, mon père grimaça un sourire torve et montra son majeur à la caméra. Ma mère tira la langue. L'image se déporta brusquement vers le joueur du billard, qui se décida enfin à tirer. Il mit complètement à côté.

J'arrêtai l'image, rembobinai.

Mes parents se retournèrent. Mon père sourit, fit un doigt. Ma mère sortit sa langue.

Re-pause. Je contemplai.

Ma mère n'est jamais devenue grosse, mais disons bien en chair, et se mouvait dans mon souvenir avec la grâce d'un paquebot tiré par un remorqueur. La femme figée devant moi pesait quant à elle une petite cinquantaine de kilos, et ils étaient drôlement bien répartis. Sans bien mesurer la portée de mes pensées, je savais que si j'étais entré dans un bar pour découvrir cette nana au bras d'un autre type, il y aurait eu de la bagarre. On redeviendrait homme des cavernes pour côtoyer cette femme. Non que mon père parût incapable d'en remontrer : il était un peu plus lourd que ce que j'avais connu, mais bougeait avec aisance et économie. Il aurait pu faire du cinéma.

Leur duo respirait l'accord, la santé, le glamour. On voyait deux êtres vrais, vivants, un couple qui faisait l'amour. Mais surtout, ils paraissaient jeunes. Bon sang, ce qu'ils avaient l'air jeunes...

La scène dura encore cinq minutes. Il ne se produisit rien de particulier, sinon que je pus voir mon père jouer au billard, à une époque où, me découvrant tel qu'aujourd'hui, il m'aurait vu plus vieux que lui. Et il savait jouer. Un peu qu'il savait jouer ! Quand l'autre ours se recula de la table après avoir loupé son coup, mon père tourna le dos à la caméra et se pencha sur le tapis. Il ne s'embêta pas à contourner la table pour chercher la facilité : il joua la bille la plus proche, et l'envoya au fond. Alors il se mit à bouger, rôdant autour du jeu, le regard empreint de cette nonchalance appliquée propre à ceux qui comptent blouser un max de boules, qui se sont présentés à la table dans cette intention. Il réussit le point suivant, la bille parcourant trente centimètres de bande avant de dégringoler, puis encore le suivant – comme si ses boules étaient rabattues dans les poches par des élastiques. Triomphante, ma mère le félicita d'une tape sur le cul. Il accomplit alors un audacieux doublé rétro dans la poche centrale, puis rentra la noire depuis le milieu de la table, se retournant sans même attendre qu'elle soit tombée. *Game over*, mec.

Il adressa un clin d'œil au grizzli, qui roula les yeux de plus belle. De même que ce dernier était rompu à la connerie du cameraman, il avait visiblement l'habitude de se faire mater par mon père au billard. Rien de nouveau sous le soleil. Voilà des gens qui se connaissaient très bien.

Il ne se produisit rien de particulier, sinon que ma mère se mit à danser avec la blonde. Puis elle se lança dans une sorte de tortillement désarticulé, fouettant bras et jambes dans des directions opposées, tout en claquant des doigts. J'avais déjà vu ce mouvement dans des films, à la télévision. Exécuté par des danseurs professionnels. Mais je n'en avais jamais perçu toute l'essence avant de voir ma mère s'y frotter, se trémoussant en rythme, la bouche entrouverte et les paupières mi-closes.

T'es chaude, poupée, me surpris-je à penser. T'étais vraiment chaude.

Il ne se produisit rien de particulier, sinon que, pendant que l'ours rassemblait laborieusement les billes dans le triangle, je vis mon père se percher sur un tabouret et s'envoyer quelques lampées de bière. Ma mère – dansant toujours – lui fit une œillade, qu'il lui retourna, et je m'aperçus qu'ils étaient beaucoup moins ivres que le reste de l'assemblée. Ils se payaient du bon temps, mais ils avaient chacun un boulot, et le lundi venu ils seraient opérationnels. Tout bien réfléchi, mon père devait déjà être dans l'immobilier, malgré l'afghan de week-end et le tee-shirt débraillé. À vrai dire, ses quelques kilos supplémentaires lui allaient plutôt bien. Grâce à sa carrure, ils passaient pour du muscle et non du gras. Rajoutez-en une bonne louche et il glisserait vers le difforme, mais pour l'heure c'était surtout le type qu'on évite de heurter s'il traverse la salle lesté d'un plateau de bières. Je devinais pourtant que cette prise de poids était une acquisition assez récente, et qu'il n'y était pas encore acclimaté. Régulièrement il roulait ses épaules en arrière, à première vue dans le but de lisser les plis accumulés à force de se coucher sur le tapis pour disperser les billes aux quatre coins de la table. Mais aussi, soupçonnai-je, pour s'assurer que ses épaules étaient bien droites. Par la suite il découvrirait le jogging, et le club de gym, et il n'aurait plus jamais ce physique-là. En attendant, sur le film de cette soirée, je le vis faire quelque chose. Une chose triviale, anodine, certes. Mais vue d'ici, dans cette chambre d'hôtel de Dyersburg, elle m'arracha l'air des poumons, comme si j'avais reçu un coup au ventre.

Tout en allumant sa cigarette – j'ignorais qu'il avait été fumeur –, il décolla machinalement le tee-shirt de son diaphragme, puis le relâcha – de sorte qu'il retombe un peu mieux sur son ventre à peine rebondi. Je rembobinai pour me repasser la scène. Puis me la repassai encore, penché en avant, en butte au grain de l'image vidéo. Ce geste était sans appel. Je l'avais pratiqué moi-même. De tout le temps que j'ai connu mon père, je doute de l'avoir jamais vu commettre un geste aussi spontané, révélateur et personnel. C'était le geste d'un homme qui a conscience de son corps, et le sait imparfait, même au plus fort d'un soir de fête. Un petit ajustement qu'il avait déjà expérimenté, sans que ce fût déjà un tic. Plus encore que le tee-shirt lui-même, que les pichets de bière et les torrides encouragements, que les déhanchements de ma mère et le fait que jadis mon père avait manifestement su tirer le meilleur d'une queue de billard, ce petit geste rendait leur mort inconcevable.

Quand la table fut enfin prête pour une nouvelle partie, mon père se releva et se prépara à casser le triangle, armant son bras comme pour infliger à la blanche une gifle dont elle se souviendrait tout le reste de sa petite vie sphérique. À cet instant la scène s'interrompit d'un coup, comme parvenue en fin de bobine.

Avant que j'aie pu faire « pause », on enchaîna sur tout autre chose.

Un nouvel intérieur. Une maison. Un salon. Sombre, éclairé par des bougies. Le rendu était médiocre, la pellicule n'étant pas adaptée à une lumière tamisée. Une musique en sourdine, que je reconnus cette fois comme provenant de la bande originale de *Hair*. Une collection de bouteilles de vin jonchait le sol, plus ou moins vides, et je dénombrai plusieurs cendriers pleins à ras bord.

Avachie sur un canapé bas, ma mère chantonnait *Good Morning Starshine*. Elle avait plus ou moins la tête de l'homme-ours sur les genoux, lequel roulait un joint sur son torse.

– Remets celle qui parle de sodomie, grognait-il. Vas-y, remets-la.

La caméra panoramiqua doucement sur le côté, révélant un deuxième homme allongé face contre terre. La blonde était assise derrière lui, veillant sur une rangée de bougies alignées sur le dos du type au moyen de coupelles. À l'évidence il gisait depuis assez longtemps pour faire partie des meubles, et je fis l'hypothèse qu'il s'agissait du cameraman du bar. La fille se pliait tout doucement, dans un angle improbable, à partir de la taille, maintenue en équilibre par sa seule volonté.

Loin de la frénésie du bar, elle paraissait plus âgée. Une grosse vingtaine d'années, voire trente – un peu trop vieille pour cadrer avec cette scène. Mais, si nous étions au tout début des années soixante-dix, calculai-je, mes parents avaient peu ou prou le même âge.

Ce qui signifiait que j'étais déjà né.

– Remets-la, insistait l'ours, sur qui la caméra vint aussitôt zoomer. Remets-la.

– Non, répondit une voix hilare toute proche du micro, confirmant à mes oreilles que c'était bien mon père aux commandes.

Il se débrouillait mieux que le comateux avant lui.

– On a dû l'écouter un million de fois, ajouta-t-il.

– C'est parce qu'elle est cool, fit l'ours en hochant vivement la tête. Tu vois, ce qu'elle raconte est si... ah, merde ! (Le champ s'élargit pour montrer qu'il avait laissé tomber le joint. Il avait l'air catastrophé.) Merde ! J'ai plus qu'à recommencer. J'ai passé ma vie à rouler ce putain de pétard, mec. Je le roule depuis que je suis né. Cet enfoiré de Thomas Jefferson a commencé ce pétard, et me l'a légué dans son testament. Disait que je pouvais finir son joint ou hériter de sa baraque à Monticello. J'ai dit va chier avec ta baraque, moi j'veux le kif. J'ai passé ma vie à le rouler, comme un serviteur brave et dévoué. Et maintenant il en reste plus rien.

– Plus rien, répéta la blonde avant de pouffer.

Sans escamoter une demi-croche de *Starshine*, ma mère se redressa pour prendre le matos des pattes empotées de l'ours. Avec des gestes experts, elle tint le papier d'une main, répartit le tabac avec l'index puis s'empara de la drogue.

– Allez roule, Beth ! trompetta l'ours, ragaillardi par la tournure des événements. Roule ma poule, roule...

La caméra zooma brièvement sur le joint. Il était presque prêt.

À ce stade, mes sourcils étaient dressés si haut qu'ils flottaient au-dessus de mon crâne. Ma mère venait de rouler un pétard.

– Vas-y, mets-la ! quémanda l'ours. Mets la chanson sur la sodomie. Allez, Don, mets-la, Don, qu'on s'bidonne, Don !

En fond sonore ma mère continuait de fredonner.

La caméra pivota et s'éloigna vers le couloir. Une pile de manteaux reposait au sol, jetés en vrac. Je repérai une cuisine sur la gauche, et un escalier sur la droite. C'était notre ancienne maison, à Hunter's Rock. Le mobilier et la déco contredisaient mes souvenirs, mais le reste n'avait pas varié.

Les yeux grands ouverts, je suivis la progression de l'objectif dans le couloir puis jusqu'à l'étage. Pendant quelques secondes le film ne restitua qu'une obscurité mouvante, agrémentée des mugissements sourds du poilu :

– Sodomie... fellation... cunnilingus... pédérastie... scandait-il sans même tâcher de respecter la mélodie.

Mon père atteignit le palier et fit une brève halte, marmonnant quelques mots. Puis se remit en marche, et je compris dès le virage suivant où il se rendait. Le rez-de-chaussée s'était tu ; je n'entendais que son souffle et ses pas feutrés lorsqu'il poussa la porte de ma chambre.

Il faisait d'abord tout noir, puis peu à peu la lumière du hall dévoila mon lit contre le mur, et moi dormant dedans. Je devais avoir cinq ans. On ne distinguait que le sommet de ma tête, une pommette, et un bout d'épaule couverte d'un pyjama sombre. Le mur était d'une sorte de vert marbré, et la moquette marron, comme je les avais toujours connus.

Mon père resta là deux bonnes minutes, sans parler ni bouger, se contentant de tenir la caméra, de me regarder dormir.

Je regardai de même, osant à peine respirer.

Le fond sonore changea, comme si l'on avait changé de disque au salon. Suivit une série de bruits faibles, peut-être des pas sur la moquette. Ils cessèrent, et là je sus, sans attendre de confirmation visuelle ou auditive, que ma mère venait de rejoindre mon père.

La caméra s'attarda sur le garçonnet couché, sur moi, un petit moment encore. Puis elle s'écarta, lentement, par la gauche. Je crus d'abord qu'il repartait, mais elle ne fit que pivoter.

Elle vira de cent quatre-vingts degrés et se stabilisa.

Mes parents regardaient droit dans l'objectif. Leurs visages remplissaient le cadre : pas collés l'un à l'autre, juste rapprochés. Aucun n'avait l'air soûl ou shooté. On aurait dit qu'ils me fixaient dans le blanc des yeux.

— Salut, Ward, susurra ma mère. Je me demande bien quel âge tu as aujourd'hui.

Elle jeta un œil par-dessus la caméra, sûrement vers la forme endormie sous les draps.

— Je me demande bien quel âge tu as, répéta-t-elle avec un je-ne-sais-quoi dans la voix de triste et de décalé.

Mon père restait rivé sur l'objectif. Il avait peut-être cinq ou six ans de moins que ma pomme aujourd'hui. Lui aussi prit la parole, d'une voix douce, mais sans affection débordante.

— Et je me demande ce que tu es devenu.

Le son blanc. Quelqu'un frôla la porte de ma chambre avec un chariot.

Je n'arrêtai pas la bande. J'étais paralysé.

La dernière scène provenait elle aussi d'un 8 mm, mais les couleurs étaient plus diluées, passées, blanchies en lumière pure. Des empreintes noires de cheveux, de poussières et de taches qui pétillaient sur tout l'écran réduisaient d'autant l'impact des scènes filmées.

Un rayon de soleil jaunâtre traversant une grande vitre. Dehors, des arbres qui défilent, les frissons du feuillage noyés dans le bruit. Le battement régulier d'un train, et d'autres sons plus faibles que je ne savais identifier.

Le visage de ma mère, encore plus jeune. Les cheveux moins courts, noircis par la laque. Contemplant le paysage par la fenêtre. Elle tourna la tête, avisa la caméra. Son regard semblait lointain. Elle sourit du bout des lèvres. La caméra se baissa lentement.

Enchaînement brutal sur une grande avenue. Je ne pouvais situer la ville, et je fus absorbé par la forme et la couleur des véhicules stationnés de part et d'autre de la chaussée, comme par la tenue vestimentaire des rares passants. Les bagnoles avaient de l'allure, pas les costumes, et les robes se portaient courtes. Je ne m'y connaissais pas suffisamment pour arrêter une date précise, mais je tablai sur la fin des années soixante.

La caméra avançait au rythme d'un promeneur. De temps en temps le crâne de ma mère surgissait par la gauche du cadre, comme si mon père marchait à sa droite, un peu en retrait. L'objet du tournage ne sautait pas aux yeux. Cette rue n'avait rien d'exceptionnel. Je crus distinguer un grand magasin sur la droite, et un petit square en face. Les arbres avaient toujours leurs feuilles, mais elles paraissaient fatiguées. Mon père maintenait la caméra à hauteur de visage, droit devant lui, sans le moindre mouvement vertical ou horizontal. Maman et lui ne pointèrent rien de particulier, n'échangèrent aucun mot. Au bout d'un moment ils traversèrent une route puis tournèrent dans une rue de traverse.

Enchaîné sur une tout autre rue, un peu plus étroite, comme si l'on s'était éloigné du centre-ville. Ils semblaient gravir une colline. Ma mère précédait mon père, filmée à partir des épaules. Elle s'arrêta.

— Pourquoi pas ici ? dit-elle en se retournant.

Elle avait chaussé des lunettes noires. La caméra resta figée un instant, puis vacilla, comme si mon père décollait son œil du viseur pour étudier les alentours.

Sa voix :

— Un peu plus loin.

Ils poursuivirent leur ascension, une minute environ. Puis stoppèrent de nouveau. La caméra tourna sur elle-même, offrant un bref et séduisant panorama sur ce qui ressemblait au sommet d'une côte dans une ville vallonnée. Des deux côtés de la rue s'élevaient de hauts immeubles. Au niveau du bitume, des pancartes indiquaient la présence d'épiceries et de petits restaurants, mais les fenêtres au-dessus étaient celles de logements. Des gens étaient plantés devant les boutiques, coiffés de chapeaux, examinant les étalages ; d'autres entraient ou ressortaient. Un quartier animé à l'heure du déjeuner.

Ma mère se retourna vers l'objectif et hocha la tête. C'était son tour. Elle s'exécuta, à contrecœur.

Plus tard le même jour. Une vue légèrement différente, mais le sommet de la même colline. Les nuages s'étiraient davantage. Une fin d'après-midi, des rues quasi vides. Ma mère se tenait debout, les bras le long du corps. Un étrange gargouillis retentit hors champ, le même que dans le train.

La caméra bougea un peu, comme si mon père avait tendu le bras vers quelque chose. Puis ma mère s'avança de quelques centimètres, à moins que lui n'ait reculé. Une lourde expiration de mon père.

Et de son fils, trente-cinq ans plus tard.

Ma mère donnait la main à deux très jeunes enfants, un de chaque côté. Ils paraissaient du même âge, habillés pareil, sauf que l'un portait un haut bleu, l'autre jaune. Ils avaient un an, dix-huit mois à la rigueur, et savaient tout juste marcher.

La caméra zooma sur eux. L'un avait les cheveux courts, l'autre un peu plus longs. Leurs visages étaient identiques.

Le champ s'élargit de nouveau. Ma mère lâcha la main de l'un des bambins. Celui aux cheveux plus longs, avec le haut jaune et le petit cartable vert. Elle s'accroupit à côté du second.

– Dis au revoir, fit-elle. (L'enfant en bleu la considéra sans comprendre.) Dis au revoir, Ward.

Les deux gamins se regardèrent. Puis celui aux cheveux courts, c'est-à-dire moi, leva les yeux vers ma mère pour être rassuré. Elle saisit ma main et la souleva.

– Dis au revoir.

Elle me secoua le poignet, puis me prit dans ses bras et se releva. L'autre enfant dévisagea ma mère, sourit, tendit les bras pour me rejoindre là-haut. Je ne pouvais à coup sûr déterminer son sexe.

Ma mère se mit à descendre la rue.

Elle marchait d'un pas tranquille, sans se presser, mais sans se retourner. La caméra s'attarda sur l'autre enfant, même

quand mon père emboîta le pas de ma mère. Ils le laissèrent
là.

L'enfant s'éloignait de plus en plus, immobile au sommet
de la pente. Il ne pleura même pas – tant qu'on pouvait
l'entendre, en tout cas.

Puis la caméra prit un virage et il sortit du champ.

L'image s'échoua sur le son blanc, et y resta pour de bon.
Au bout d'une minute, la cassette s'arrêta toute seule, me laissant seul face à mon reflet dans l'écran.

Je trouvai la télécommande à tâtons, rembobinai, appuyai
sur « pause ». Et fixai l'image arrêtée d'un enfant abandonné
en haut d'une colline, en me couvrant la bouche des deux
mains.

CHAPITRE 7

La trappe s'ouvrit, projetant d'en haut une faible lueur.

— Bonjour, mon cœur, dit l'homme. Je suis de retour.

Sarah ne distinguait pas son visage. Au son de sa voix, il était assis sur le plancher juste derrière sa tête.

— Bonjour, répondit-elle d'une voix aussi posée que possible.

Elle voulait se rétracter, intercaler ne fût-ce que deux centimètres supplémentaires entre eux, mais elle ne disposait pas d'une telle marge. Elle lutta pour garder son calme, pour s'en tenir à son plan de fausse indolence.

— Comment ça va aujourd'hui ? lança-t-elle. Toujours aussi barje, j'imagine.

L'homme rit doucement.

— Tu n'arriveras pas à me mettre en colère, dit-il.

— Pourquoi voudrais-je te voir en colère ?

— Pourquoi ces paroles, alors ?

— Mon père et ma mère vont mourir d'angoisse. J'ai peur. Il se peut que j'oublie les bonnes manières.

— Je comprends.

Il se tut alors, un long moment. Sarah patienta.

Au bout d'une poignée de minutes, elle vit une main descendre vers son visage. Munie d'un verre d'eau. Sans prévenir, l'homme l'inclina doucement. Sarah ouvrit la bouche à temps, et but autant qu'elle pouvait. Puis la main disparut.

98

— C'est tout ? demanda-t-elle.

Son palais lui procurait une sensation bizarre, à la fois sèche et mouillée. L'eau possédait cette saveur que les adultes devaient prêter au vin, vu la façon dont ils s'en gargarisaient, à le garder en bouche comme s'ils n'avaient jamais rien goûté de meilleur. Même si, de sa propre expérience, le vin avait surtout un goût de truc pas net.

— Tu espérais quoi, poupée ?

— Si tu veux me garder en vie, il faudra plus qu'un peu d'eau.

— Qu'est-ce qui te fait croire que je veux te garder en vie ?

— Parce que sans ça tu m'aurais tuée dès le début, avant de m'étendre à poil dans un endroit où tu pourrais me mater tout en t'astiquant.

— Ce n'est pas très gentil.

— Je te renvoie à mes réponses précédentes. Je ne suis pas d'humeur très gentille, et tu es un malade, alors rien ne m'y oblige.

— Je ne suis pas malade, Sarah.

— Ah non ? Et comment te décrirais-tu ? Original ?

Il rit de plus belle, avec délectation.

— Sans aucun doute.

— Original... comme ce connard de Ted Bundy ?

— Ted Bundy était un imbécile, rectifia l'homme d'une voix vidée de tout humour. Un idiot d'opérette doublé d'un imposteur.

— OK, fit-elle dans un souci d'apaisement, tout en le jugeant non seulement fêlé mais prétentiard. Je suis désolée. Moi non plus, je ne suis pas très fan. Tu vaux bien mieux que lui. Alors, j'ai le droit de manger, oui ou non ?

— Plus tard, peut-être.

— Génial. J'ai hâte d'y être. Pense à couper de petits morceaux, que je puisse les attraper.

— Bonne nuit, Sarah.

Elle l'entendit se lever, et son aplomb de façade se délita. Le plan n'avait pas fonctionné. Du tout. Il la savait terrifiée.

– Par pitié, ne remets pas le couvercle ! Je ne peux pas bouger, de toute façon.

– Je crains de ne pas avoir le choix.

– Je t'en supplie...

La trappe tomba, et Sarah retrouva le noir.

Elle entendit ses pas s'éloigner, une porte se refermer en douceur, puis ce fut de nouveau le silence.

Elle lécha frénétiquement le contour de sa bouche, traquant les moindres restes d'humidité. Passé le choc initial, elle se rendit compte que l'eau n'avait pas le même goût qu'à la maison. Elle devait provenir d'un autre réseau, ce qui signifiait qu'elle se trouvait loin de chez elle. Comme lorsqu'on part en vacances. Bon, elle savait au moins une chose. Plus elle en saurait, mieux ça vaudrait.

Puis elle songea qu'il pouvait s'agir d'eau minérale, d'un truc en bouteille, auquel cas le goût ne prouvait rien du tout. Il s'agissait peut-être d'une marque différente, tout simplement. Mais peu importait. Cela méritait quand même réflexion. Plus elle aurait d'idées, mieux ça vaudrait. Celle-ci, par exemple : quand elle avait mentionné l'inquiétude de ses parents, le type n'avait pas répété qu'il les avait tués. Alors qu'au moment de la capture, il avait tenu à lui décrire les supplices qu'il leur avait infligés. Il y avait peut-être une raison à cela. Avec un peu de chance, cela signifiait qu'ils étaient toujours en vie, et qu'il avait proféré ces horreurs juste pour l'effrayer.

Ou peut-être pas. Sarah reposa dans le noir, les poings serrés, se retenant de crier.

DEUXIÈME PARTIE

*Peu de gens parviennent au bonheur sans une
personne, une nation ou un credo à haïr.*

Bertrand Russell

CHAPITRE 8

Le vol atteignit Los Angeles à 22 h 05. Nina n'était chargée que d'un sac à main et du dossier, et Zandt pouvait porter sur une épaule tout ce qu'il possédait sans paraître bancal. Une voiture les attendait. Rien de luxueux ni d'officiel. Juste un taxi que Nina avait réservé depuis l'avion, pour déposer Zandt à Santa Monica avant de rentrer chez elle.

Des lumières et des panneaux dans la nuit, des visages entraperçus, le crépitement et les klaxons de la vie : une soirée ordinaire dans une ville dont le cœur ne semble jamais battre là où l'on se trouve, mais toujours au détour d'un virage, au bout de la rue ou de l'autre côté d'immeubles mastocs, dans quelque nouveau night-club dont les heures de gloire seront passées avant même qu'on en apprenne l'existence. Sur le chemin se succèdent des hôtels bas de gamme, des boutiques d'alcool empoussiérées, des parkings remplis de véhicules d'occasion de provenance douteuse. Une triste palette d'individus postés aux carrefours, sans rien de très positif en tête, au milieu de bunkers où siègent des entreprises qui engloutiront un nombre incalculable de mornes vies sans être jamais cotées au Nasdaq. Transition progressive vers les quartiers résidentiels, puis Venice. Vu de l'extérieur, en empruntant les bonnes rues, Venice paraît vouloir regagner le haut du panier. L'immobilier y est par endroits très cher, façon« International Style » merdique. Vous tomberez ici ou là sur une relique des années cinquante, une affiche ultrakitsch commise au temps des ampoules de flash et du glamour froid. Aujourd'hui la plupart ont été arrachées et remplacées par des panneaux d'affichage agressifs imprimés en helvetica, la police de caractères officielle du purgatoire. L'helvetica n'a pas été conçu pour vous inspirer quoi que ce soit d'agréable, vous promettre de l'aventure ou vous mettre du baume au cœur. L'helvetica sert à vous annoncer que les bénéfices sont en baisse, que le photocopieur est hors service et au passage que vous êtes viré.

Enfin, Santa Monica. De plus jolies maisons, de petits bureaux, des commerces qui proposent des plats japonais et le *London Times*. La mer avec sa jetée bâtie au temps regretté des photos sépia. Les Palisades juste au-dessus, la bouillonnante Ocean Avenue, puis une première rangée d'hôtels et de restaurants. La sensation diffuse que cette banlieue était jadis une ville à part entière. Peut-être est-ce la présence de la mer qui suggère que cette agglomération se trouve là pour une raison précise. Par endroits, c'est toujours vrai : on perçoit un rapport à la nature qui dépasse le simple fait de l'avoir aplanie. Des boutiques, des cafés, des lieux de sortie, des sites à visiter et à consommer. On pouvait vivre ici et y trouver un sens, comme la famille Becker jusqu'à une date récente. Ce n'est pas un endroit réel, mais Los Angeles l'est elle-même très peu, et les coins réels sont ceux où l'on ne veut pas aller. La réalité est le domaine des flingues et des lendemains de cuite. La réalité est ce que l'on souhaite éviter. L.A. se croit pleine de magie, et l'on peut même s'y laisser prendre, mais cela repose avant tout sur une arnaque mutuellement consentie. Elle vous fera miroiter un destin de rêve, puis deux rues plus loin vous condamnera à une mort imminente. C'est de la poudre aux yeux, on le sait bien, mais on veut quand même y croire. Les plans de la ville vous indiqueront où rencontrer les stars mais jamais comment en devenir une : il ne vous reste plus qu'à sillonner les rues et à hanter les bars, en espérant que la chance vous sourira. L.A. est une ville qui s'est entichée de la Destinée, lui a payé de nombreux verres et a obtenu son numéro de téléphone après lui avoir fait de l'œil de longues soirées durant – mais qualifier cette relation d'amour vache serait encore trop tendre. La Destinée tient davantage de la starlette malveillante sur une mauvaise pente de cocaïne, qui se fend d'une relative bonne action par semaine des fois qu'un producteur passerait par là. La Destinée n'agit pas toujours au mieux de vos intérêts. La Destinée n'en a simplement rien à battre.

– Alors, heureux de rentrer ? lança Nina.

Zandt grogna.

Le taxi le laissa devant le Fountain, une tour de dix étages en stuc jaune délavé, plantée sur Ocean Avenue entre les boulevards Wilshire et Santa Monica, qui déversent les gens sur la plage. L'immeuble possède une touche Art déco qui lui donne l'air plus chic qu'il n'est vraiment. Composé à l'origine d'appartements de standing, il avait fait une longue carrière d'hôtel avant de se reconvertir dans le meublé. L'ancienne piscine repose sous un vaste « espace détente » peu fréquenté : malgré la véranda, les plantes et les fauteuils à l'ombre, on sent par trop qu'il y manque quelque chose. Zandt connaissait bien le vestibule depuis un certain homicide de 1993 : un acteur européen de seconde zone et une jeune prostituée, une saynète ayant mal tourné. Comme de bien entendu, l'acteur avait pris le large. Zandt ne savait plus dans quelle chambre s'était produit le drame. Sûrement pas dans la suite qui lui était allouée, en tout cas : spacieuse, bien équipée, avec une belle vue sur la mer. Il posa son sac dans le coin séjour, examina la kitchenette. Placards vides, très peu de poussière. Il n'avait pas faim et se voyait mal se mettre aux fourneaux. Le Fountain ne proposait ni bar, ni restaurant, ni service en chambre. Ce n'était pas une vraie destination, raison pour laquelle il avait choisi de s'y établir. Ça, et son emplacement.

Il quitta la suite, reprit l'ascenseur et flâna un moment à l'extérieur du bâtiment. Nina était repartie avec le taxi, et ils avaient rendez-vous demain en fin de matinée. Elle avait joint l'antenne du Bureau de Westwood depuis l'avion, et avant cela depuis Pimonta, mais elle était tenue de faire au minimum acte de présence. Une intuition retint néanmoins Zandt dehors, à étudier les véhicules garés le long du trottoir. Nina aurait bien été du genre à faire le tour du pâté de maisons pour revenir l'épier. Non parce qu'il était expert en quoi que ce soit. Mais juste pour savoir. Nina aimait savoir.

Au bout de cinq minutes il avança jusqu'au carrefour, prit à droite sur Arizona et longea deux blocs d'immeubles jusqu'à Third Street Promenade. C'était sur Arizona Street que Michael Becker avait déposé sa fille le soir de la disparition.

Il vira à gauche et remonta la partie ouest de la Promenade, jusqu'à l'extrémité où Sarah Becker avait été vue pour la dernière fois. Les 23 heures approchaient, soit bien plus tard que l'heure où la fille avait été enlevée. Les commerces étaient presque tous fermés. Les artistes et musiciens de rue avaient plié bagage depuis un moment, même l'imitateur de Frank Sinatra qui ne lésinait pas sur les heures sup. Mais peu importait. En l'absence du kidnappeur et de sa victime, impossible de travailler en conditions réelles, de toute façon.

Il gardait un œil ouvert sur les badauds. Les tueurs reviennent souvent sur leurs pas, notamment ceux pour qui le meurtre ne se réduit pas à une expérience ponctuelle. Ils remontent le temps, rembobinent afin de rejouer leurs souvenirs. Zandt n'escomptait pas remarquer quelqu'un en particulier, mais il demeurait aux aguets. Parvenu à la rue latérale mentionnée dans l'exposé de Nina, là où l'on avait repéré une voiture en stationnement interdit, il s'immobilisa un bon moment. Sans rien chercher de précis. Juste pour être sur place.

— Z'attendez quelqu'un ?

Zandt se retourna sur un jeune homme svelte et gracile. Un adolescent, dix-huit ans à tout casser.

— Non, répondit-il.

Le garçon sourit.

— Vous êtes sûr ? Je crois bien que si. Je me demande si ce n'est pas moi que vous attendez.

— Je t'assure que non. Mais il y aura forcément quelqu'un. Pas ce soir, pas ici, mais ça ne saurait tarder.

Le sourire s'effaça.

— Vous êtes flic ?

– Non. Je t'explique juste comment ça marche. Va te trouver un mec dans un lieu éclairé.

Il poussa la porte du Starbucks et commanda un café, à emporter, puis alla s'asseoir sur le banc où Sarah avait été enlevée. Le garçon n'était plus là.

On pourrait s'attendre que le théâtre d'un drame se charge d'une énergie mortifère. Il n'en est rien. Si le cerveau humain sait reconnaître les visages, sa compréhension des lieux laisse à désirer. Avec le physique, c'est relativement simple : plus les gens connaissent votre bobine, plus vous êtes célèbre. Pas besoin de papiers d'identité. Vous n'êtes pas un inconnu, mais un membre de notre famille élargie : des frères costauds et des sœurs ravissantes, un père ou une mère attentionnés... autant de fausses parentèles censées nous faire oublier que nos réseaux de relations se sont réduits à une peau de chagrin. Avec les lieux, il s'agit de savoir de quels événements ils ont été le théâtre. Mais quand cette information est coupée du présent et que l'on s'attarde un peu, on ne perçoit plus rien. On retrouve l'endroit tel qu'il était avant qu'il n'arrive quelque chose, tel qu'il était le soir du crime. Ce sera là le point limite de votre voyage dans le temps, dans l'avant, le summum de votre capacité à tenir un couteau tel qu'il se présentait au sortir d'un tiroir de cuisine, avant d'être barbouillé de sang – quand il ne possédait rien d'autre qu'un potentiel.

Zandt resta sur le banc jusqu'à que celui-ci devienne un endroit comme les autres, et plus longtemps encore.

Au long de ses années de brigade criminelle, Zandt avait eu affaire à un nombre étonnamment élevé de tueurs en série. La règle veut que ce genre de dossier échoie au FBI, qui possède à cet effet un laboratoire de Sciences comportementales à Quantico, des procédures de profilage, des Jodie Foster et des David Duchovny impeccablement coiffés et habillés. Comme les tueurs eux-mêmes, les fédéraux passent pour des êtres à part. Mais en l'espace de huit ans, le simple mortel John Zandt avait été confronté à plusieurs séries de meurtres qui allaient s'avérer l'œuvre d'individus tout à fait dignes du label serial killer. Deux de ces hommes avaient été appréhendés, et Zandt avait joué un rôle non négligeable dans leur arrestation. Il avait ça dans le sang, et tous en convenaient. Le premier cas concernait un habitant de Venice Beach ayant liquidé quatre vieilles dames, et Zandt avait été mis sur le coup un peu par hasard. Lors de la seconde enquête, il avait collaboré avec le FBI et rencontré Nina Baynam.

Au cours de l'été 1995, on avait retrouvé les restes de quatre jeunes Noirs à moitié enterrés dans divers quartiers de la ville. La méthode de démembrement utilisée, ainsi que la présence d'une cassette vidéo auprès de chaque cadavre, suffisait à imputer ces assassinats à un unique auteur. Ces quatre victimes avaient toutes été enlevées sur des terrains vagues, et trois donnaient déjà dans la drogue et la prostitution de rue. Les deux premiers décès furent largement ignorés par le reste de la population, qui se contenta d'y voir un phénomène social cyclique : l'écrémage naturel du sous-prolétariat. C'est uniquement par leur caractère répétitif que ces meurtres quittèrent peu à peu le domaine du bruit de fond pour celui de l'événement. Les cassettes abandonnées près des corps contenaient entre une et deux heures de vidéo amateur grossièrement montées, qui illustraient combien les derniers jours des victimes avaient été déplaisants. Chaque vidéo était rangée dans un boîtier montrant une photo du garçon, accompagnée de son nom et de la mention « Démo ».

La presse surnomma le tueur l'« Agent de Casting », ce que tout le monde trouva fort drôle – sauf les parents des quatre victimes, mais, leur chagrin constituant un rappel gênant de la réalité qui sous-tendait le spectacle, il fut soigneusement occulté sauf lorsqu'il fallut doper l'intérêt du public. Et puis les proches étaient avant tout spectateurs du drame, or c'est toujours l'acteur que l'on préfère. Quelqu'un que l'on puisse apprendre à connaître, un visage en contre-jour dans les journaux ou aux infos. On veut une personnalité. Une star.

Zandt enquêta sur le meurtre du premier garçon, puis à la deuxième victime le FBI entra en scène. Nina était un jeune agent aguerri, qui avait passé l'année précédente sur une sale affaire dans le Texas et en Louisiane. L'instinct et le travail de terrain de Zandt, associés à l'analyse de Nina sur l'emplacement des corps, et à la chance qui voulut que le meurtrier ait déclaré la caméra à son nom, permirent de confondre le coupable. Il s'agissait d'un Blanc âgé de trente et un ans, qui officiait comme graphiste en périphérie de l'industrie du vidéo-clip et avait tourné lorsqu'il était enfant dans des films tombés aux oubliettes. Au bout d'une série d'entretiens avec Zandt, il avoua les crimes, précisa quelques points annexes et révéla la localisation de ses talismans, à savoir la main droite de ses victimes – chacune enfoncée dans un pot contenant à l'origine le produit d'un éminent fabricant de café soluble. Pour finir, il conduisit la police jusqu'aux cadavres de deux victimes précédentes, sur lesquelles il avait peaufiné sa technique. Pour justifier ses agissements, il expliqua qu'on l'avait violé sur les plateaux de cinéma de son enfance, allégation qui satisfaisait à merveille le besoin du public d'un début et d'un milieu à chaque fable. La véracité de ses propos fut impossible à établir, et la fin de l'histoire survint lorsqu'un codétenu armé d'une cuiller aiguisée égorgea le tueur avant le début du procès. C'est qu'on trouve des victimes aux deux bouts de la chaîne alimentaire : même les violeurs et les assassins ont besoin de souffre-douleur, et les tueurs de gamins remplissent très bien cet office. Au bout du compte l'histoire de l'Agent de Casting entra dans la légende, fit l'objet d'un bouquin d'écrivaillon au succès modéré et d'innombrables sites Internet. Un logiciel de traitement d'images capricieux baptisé CastingAgent connut un bref succès, ainsi qu'un magasin d'Atlanta qui commercialisa un canapé tacheté de rouge sombre, sous le nom de Casting Sofa.

L'enquête dura treize semaines. John et Nina vécurent les huit dernières en tant qu'amants. Leur liaison s'acheva peu après l'arrestation du suspect. Nina avait beaucoup donné en termes de premiers pas. Puis elle avait cessé de prendre l'initiative, et ça n'était pas allé loin. Zandt n'en parla jamais à son épouse, avec qui il entretenait une relation dans l'ensemble cordiale et harmonieuse, bien qu'elle eût traversé une zone d'aridité. Il ne voulait pas la perdre, ni elle ni leur fille, aussi accueillit-il la fin de cette liaison comme un soulagement.

Au cours des cinq années suivantes, Nina et lui déjeunèrent ensemble à l'occasion, alors que Zandt traitait son lot habituel de guerre des gangs, de crimes passionnels, et de tartempions retrouvés criblés de balles dans des ruelles, suffoquant comme des poissons hors de l'eau et déclarés morts à l'arrivée aux urgences dans l'indifférence générale. Il élucidait certains crimes. En ratait d'autres. La loi du genre. Nina enquêta sur un double meurtre très médiatisé à Yellowstone, une série de disparitions dans le nord de la Californie, et une autre dans l'Oregon, qui toutes demeurent à ce jour irrésolues. Pendant ce temps, du côté du monde réel, derrière le rideau de mort et de méfaits qui entoure les représentants de l'ordre, les affaires allaient bon train. La Bosnie implosait ; les cigares du Président lui valaient des ennuis ; nous découvrions les joies de l'e-mail et de *Frasier*, de la Playstation et de Sheryl Crow.

Puis, le 12 décembre 1999, une adolescente disparut à Los Angeles. Josie Ferris, seize ans, venait de fêter l'anniversaire d'une amie devant un hamburger au Hard Rock Café de Beverly Boulevard. À 21 h 45, après avoir pris congé devant l'entrée du restaurant, elle marcha seule en direction de l'hôtel Ma Maison, dans l'intention d'y héler un taxi. Beverly Boulevard n'est pas une route de campagne ni une ruelle. C'est une voie large et très empruntée, et l'avant-cour de l'hôtel tout comme le hall du centre commercial étaient fréquentés ce soir-là. Malgré tout, quelque part sur ce tronçon de trois mètres, elle disparut.

Le non-retour de Josie au foyer fut signalé au commissariat vers 0 h 50. Devant une réponse qu'ils jugèrent d'une promptitude insuffisante, ses parents décidèrent d'aller remplir les papiers sur place. M. et Mme Ferris avaient des tempéraments bien trempés, et il ne fallut pas longtemps pour que les policiers prennent l'incident avec plus de sérieux, du moins tant qu'ils étaient à portée d'oreille des parents. Hélas ! cela ne changea rien au problème. On ne revit jamais leur fille vivante.

Deux jours plus tard, quelqu'un laissa un pull devant chez eux. On avait brodé le prénom de Josie sur le devant, avec, les analyses l'attesteraient, sa propre chevelure. Sa meilleure copine le lui avait offert pour ses seize ans ; elle avait cousu sur la manche les lettres « APE » : Amies Pour l'Éternité. C'était bien vu. L'éternité se révélerait juste un peu courte. Aucune demande de rançon n'accompagnait le vêtement. La police commença à considérer la situation avec le plus grand sérieux, même quand les parents avaient le dos tourné. Un groupement spécial fut mis sur pied, coordonné par le chef de l'antenne locale du FBI, Charles Monroe. La presse eut vent de la livraison du pull, mais pas des altérations qu'il avait subies. Au bout d'un mois, on n'avait accompli aucun progrès d'aucune sorte pour retrouver l'adolescente.

Fin janvier et début mars 2000, deux autres filles se volatilisèrent. Elyse LeBlanc et Annette Mattison ne rentrèrent jamais, du cinéma pour la première, de chez une copine pour la seconde. Toutes deux présentaient d'évidentes similitudes avec Josie Ferris. Elles avaient pratiquement le même âge (quinze et seize ans) et les cheveux longs. Les LeBlanc et les Mattison vivaient dans l'aisance, leurs filles étaient séduisantes et d'une intelligence supérieure à la moyenne. Mais cela ne suffisait pas à établir un lien ferme entre les trois disparitions, qui étaient survenues dans des quartiers fort éloignés.

L'arrivée de deux autres pulls le permit, toutefois. Là encore, ils furent déposés devant le domicile familial, en plein jour, le prénom de la fille brodé avec ses cheveux. Il n'y eut pas d'autre message. La gravité de la situation amena le FBI à taire ces deux nouvelles disparitions. En général, les kidnappeurs en série cultivent la discrétion. Aussi, le choix d'adolescentes dont l'absence serait aussitôt remarquée, tout comme le regain d'attention que promettait la livraison des pulls, laissait à penser que l'on avait affaire à un individu hors norme. Qui voulait faire parler de lui, et tout de suite.

Les enquêteurs lui refusèrent cet égard.

Une semaine après la disparition d'Annette Mattison, des pique-niqueurs retrouvèrent dans Griffith Park le cadavre d'une jeune femme habillée. Bien que chauve, salement brûlé et entamé par la faune locale, il fut vite identifié grâce à des soins dentaires récents et à un bijou distinctif. Elyse LeBlanc. On estima qu'elle était morte depuis à peu près la moitié du temps écoulé depuis son absence, mais n'avait été laissée dans ce parc que tout récemment. On lui découvrit plusieurs traumatismes crâniens, mais aucun n'avait provoqué le décès. Le corps fut aussitôt expédié au laboratoire fédéral de l'État de Washington ; ni ses vêtements ni sa dépouille ne livrèrent d'indice matériel quant à l'identité du tueur. La fouille entière du parc menée par les autorités locales et le FBI ne permit pas de mettre au jour les corps de Josie Ferris et d'Annette Mattison, pas même sous forme de morceaux.

Le black-out vis-à-vis de la presse fut levé. Un appel à témoin déboucha sur les traditionnels canulars, confidences de timbrés et fausses pistes. Les parents d'élèves prirent leurs dispositions pour que leurs adolescentes se déplacent en groupe.

Le corps de Josie apparut dix jours plus tard. Il reposait dans des buissons bordant une route de Canyon Laurel, dans un état comparable à celui de la jeune LeBlanc. Sauf qu'il présentait en outre des traces de violences sexuelles très poussées.

Le tueur venait d'hériter d'un surnom. Les médias l'appelaient le « Garçon de Courses ». L'idée émanait en sous-main de l'agent spécial Monroe, qui estimait que rabaisser le coupable de cette manière, par l'emploi dépréciatif du mot « Garçon », pouvait rapporter quelque avantage stratégique ; qu'une personne ayant réussi à enlever trois filles brillantes et dégourdies dans des rues passantes, à les tuer et à abandonner leur dépouille dans des lieux publics, sans jamais être vu ni laisser le moindre indice derrière lui, se laisserait peut-être démonter par ce coup bas lexical.

Qu'il serait vexé comme un pou, et s'effondrerait aussi sec.

Nina n'était pas de cet avis. Pour diverses raisons, elle s'était entretenue du dossier avec John Zandt, en dépit du fait qu'il ne participait pas à l'enquête officielle. Mais ils avaient fait du bon boulot ensemble sur l'affaire de l'Agent de Casting. Elle voulait connaître son point de vue.

Zandt se prêta au jeu, sans grand enthousiasme. Nina déployait dans ces enquêtes un zèle et une ardeur dont il ne se sentait plus capable. Son mariage était reparti de l'avant, et sa fille avait grandi, passant du statut d'enfant à celui de jeune femme, ce qui consolidait la famille. Elle avait la chevelure de sa mère, d'un brun sombre, riche, presque auburn, et les yeux de son père, marron tacheté de vert. Elle écoutait la musique à s'en crever les tympans, sa chambre était un foutoir, elle passait trop de temps sur Internet et sentait le tabac de temps en temps. Il y avait des prises de bec. Mais elle participait aux expéditions shopping de sa mère, alors que c'était hyper-chiant, car elle savait que Jennifer adorait sa compagnie. Elle veillait à écouter son père lorsqu'il parlait, réprimant les bâillements qui la gagnaient. Ses parents ignoraient qu'elle avait tiré sur un joint à plusieurs reprises, essayé la coke et volé une paire de boucles d'oreilles de valeur. S'ils l'avaient su, ils lui auraient botté le cul jusqu'à la mettre en orbite, mais sans s'inquiéter outre mesure. Tout cela demeurait dans l'éventail des égarements acceptables pour le lieu et l'époque qui étaient les siens.

Mais surtout, Zandt avait pris un peu d'âge, et ne souhaitait pas consacrer plus de temps que nécessaire aux ténèbres dont le monde pouvait accoucher. Il vaquait à son travail, puis rentrait chez lui et vaquait à sa vie. Après s'être immergé le temps de deux enquêtes dans les basses œuvres de meurtriers en série, décrypter les rouages de leur esprit ne l'intéressait plus. Arrivé à un certain point, on ne pouvait continuer sans avoir la nausée.

Les serial killers ne ressemblent pas aux portraits flamboyants que dresse d'eux le cinéma : des génies charmeurs, pétris de cruauté, les adeptes charismatiques d'un art sanglant. Ils doivent davantage à l'alcoolisme ou à la folie légère.

Impossible à approcher ou à raisonner, reclus du monde dans une vision indicible, inaccessible à ceux qui ne la partagent pas. On en trouve de toutes formes, de toutes tailles et de toutes sortes. Certains sont des monstres, d'autres des individus tout à fait corrects – n'était, bien entendu, leur propension à tuer des innocents et à détruire la vie des êtres qui les ont aimés. Jeffrey Dahmer a d'abord lutté de toutes ses forces pour refouler les pulsions dont il savait qu'elles plaçaient ses désirs à mille lieues de la normalité. Mais il échoua, et dans les grandes largeurs. Il n'implora aucune clémence quand il fut pris, ne joua pas au plus fin avec la police, ne fit rien d'autre qu'admettre sa culpabilité et se lamenter d'avoir mal agi. Dans les limites mêmes de sa pathologie meurtrière, il a eu une attitude exemplaire. Reste qu'il avait ôté la vie à seize jeunes hommes au bas mot, dans des circonstances à peine croyables tant elles étaient atroces.

D'autres tueurs se vautrent dans leur notoriété, s'arrogent publicité et privilèges en manipulant médias et autorités, se jouent de la douleur des gens qu'ils ont amputés d'une chose irremplaçable. Ils se délectent de leurs exploits, de leurs grands secrets. Ils dévorent dans les journaux le feuilleton de leur procès, profondément satisfaits d'avoir enfin capté toute l'attention qu'ils ont toujours pensé mériter. Cela ne les rend pas plus redoutables. Seulement différents. Ted Bundy. L'Agent de Casting. John Wayne Gacy. Philippe Gomez. L'Éventreur du Yorkshire. Andrei Chikatilo. D'aucuns sont très beaux, d'autres plus efficaces, certains intelligents, d'autres un peu limités, voire débiles. Les uns ont l'air de types ordinaires ; les autres sont immédiatement repérables comme cinglés, même au milieu d'une rue bondée. Aucun n'est un surhomme ni l'esclave du Mal, ou alors au sens le plus superficiel du terme. Il ne s'agit que d'individus qui brûlent d'ôter la vie, d'enrichir leur propre expérience sexuelle par la torture et la mutilation. Ce ne sont pas des démons. Rien que des hommes – rarement des femmes – qui commettent l'inacceptable, sous l'emprise d'une obsession névrotique. Ils ne s'inscrivent pas dans un système binaire opposant le bien au mal, mais sur un large spectre comprenant également ceux qui vérifient leurs verrous dix fois par nuit ou qui ne peuvent souffler après le repas tant que la cuisine n'est pas impeccable. Les tueurs en série ne sont pas effroyables en soi. L'effroi réside dans le constat que l'on peut être humain sans éprouver la même chose que les autres humains.

Zandt connaissait les facteurs présidant à l'apparition d'un serial killer. Une mère violente et dominatrice, un père abusif ou faible. Des expériences sexuelles précoces et conflictuelles, en particulier avec les parents, les frères et sœurs, ou des animaux. Être né aux États-Unis, en ex-URSS ou en Allemagne, trois contrées où la population comprend un taux record de meurtriers multiples. L'exposition à des cadavres à l'âge où l'esprit se forme. Des lésions à la tête ou une intoxication au métal – l'élément, pas la musique. Un événement déclencheur, quelque chose qui permette au potentiel de se réaliser. Aucune de ces conditions n'est nécessaire ou suffisante, mais elles constituent quelques aspects d'un syndrome qui fournit parfois un terreau suffisamment noir pour produire une gerbe de pulsions insanes : un individu névrotique et violent, incapable de mener une vie normale. L'ombre dans nos rues. Le croque-mitaine.

Il les avait bien assez vus. Il ne voulait rien savoir de plus. Dans le secret de ses songes, il considérait l'Agent de Casting comme tel : l'Agent de Casting. Il se donnait du mal pour ne pas penser à son vrai nom, pour lui assigner l'irréalité cartoonesque dans laquelle le tueur tenait à l'évidence ses victimes. Puisque ce dernier s'était montré incapable de reconnaître à ces jeunes Noirs la dignité de leur individualité, la moindre des choses était de le loger à la même enseigne.

À cette époque, Zandt traitait les meurtres procédant du triptyque habituel : drogue, amour, argent. Il trinquait avec ses collègues, écoutait Nina conter ses efforts pour relier les disparitions de Josie Ferris, Elyse LeBlanc et Annette Mattison. Il dînait avec sa femme, conduisait sa fille à droite et à gauche, fréquentait le club de gym.

Le 15 mai 2000, Karen Zandt sortit du lycée en fin d'après-midi. Elle ne rentra pas à la maison.

Dans un premier temps ses parents imaginèrent le meilleur. Puis le pire. Ils reçurent un pull au bout de trois interminables semaines.

Zandt contacta Nina. Elle arriva toutes affaires cessantes, flanquée de deux collègues. On déballa le colis. Ce coup-ci, il n'y avait aucun nom brodé sur le pull, et ce n'était pas celui de Karen. Le sien était couleur pêche ; celui-ci, noir.

Il y avait un mot glissé à l'intérieur, imprimé au laser en police courier, sur un papier qu'utilisaient les entreprises et les foyers à travers tout le pays.

M. Zandt,

Une « course ». Vous devrez attendre pour la suite.
J'ai vu ta misère et la fatigue de tes mains, et je te condamne.

L'Homme Debout

Un mois plus tard, le corps d'Annette Mattison fut découvert dans un canyon des collines d'Hollywood. Même état que celui d'Elyse LeBlanc, même absence d'indices matériels. Les enlèvements d'adolescentes cessèrent – du moins, ceux suivis de la livraison d'un vêtement.

On ne retrouva jamais d'autre corps.

Au bout de deux heures, la Promenade était quasi déserte. Barnes et le Starbucks avaient fermé. Des gens s'approchaient du banc de temps en temps, des poivrots qui se traînaient vers les Palisades pour la nuit, tirant leurs petits chariots remplis de leurs effets personnels. Ils voyaient là un homme assis, les bras le long du corps, les paumes au ciel, le regard plongé au fond de la rue. Aucun n'osa faire un écart pour lui demander une pièce. Ils passèrent leur chemin.

Zandt se leva enfin, alla jeter son gobelet vide à la poubelle. Il songea qu'il aurait pu entrer dans la librairie et chercher les coins ayant offert à l'Homme Debout un poste idéal pour guetter Sarah Becker. Car, même en l'absence de preuves matérielles, Zandt était convaincu que le type surveillait étroitement ses victimes avant de frapper. Quelques-uns ne prenaient pas cette peine, mais la plupart, si. Et si, avec Karen, l'Homme Debout avait dérogé à cette règle, histoire de faire passer un message ? Zandt en doutait. Les filles étaient trop semblables, et leurs disparitions trop rondement orchestrées.

Barnes pouvait attendre, peut-être même pour toujours. Il s'était laissé convaincre par Nina de revenir. Il avait voulu croire que cette fois ce serait différent, qu'il saurait faire mieux que chasser sa propre queue à travers toute la ville, criant dans la nuit, sans jamais trouver l'homme qui lui avait pris sa fille. Qui avait capturé la vie de Zandt dans sa main folle et enragée, pour la réduire en miettes. Mais ce soir il n'y croyait plus.

Il regagna le Fountain à pied, acheta quelques provisions en route. Le hall de l'immeuble était vide, même à la réception. Zéro muzak, et peu de raisons de croire qu'il n'était pas la seule âme dans les murs. L'ascenseur s'éleva lentement, par à-coups, comme pour souligner la pénibilité de sa tâche.

En attendant que l'eau bouille, il se planta debout devant la télé, tandis que CNN réduisait la complexité du monde en une série de phrases choc qu'un businessman puisse recracher à l'heure du déjeuner. Après quelques minutes, ce résumé fit place à une info toute fraîche. En fin de matinée, un homme d'une cinquantaine d'années avait traversé la grand-rue d'une petite ville anglaise. Il était armé d'un fusil, avec lequel il avait abattu huit adultes et blessé quatorze autres.

Personne ne savait pourquoi.

CHAPITRE 9

J'étais assis sur le siège passager avec la portière ouverte. Il était 8 heures et des poussières, le matin. J'avais un café au lait dans une main, une cigarette dans l'autre. Mes yeux étaient grands ouverts et secs, et je regrettais déjà d'avoir allumé cette cigarette. J'avais été fumeur. Un gros fumeur, pendant longtemps. Puis j'avais arrêté. Mais au cours de cette nuit, que j'avais passée à errer lentement et sans but sur des routes noires, comme si je cherchais la sortie d'un réseau infini de tunnels, j'en étais venu à l'idée que le tabac serait ma seule planche de salut. Quand on a fumé un certain temps, il est des situations où l'on aura toujours une sensation de manque, faute d'un bâtonnet d'herbes en combustion pincé entre les doigts. Sans cigarette on se sent mal-aimé, désemparé et seul.

J'étais garé dans la rue principale de Red Lodge, une petite ville située un peu moins de deux cents kilomètres au sud-est de Dyersburg. J'étais assis dans ma voiture car le snack où j'avais acheté le café – une boutique proprette où le personnel arborait tabliers et petites fossettes rieuses – montrait une résistance implacable aux arts tabagiques. De nos jours, la qualité du café est inversement proportionnelle à la probabilité qu'on vous laisse l'accompagner d'une clope. Leur *latte* était succulent : ils avaient accroché au mur des têtes de fumeurs empaillées. J'étais ressorti en bougonnant avec mon gobelet pour regarder à travers le pare-brise Red Lodge s'éveiller douce-

118

ment. Les gens allaient et venaient, ouvraient de petites échoppes pleines d'objets qu'on achète pour prouver qu'on est parti en vacances. Une bande de types arrivèrent munis de pots de peinture et entreprirent de rehausser le teint d'une maison sise sur le trottoir d'en face. Quelques touristes apparurent, emmitouflés dans des tenues de ski jusqu'à devenir quasi sphériques.

Je grillai la moitié d'une seconde cigarette, grimaçai, et la jetai à terre. Ça ne m'aidait pas. Ce n'était qu'un motif de culpabilité. Je crois savoir, en outre, que cela nuit à la santé. Conscient que ma volonté est à peu près aussi faible que la lumière de l'étoile la plus éloignée par une nuit couverte, j'attrapai le paquet sur le tableau de bord et le lançai en direction d'une poubelle clouée à un poteau et bardée de vertueux slogans civiques. Le projectile tomba dans le trou sans même toucher le cerceau. Personne n'était là pour le voir. C'est toujours pareil. Ça doit faire bizarre, d'être basketteur professionnel : les gens regardent quand on la met au fond.

Je n'avais pas rendu ma chambre d'hôtel. J'avais juste sorti la cassette du magnéto avant de descendre. J'envisageais sans doute de m'installer au bar, mais cette fois-ci même mon sens atrophié de la bienséance jugea cette idée incongrue. Je m'étais donc retrouvé sur le parking, à m'enfourner dans la voiture, et à prendre la route. J'avais roulé au pas dans Dyersburg, traversé à deux reprises le carrefour où la berline de mes parents s'était emplafonnée, la vidéo posée sur le siège de droite. Au second passage devant le lieu de l'accident, je jetai un coup d'œil sur la cassette, comme si cela pouvait m'aider en quoi que ce soit. Ce ne fut pas le cas, et je n'y gagnai qu'un frisson, petit spasme glacé invisible à l'œil nu.

Au bout d'un moment, j'avais atteint ma vitesse de libération et quittai la ville. Je progressai sans carte, me contentant de suivre la route et de tourner quand le cœur m'en disait.

Je finis pas me retrouver sur l'Interstate 80, alors que l'aube commençait à poindre. Sentant que j'avais besoin de café, ou de quelque chose, je pris l'embranchement qui me mena à Red

Lodge à peu près à l'heure où les premiers commerces ouvraient.

Je me sentais vide et vaseux. Affamé, peut-être. C'était difficile à dire. Mon esprit était engourdi, comme si je l'avais poussé trop longtemps au mauvais régime.

Il ne faisait aucun doute que c'étaient bien mes parents sur les deux séquences les plus anciennes de la cassette. Et tout portait à croire que mon père tenait la caméra lors de la première, la plus récente. Individuellement ou collectivement, ces trois scènes avaient nécessairement une signification. Pourquoi les compiler sur cette bande, sinon ? C'est à peine si j'osais songer au dernier passage, celui montrant l'abandon d'un enfant dans un centre-ville. Ma première impression, comme quoi ce bambin était mon frère ou ma sœur, tenait toujours la corde. Tout dans les geste de ma mère, et dans la façon dont nous étions habillés, plaidait dans ce sens. Soit ce gosse et moi étions jumeaux, soit c'est ce que mes parents voulaient me faire croire. Cette dernière option semblait grotesque. Mais pouvais-je décemment admettre que j'avais eu un frère ou une sœur, et qu'il ou elle avait été abandonné(e) de sang-froid ? Que notre petite famille avait entrepris un voyage – détail suggéré à dessein par ces brèves images d'intérieur de train – pour revenir diminuée d'un quart ? Et que mon père avait tout filmé ? Je ne voyais qu'une seule raison à son attitude : la prévision qu'un jour il souhaiterait me révéler ce qui s'était passé, et que seul un film serait à même de vaincre mon incrédulité. J'avais rejoué la séquence dans ma tête toute la nuit, dans l'effort d'y lire autre chose. Mais c'était impossible, et ce qui me taraudait le plus, en définitive, était le caractère dépassionné de l'événement. Ils avaient cherché le bon endroit pour abandonner l'enfant, s'étaient arrêtés une première fois avant de se raviser, avaient poursuivi leur chemin sur quelques mètres. Ils avaient choisi un endroit fréquenté, où la densité de commerces et d'habitations augurait que l'enfant serait vite repéré. En un sens, c'était encore pire. Cela rendait leur acte plus réfléchi, plus délibéré, plus réel. Ils n'avaient pas tué l'enfant. Ils s'en étaient juste débarrassés. Ils avaient mûri leur projet, avant de passer à l'acte.

L'épisode du milieu était moins insolite. Passé ma stupeur devant ces bribes de jeunesse d'un couple que je n'avais jamais vraiment compris, j'avais vu une soirée somme toute assez banale. Je n'avais reconnu aucun de leurs copains, mais ce n'était pas surprenant. Les cercles d'amis évoluent avec les années. On change, on déménage. Ceux qui paraissaient indispensables le deviennent un peu moins, jusqu'à n'être plus que des noms sur une liste de cartes de vœux. Puis un beau jour on remarque en grognant qu'on n'a pas vu untel et untel depuis au moins dix ans, alors les cartes cessent, et l'amitié n'existe plus qu'en souvenir, à travers quelques phrases clés et une poignée d'expériences communes à moitié oubliées. Elle sommeille jusqu'à la toute fin, quand on regrette de ne pas avoir maintenu les liens, ne serait-ce que pour le plaisir d'entendre parler quelqu'un qui vous aura connu jeune, qui saura que votre déchéance pré-tombale est une blague d'un millésime récent, et que vous n'avez pas toujours été aussi décati.

Le hic, c'était la façon dont ils s'étaient adressés à la caméra. Et ce qu'ils avaient dit. Comme s'ils avaient su que je regarderais ce film un jour. À leur place, je me serais imposé un ton plus guilleret. « Salut, fiston, comment ça va ? Bons baisers du passé ! » Le ton de ma mère était à mille lieues de ça. Elle m'avait paru triste, résignée. La dernière phrase de mon père résonnait encore dans mon crâne : « Je me demande ce que tu es devenu. » À quoi rime une telle question quand son destinataire n'a que cinq ou six ans et se trouve endormi dans la même pièce que vous ? En un sens, cela collait assez bien avec la liquidation d'UnRealty : une profonde défiance vis-à-vis d'un être qui était leur fils. Je ne suis pas particulièrement fier de mon existence, mais indépendamment de ce que je suis ou ne suis pas devenu, je n'ai encore jamais abandonné un bébé en plein cœur d'une ville, tout en filmant la scène pour la postérité.

Autant que je me souvienne, je n'avais jamais vu de caméra à la maison ou entre les mains de mon père. Ni visionné ce type d'archives. Or pourquoi s'embêter à filmer sa petite famille si l'on n'a pas l'intention de se réunir un soir pour savourer le spectacle, rire des coiffures et des vêtements, et souligner combien tout le monde a pris des centimètres, en hauteur comme en largeur ? Et si mon père avait un jour donné dans ce cinéma-là, pourquoi avait-il arrêté ? Et où étaient passées les bobines ?

Restait la toute première scène, celle tournée en vidéo, bien plus récente. Par sa brièveté et son aspect abscons, ce segment semblait fournir la clé. En montant sa petite bombe à retardement, mon père avait dû commencer par ces images pour une raison précise. On l'entendait tout à la fin prononcer quelques mots, une courte phrase couverte par le vent. Il fallait que je la décrypte. Peut-être comprendrais-je ainsi la finalité de cette cassette. Ou peut-être pas. Mais au moins j'aurais entre les mains toutes les pièces du puzzle.

Je refermai la portière et sortis mon téléphone. J'avais besoin d'aide, alors j'appelai Bobby.

Cinq heures plus tard j'avais regagné mon hôtel. Entre-temps je m'étais arrêté à Billings, l'une des rares villes du Montana à peu près dignes de ce nom. Conformément aux conseils reçus, et contrairement à mes attentes, on y trouvait bien une boîte à copies où je pus obtenir ce que je cherchais. En vertu de quoi je rentrais avec un nouveau DVD-ROM en poche.

En pénétrant dans le hall de l'hôtel je me rappelai n'avoir réservé que pour deux jours après les funérailles. Je m'arrêtai donc à la réception afin de prolonger mon séjour. La fille hocha distraitement la tête, sans décoller les yeux d'un téléviseur réglé sur une chaîne d'information continue. Le journaliste ressassait les maigres éléments connus à cette heure concernant la tuerie survenue en Angleterre, que j'avais apprise à la radio sur la route de Billings. Il n'y avait apparemment rien de neuf. On répétait en boucle la même litanie, comme un rite, comme pour fabriquer un mythe. Le type s'était barricadé quelque part pendant deux heures, avant de se donner la mort. Les flics devaient en ce moment même retourner toute sa maison, à la recherche d'une explication, de quelqu'un ou de quelque chose à incriminer.

— Quel drame affreux ! dis-je, surtout pour vérifier si j'avais capté l'attention de la réceptionniste.

Dans le hall, des pancartes indiquaient que l'hôtel allait accueillir des stages et séminaires d'entreprise tout au long de la semaine, et je ne voulais pas me retrouver à la rue.

La jeune femme ne répondit pas sur le coup, et j'allais rouvrir la bouche quand je m'aperçus qu'elle pleurait. Ses yeux étaient trempés, et une larme isolée s'échappait en douce sur sa joue.

— Ça va ? demandai-je, un peu surpris.

Elle se tourna vers moi d'un air rêveur, hocha lentement la tête.

— Deux jours supplémentaires, chambre 304. C'est noté, monsieur.

— Parfait. Mais vous allez bien ?

Elle s'essuya la joue d'un rapide revers de main.

— Oui, oui. C'est juste... tellement triste.

Et sur ces mots elle retourna à son téléviseur.

Je l'observai depuis l'ascenseur en attendant que les portes se referment. Le hall était désert. Elle continuait de fixer l'écran, inerte, comme si elle regardait par la fenêtre. Elle n'aurait pas semblé plus chamboulée par l'événement — survenu à des milliers de kilomètres de là, dans un pays où elle n'avait sans doute jamais mis les pieds — si elle y avait elle-même perdu un proche. J'aimerais pouvoir dire qu'il m'inspira le même degré de compassion spontanée, mais ce serait mentir. Ce n'était pas de l'indifférence, plutôt l'incapacité à laisser l'émotion migrer de ma tête vers mon cœur. Ce n'était pas comme le World Trade Center, un acte ignoble et ahurissant survenu sur notre propre sol, frappant des êtres qui, gamins, avaient rempli leur tirelire avec les mêmes pièces que nous tous. Je savais, sur le plan intellectuel, que cela ne faisait aucune différence, mais c'est ainsi que je sentais les choses. Je ne connaissais pas ces gens-là.

De retour dans la chambre, je sortis mon ordinateur de la penderie, le posai sur la table et l'allumai. Pendant qu'il démarrait, je pris le DVD-ROM dans ma poche. La vidéo de mon père était cachée sous la roue de secours de la voiture de location. Le disque en contenait une version numérisée. Quand mon PowerBook eut accompli sa petite routine de réveil – une douche, une gorgée de café, un coup d'œil rapide sur le journal, et je ne sais quel autre rituel interminable –, j'insérai le disque dans la fente latérale. Une icône ronde apparut sur le Bureau. La vidéo avait été dupliquée sous forme de quatre gros fichiers MPEG, car elle était trop longue pour tenir tout entière en résolution maximale dans un seul fichier. Aussi, profitant de ce que personne dans la boutique ne regardait par-dessus mon épaule, j'avais copié les première et dernière séquences en haute définition, ainsi que l'extrait du milieu qui se déroulait chez mes parents. Quant à la longue scène du bar, je l'avais convertie dans un plus gros grain. L'opération n'en fut pas rapide pour autant. Tout le bazar tenait de justesse sur un disque de dix-huit gigas.

J'essayai d'abord CastingAgent, un vieux programme de traitement de l'image qui bogue à mort mais permet parfois d'obtenir ce que d'autres logiciels interdisent. Il se planta de façon si nette que je dus redémarrer. Je me rabattis alors sur les logiciels classiques et je vis défiler mon film.

J'avançai jusqu'à la fin de la première séquence, celle prise dans la montagne. Je sélectionnai les dix dernières secondes et les transférai sur le disque dur. Puis je recourus à MPEGSplit pour éliminer la composante vidéo du fichier, de manière à ne conserver que la piste son. Je connaissais déjà l'image : un groupe plus ou moins compact d'individus en manteaux noirs. Ce que je voulais percer, c'étaient les paroles du cameraman.

Je sauvegardai le fichier, quittai l'éditeur vidéo et lançai une batterie d'applications professionnelles de traitement du son – SoundStage, SFXLab, AudioMelt Pro. Je passai les trente minutes suivantes à triturer la piste, la soumettant à différents filtres pour voir ce qu'il en ressortait. Augmenter l'amplitude

n'arrangeait rien, sinon le volume, tandis que le déséchantil-
lonnage aléatoire et la réduction de bruit la rendaient plus
trouble. Je découvris tout au plus qu'elle était formée de deux
ou trois mots.

Alors je passai aux choses sérieuses, en commençant par
prélever un nouvel extrait, juste avant le début des paroles.
J'analysai les fréquences du vent en fond sonore, puis bricolai
un filtre de bandes passantes. Je l'appliquai sur le premier
extrait, et le son devint plus net. Quelques ajustements complémentaires, et il se mua en mots. *Ram ne bal* ? *Vom te pam* ?
Résolument bloqué, je sortis de la sacoche une paire d'écouteurs et l'enfilai. Je programmai la piste en boucle et fermai
les yeux.

Vers la quarantième écoute je trouvai la solution : « Les
Hommes de Paille ».

J'arrêtai le défilement, ôtai les écouteurs. J'étais assez sûr
de mon coup. Les Hommes de Paille. Le seul problème, c'est
que ça ne voulait rien dire. On aurait cru le nom d'un groupe
de rock indé – même si je doutais que les gens montrés à
l'image aient vécu du commerce de braillements sous-
enregistrés. Les membres d'un groupe de rock ne cohabitent
pas dans une station de ski. Ils se font bâtir des demeures en
simili-Tudor aux quatre coins du monde et ne se retrouvent
que pour empocher de l'argent. En somme, je n'avais réussi
qu'à ajouter un ultime voile de mystère au contenu de cette
cassette. Je la visionnai en entier une dernière fois, d'après le
DVD, au cas où le changement de format m'eût apporté un
élément nouveau. Mais rien ne me frappa.

Je m'éternisai dans mon fauteuil, le regard vague, sentant la
nuit me rattraper. De loin en loin, j'entendais quelqu'un longer
ma porte dans le couloir ; dehors, le passage occasionnel d'une
voiture, ou les fragments diffus de lointaines conversations
entre des gens que je ne connaissais ni ne connaîtrais jamais.
Cela non plus n'avait aucun sens à mes yeux.

Sur le coup de 6 heures, la sonnerie de mon portable
m'arracha à la somnolence. Je décrochai, tout engourdi.

– Yo, lança une voix sur fond de conversations et de musique sourde. Ward, c'est Bobby.

– Mon sauveur, répondis-je tout en me frottant les yeux. Merci pour le tuyau. Ton adresse à Billing était parfaite.

– Cool. Mais ce n'est pas pour ça que j'appelle. Je me trouve dans cet endroit – putain c'est quoi son nom déjà ? Le Sacagawea, je crois. Un genre de bar. Genre. Sur l'avenue principale. Avec une enseigne monstrueuse.

Soudain j'étais fin réveillé.

– Tu es à Dyersburg ?

– T'as tout compris. Un saut d'avion, et hop !

– Mais qu'est-ce qui t'as pris ?

– Ben, tu vois, après ton appel, je me faisais un peu chier. Alors j'ai repensé à un truc que tu m'avais dit, et j'ai jeté un œil à gauche, à droite.

– Jeté un œil sur quoi ?

– Des trucs. Allez, ramène ton cul, Ward. Il y a une bière qui t'attend. J'ai un truc à t'annoncer, mon pote, et je le ferai pas au téléphone.

– Pourquoi ?

Je remballais déjà l'ordinateur.

– Parce que ça va te faire flipper.

CHAPITRE 10

Le Sacagawea est un vaste motel de la grand-rue. Il possède une énorme enseigne au néon multicolore, que l'on distingue à plus d'un kilomètre dans chaque direction, et qui attire les imprudents tel un aimant. J'y avais résidé une dizaine de minutes, la première fois que j'étais venu rendre visite à mes parents. La chambre qu'on m'avait attribuée déclinait un mobilier bas de gamme digne d'un musée des années soixante, avec des tapis ressemblant à un chien mal-aimé. De prime abord j'avais trouvé cela plutôt funky, avant d'y regarder de plus près et de constater qu'elle n'avait en fait jamais été redécorée depuis l'année de ma naissance. C'est en découvrant qu'elle n'offrait pas de service d'étage que j'avais pris mes cliques et mes claques. On ne me fera pas dormir dans un hôtel sans service d'étage. Je ne le supporterais pas.

Étroit et humide, le vestibule empestait le chlore, sans doute à cause de la minuscule piscine qu'abritait la pièce d'à côté. Une vieille dinde derrière son comptoir me dirigea vers l'étage sans recourir à la parole mais au moyen d'un étrange regard. Une fois au bar, je compris pourquoi. Le lieu ne débordait pas de vie. J'y découvris un comptoir central, une serveuse esseulée, et une rangée de machines à sous placidement alimentées par des gens aussi démodés qu'elles. Vraiment, notre espèce sait vivre. De grandes vitres donnaient sur le parking et sur le trafic qui perlait de part et d'autre de la grand-rue.

Quelques couples étaient dispersés dans la salle, conversant à grand bruit, comme s'ils espéraient insuffler à ce lieu un semblant d'atmosphère. En vain.

Attablé contre la baie vitrée, m'attendait Bobby Nygard. Ses premiers mots furent :

– C'est quoi, cette connerie de « Sacagawea » ?

Je m'assis en face de lui.

– Sacagawea est le nom d'une jouvencelle amérindienne qui traînait avec Lewis et Clark. Elle les a aidés à négocier avec les gars du coin, à ne pas se faire tuer, ce genre de trucs. Leur expédition est passée à quelques encablures d'ici, en remontant vers la chaîne de Bitterroot.

– Merci, professeur. Mais est-on autorisé à dire « jouvencelle » de nos jours ? Ce n'est pas un peu sexiste, comme on dit ?

– Sûrement. Et tu sais quoi ? J'en ai rien à branler. C'est toujours mieux que « squaw ».

– Ah oui ? C'est pas sûr. C'est peut-être comme « nègre ». Repris comme un étendard. Appropriation de la terminologie de l'oppresseur.

– Si tu veux, Bobby. Ça fait du bien de te revoir.

Il me lança un clin d'œil, et nous choquâmes nos verres. Bobby n'avait pas bougé d'un trait, bien que notre dernier tête-à-tête remontât à plus de deux ans. Un peu plus petit que moi, un peu plus large. Le cheveu ras, le visage toujours un brin empourpré, et l'air du type que vous pourriez passer à la batte de base-ball sans l'incommoder outre mesure. Un ancien des Forces, qui donnait parfois l'impression d'en être encore – mais pas dans le genre d'armée qu'on voit aux infos.

Après avoir trinqué, il reposa son verre sur la table et parcourut la pièce du regard.

– Un vrai trou à rats, ce bouge.

– Alors pourquoi t'es là ?

– J'ai aperçu un panneau d'enfer. Il m'a aspiré dans son champ d'attraction. Mais pourquoi ? Y a un meilleur hôtel en ville ?

– Non, je veux dire : qu'est-ce qui t'amène à Dyersburg ?

– Chaque chose en son temps. Dis-moi d'abord comment tu te sens. Je suis désolé pour le décès, mec.

Soudain, peut-être parce que j'étais en présence d'un être que je considérais comme un ami, la disparition de mes parents m'atteignit de nouveau. En plein cœur, sans crier gare, comme ce serait probablement le cas jusqu'à la fin de mes jours, quoi que ces deux-là aient pu commettre. J'allais dire quelque chose, puis renonçai. Je me sentais trop fatigué, perturbé, triste.

Bobby a fait de nouveau tinter nos verres et nous avons bu. Il a laissé planer un petit silence puis changé de sujet :

– Alors, tu fais quoi à présent ? Tu ne me l'as pas dit.

– Pas grand-chose.

Il a levé un sourcil.

– C'est si tabou que ça ?

– Non. Rien qui mérite qu'on en parle, c'est tout. Il y a peut-être un ou deux jobs que je n'ai pas encore essayés, mais je doute qu'ils soient très différents. Il semble que j'aie gardé un faible pour les activités parallèles, mais les employeurs ne veulent pas voir en quoi c'est un rôle clé dans une économie moderne.

– Frilosité et absence de vision commerciale, a opiné Bobby avant de commander d'un geste deux autres bières. Toujours la même rengaine.

Après que la serveuse d'aspect jeune et déprimé nous eut servis, nous bavardâmes un moment. J'avais officié neuf ans à la CIA, et c'est là que j'avais rencontré Bobby. On avait tout de suite accroché, lui et moi. J'avais surtout fait du terrain, sauf à la fin, où je m'étais occupé de surveillance média. J'avais démissionné quand l'Agence avait instauré un test annuel au détecteur de mensonges, voici quelques années. Bon nombre d'agents avaient rendu leur tablier à la même époque, furieux de ce manque de confiance implicite après qu'ils eurent risqué leur peau pour le pays. Moi, j'étais parti parce que j'avais commis certaines choses. Rien d'affreux, devrais-je préciser. Juste le genre de choses pour lesquelles on vous fout en taule. La CIA n'est peut-être pas l'organisation la plus réglo du monde, mais dans la mesure du possible elle préfère que ses employés évitent de verser dans la criminalité. J'avais utilisé certains contacts pour lever un peu d'argent, pomper un peu de liquide à travers les mailles du filet. Il y eut quelques incidents. Un type y perdit la vie. Voilà tout.

S'il résidait maintenant en Arizona, Bobby assurait encore des missions ponctuelles pour la maison, et gardait le contact avec une poignée de vieux amis communs. Deux d'entre eux s'attelaient en ce moment à infiltrer des milices paramilitaires, et en entendant ça je me félicitai de mon choix. Qui voudrait d'un tel job ? Personne qui tienne à la vie, en tout cas. L'un de ces gars, un frappadingue dénommé Johnny Claire, vivait présentement au sein d'un de ces groupes, une brochette de fanas d'armes à feu désocialisés, terrés dans une forêt de l'Oklahoma. Je ne l'enviais vraiment pas, bien que Johnny fût assez allumé pour s'imposer dans n'importe quel milieu.

— Bon, lança Bobby derrière sa nouvelle bière. Tu vas enfin m'expliquer pourquoi tu t'éternises dans cette cambrousse, et d'où vient ce besoin pressant de numériser un bout de vidéo familiale ?

— Peut-être, répondis-je, admiratif devant sa façon de me tirer les vers du nez sans révéler ce que lui-même avait derrière la tête – comme un savoir-faire devenu seconde nature.

À l'époque de notre rencontre, il passait beaucoup de temps dans les salles d'interrogatoire avec des ressortissants du Moyen-Orient. Ils finissaient tous par parler. De là il avait bifurqué vers la surveillance.

— Mais je ne promets rien, poursuivis-je. Pas tant que tu ne m'auras pas dit pourquoi tu as sauté dans l'avion et traversé trois États afin de me payer une bière.

— OK. OK. Alors laisse-moi d'abord te poser une question. Où es-tu né ?

— Bobby...

— S'il te plaît, Ward.

— Tu sais parfaitement où je suis né. County Hospital, à Hunter's Rock, Californie.

Ce lieu sortait de ma bouche aussi facilement que mon prénom. C'est l'une des premières choses qu'on apprend.

– En effet, je me souviens que tu m'as dit ça. T'as même piqué une crise parce que plus personne ne respecte l'apostrophe de Hunter's.

– Ça me fout hors de moi.

– Tu as raison. C'est un pur scandale. Bon. Tout à l'heure au téléphone, tu m'as parlé de tes vieux et de cette fameuse cassette, comme quoi elle avait un rapport avec ton enfance, etc. Voilà donc où j'en suis quand on raccroche. Je n'ai rien à faire de particulier. Je suis entouré d'ordinateurs, j'ai surfé sur le Web jusqu'à plus soif et j'ai déjà eu ma branlette du jour.

– Charmant, Bobby. J'espère seulement que ce n'était pas pendant que je te parlais.

– Rêve pas trop, fit-il avec un sourire un coin. Alors je me suis dit : « Tiens, et si je fouillais un peu dans le vie de Ward ? »

Je le dévisageai, sans oublier qu'il était mon ami et pouvait à ce titre se permettre ce genre de choses, mais avec malgré tout une certaine sensation d'intrusion.

– Je sais, je sais, poursuivit-il en levant une paume pacifique. Mais je m'emmerdais, et que veux-tu que je te dise ? Je suis désolé. Bon, bref, j'active mes bécanes et j'ouvre quelques bases de données. Je te préviens tout de suite : je n'ai rien trouvé que je ne sache déjà. Interrogé sur quelques affaires survenues au fils des ans, et patati et patata, puis relaxé pour manque de preuves. Plus un témoin qui s'est rétracté. Et celui qui a disparu. L'opération anti-drogue dans la Grande Pomme en 1985, quand tu as accepté de dénoncer un groupe d'étudiants de Columbia...

– C'étaient des connards, plaidai-je. De sales connards racistes. En plus, l'un d'eux couchait avec ma copine.

– Par pitié, mec. Tu m'as déjà raconté tout ça et je ne porte aucun jugement sur cette histoire. Et puis, sans elle tu ne te serais jamais retrouvé à l'Agence et on ne se connaîtrait pas, ce que j'estimerais fort dommage. Je disais donc que tes dossiers ne contiennent rien que je ne connaisse déjà. Autrement dit, s'il y a autre chose, tu l'as bien caché. Drôlement bien.

131

J'avoue que ça ne me déplairait pas de savoir quoi, par simple curiosité.

— Je te le dirai pas. Un type doit avoir ses petits secrets.

— En tout cas, tu les conserves bien. Je t'accorde au moins ça.

— Ça veut dire quoi ?

— Attends. Au bout d'une heure ou deux, je suis assez déçu de n'avoir rien découvert, alors je décide de vérifier des trucs du côté de Hunter's Rock – avec apostrophe. J'obtiens l'adresse de la maison de tes parents, et leurs dates d'arrivée et de départ. Ils ont emménagé là-bas le 9 juillet 1956, ce qui devait être un lundi. Ont payé leurs impôts, mené leur petit bonhomme de chemin, etc. Ton père gagnait sa vie chez Golson Realty, ta mère bossait à mi-temps comme vendeuse. Une bonne dizaine d'années plus tard, tu as vu le jour là-bas. C'est exact ?

— Exact, répondis-je tout en me demandant où il voulait en venir.

Il secoua la tête.

— Faux. Le County Hospital de Hunter's Rock n'a aucune trace d'un Ward Hopkins né à cette date.

Le monde parut exécuter un petit pas chassé.

— Pardon ?

— Ils n'en ont pas davantage au General de Bonville, ni au James B. Nolan, ni dans aucun hôpital situé dans un rayon de trois cents bornes.

— Normal. Je suis né au County. À Hunter's.

Il secoua la tête de plus belle.

— Je te dis que c'est faux.

— Tu es en sûr ?

— Non seulement j'en suis sûr, mais j'ai épluché les cinq années précédentes et les cinq années suivantes, des fois que tu aurais menti sur ton âge par coquetterie ou nullité en calcul mental. Pas le moindre Ward Hopkins. Aucun Hopkins, quel que soit le prénom. Je ne sais pas où tu es né, mon pote, mais je te garantis que ce n'était ni à Hunter's Rock ni dans ses environs.

J'ouvris la bouche. La refermai.

– Ce n'est peut-être pas grave, déclara-t-il avant d'ajouter habilement : y aurait-il un rapport avec tes besoins numériques ?

– Repasse-le un coup, dit-il.

– Je doute d'en avoir la force.

Il leva les yeux vers moi. Il était assis dans l'un des fauteuils de la chambre d'hôtel, penché sur mon ordinateur. Je lui avais montré les MPEG, et j'avais atteint mon point de saturation pour la journée. Pour le reste de ma vie, même.

– Crois-moi, Bobby. Tout ce qu'il y a à voir est là dès le premier visionnage.

– OK. Alors passe-moi la piste audio.

Je tendis le bras, posai le curseur sur le fichier et l'ouvris d'un double clic.

Il écouta la version filtrée plusieurs fois, puis l'arrêta de lui-même. Il hocha la tête.

– Oui, « Les Hommes de Paille », ça m'a tout l'air d'être ça. Et tu ne sais pas ce que ça peut signifier ?

– Je connais la définition du dico, « prête-nom », mais ça ne nous avance pas des masses. Et toi ?

Il attrapa son verre. Il nous restait à ce stade une demi-bouteille de Jack Daniel's.

– La seule chose qui me vienne à l'esprit est « achat de paille ».

J'acquiesçai, considérai l'idée. Il faisait référence à la combine permettant aux personnes interdites d'armes à feu – pour raison d'âge, de casier judiciaire ou d'absence de permis – de s'en procurer malgré tout. Il suffit de se rendre chez un armurier en compagnie d'un acolyte présentant les qualités requises. Vous discutez avec le vendeur, trouvez votre bonheur. Puis, quand arrive le moment de payer, c'est votre copain – l'acheteur de paille – qui tend l'argent et se porte officiellement acquéreur. Bien entendu, le marchand n'est pas censé accepter, à partir du moment où il sait que l'arme finira entre vos mains, mais la plupart du temps il fermera les yeux. Les affaires sont les affaires. Une fois que vous êtes ressorti de sa boutique, il se contrefiche de savoir ce que vous mijotez. Tant que vous n'allez pas zigouiller sa mère, il n'en a rien à cirer. Certes, on trouve beaucoup de gens honnêtes et droits parmi les armuriers. Mais on en trouve aussi beaucoup qui jugent en leur for intérieur que tous les Américains, tous autant qu'ils sont, y compris les petites dames, devraient porter une arme à feu dès la naissance. Qui ne voient rien à redire au fait que ces engins ne sont qu'un moyen commode d'ôter la vie d'autrui, qui pensent que les flingues sont moralement neutres et que seuls leurs utilisateurs ont le pouvoir de les rendre mauvais. Les utilisateurs à la peau noire, notamment, ou ces bons à rien de punks drogués que nous ne servons pas dans cet établissement, ça non.

— Tu crois que c'est ça ?

— Peu probable, convint Bobby. Remarque, il y a eu un truc à ce sujet ces deux dernières années. Les fédéraux et quelques municipalités ont tenté de remettre un peu d'ordre, de traquer les revendeurs trop complaisants. Une forte proportion des armes qui circulent dans les quartiers y sont arrivées par ce biais, via des types qui achètent en grosses quantités puis revendent à des trafiquants de rue. Il y a un ou deux procès en cours, et je crois même que l'un d'eux a fait jurisprudence voilà un an. Je ne me souviens plus du verdict. Mais, quoi qu'il en soit, je ne vois pas le rapport avec tes vieux.

— Moi non plus. Autant que je sache, mon père n'a jamais possédé d'arme. Je ne me souviens pas l'avoir entendu se prononcer sur la question, mais en général les pro-flingues ont une armoire bien remplie. Rien de tel à la maison.

— Et t'as fait une recherche ?

— Où ça ? Dans le Grand Dictionnaire des Phrases Courtes ? Il leva les yeux au ciel.

— Sur le Net, voyons !

— Tu m'as bien regardé ?

J'aime Internet. Si, si, vraiment. Dès que je suis en quête d'un programme vérolé, de la météo de Bogota ou d'une photo de femme avec un mulet, je suis le premier à faire chauffer le modem. Mais comme source d'informations, ça craint. Parmi ces milliards de données qui luttent pour être entendues, lues ou téléchargées, ce qui m'intéresse semble chaque fois mourir piétiné sous la foule. Curieusement, il suffit que je cherche une chose particulière pour récolter direct un message d'erreur 404.

– T'es un putain de réac, Ward.

Déjà Bobby raccordait le câble du téléphone. Je le laissai à ses distractions, tout en regrettant d'avoir jeté mon paquet de cigarettes à la poubelle.

Au bout de cinq minutes, il secoua la tête.

– Les principaux moteurs de recherche ne donnent rien, les moins connus non plus. Idem avec une série de netcrawlers spécialisés auxquels j'ai accès, dont certains requièrent des autorisations maousses.

– Je te l'avais bien dit, le Web, c'est comme un oracle sourd-muet frappé d'amnésie.

– Ça ne signifie pas qu'il n'y a rien, Ward. Ça signifie seulement que, si le terme apparaît sur un site, ce dernier n'est pas répertorié par les moteurs de recherche.

– Mais enfin, Bobby, il n'y a aucune raison de croire qu'on trouvera quoi que ce soit là-dedans. Tout ce qui est survenu sur terre n'y est pas encore répertorié. Et puis ce n'est qu'une phrase, bon sang. Trois mots. Laisse évoluer une bande de singes pendant un certain temps, et l'un d'eux alignera cette expression bien avant d'être venu à bout de *Macbeth*. Mais de là à en déduire qu'il va te concocter du HTML et te le balancer sur un serveur avec des bandeaux de pub et un compteur de visites... Et même si c'était le cas, pourquoi voudrais-tu qu'il y ait un rapport avec le contenu de la cassette ?

– Tu as une meilleure idée ?

– Oui, clamai-je. La bouteille est presque vide, je suis crevé et j'ai encore très soif.

– On verra ça après.

– Après quoi ? Tu sais déjà qu'il n'y a rien là-dedans.

Bobby pianota des doigts sur la table, le regard obliquant vers les rideaux. Je pouvais presque entendre sa cervelle mouliner. J'étais rongé d'ennui et le whisky rendait ma tête lourde et froide. Ce trop-plein d'informations depuis deux jours me donnait envie de tout oublier.

— Il doit rester quelque chose dans la maison, énonça-t-il enfin. Un truc qui t'aura échappé.

— Seulement si c'est planqué dans une putain d'ampoule. J'ai fouillé les moindres recoins. Il n'y a rien de plus.

— Tout est différent quand tu sais ce que tu cherches, insista-t-il. Tu croyais d'abord chercher un second message. Alors c'est ça que tu as cherché. C'était ton fil conducteur. Tu n'as songé à la vidéo que par hasard.

— Non. J'y ai songé parce que la maison avait été arrangée dans ce but. Je pense que mon père s'est donné du mal pour...

Je laissai ma phrase en suspens. Me levai, farfouillai dans la sacoche de l'ordi.

— Quoi ?

— J'ai copié son disque dur sur une carte ffiz !. C'est la seule chose que je n'aie pas examinée.

Je repris place à côté de Bobby et insérai la minuscule cartouche dans la machine. Là-dessus, j'ouvris un bandeau de recherche et tapai « hommes de paille ». Pressai la touche retour. L'appareil crépita et ronronna quelques instants.

L'OBJET DE LA RECHERCHE N'A PU ÊTRE TROUVÉ.

Je réessayai avec « paille » uniquement. Même résultat.

— Eh bien, nous voilà fixés, dis-je. Viens, le bar nous appelle.

Je me relevai, pensant qu'il allait m'imiter. Au lieu de quoi il entreprit une nouvelle recherche.

— Qu'est-ce que tu fabriques encore ?

— Je demande à ton explorateur de lister le contenu de tous les fichiers textes, expliqua-t-il. Si cette histoire de paille est importante, il semblerait logique de ne trouver aucun fichier sous ce nom. Simple mesure de précaution. Par contre, le terme peut figurer à l'intérieur d'un fichier.

C'était plutôt sensé. Alors j'attendis. Le ffiz ! offre une grande vitesse de traitement, si bien que l'opération ne prit que quelques minutes.

Le texte demeurait introuvable.

Bobby poussa un juron.

— Mais pourquoi il ne t'a pas laissé une putain de lettre pour te dire ce qu'il avait à dire, bordel ?

— Je me suis posé cette question des milliards de fois, et la réponse est : je n'en sais rien. Allons-y.

Il refusait toujours de se lever.

— Écoute, répliquai-je, je sais que tu fais tout ça pour moi, et je t'en suis très reconnaissant. Mais au cours des dernières vingt-quatre heures j'ai appris que j'avais soit des parents chtarbés qui m'avaient séparé d'un jumeau, soit des parents vraiment chtarbés qui voulaient juste me mener en bateau. Je n'ai rien avalé depuis des jours. Comme un idiot, j'ai allumé une cigarette ce matin et maintenant j'aimerais en griller toute une cartouche, et je dois mobiliser toute mon énergie mentale pour résister à l'envie. C'est tout ce que j'avais à dire. Je file au bar.

Il se tourna vers moi, mais son regard était lointain. Je lui avais déjà vu ces yeux-là. Ils signifiaient que Bobby ne pouvait pas bien entendre ce qu'on lui racontait, et n'y parviendrait qu'après avoir poursuivi son idée.

— On se retrouve en bas, dis-je avant de sortir.

CHAPITRE 11

Je me souviens d'une chose dont j'étais très fier étant gamin : les moustiques ne me piquaient jamais. Quand nous partions en vacances dans les bons coins ou que nous effectuions un voyage scolaire à la mauvaise saison, la plupart des gens se retrouvaient couverts de petits boutons rouges qui démangeaient à mort – et ce, quels que soient leurs efforts en matière de crèmes, de sprays et de moustiquaires. Moi, non. Au pire, j'écopais d'une seule morsure, à la cheville. Curieux objet de fierté, penserez-vous peut-être, mais vous savez comment on est à ces âges-là. Une fois que l'on a compris qu'on n'est pas le centre du monde, on éprouve une telle soif de se distinguer qu'on se contente d'à peu près n'importe quoi. Moi, j'étais le garçon qui ne se faisait pas piquer par les insectes. Prenez note, messieurs dames, et un peu de respect, je vous prie : voici Anti-Mosquito Boy, le Gosse impiquable. Puis un beau jour, à l'approche de la trentaine, je me rendis compte que j'avais tout faux. Que j'avais, selon toute vraisemblance, reçu le même lot de piqûres que les autres. La seule différence étant qu'elles déclenchaient chez moi une réaction allergique moins forte, ce qui expliquait l'absence d'indurations. Je restais toutefois « à part » – même si en grandissant j'avais compris que mon titre n'avait rien de mirobolant, et me souciais surtout, désormais, de ne pas être trop différent des autres –, mais moins que je ne l'avais cru. Je me faisais piquer comme vous tous, et Anti-Mosquito Boy était régulièrement vaincu.

Assis au bar en attendant Bobby, je peinais à déloger ce souvenir. Ma famille, ma vie étaient deux choses que je ne comprenais plus. Comme si j'avais soudain remarqué que l'on apercevait sans cesse les mêmes immeubles en arrière-plan de mon existence, où que je me trouve, au point que j'en venais à me demander s'il ne s'agissait pas d'un décor de cinéma. À vrai dire, je voyais bel et bien les mêmes immeubles jour après jour. Depuis l'Agence, je n'avais jamais pris le chemin d'une existence normale, et revoir Bobby rendait cette vérité criante. Je faisais un peu de ci, un peu de ça ; une partie de ci était illégale, une partie de ça était violente. La plupart du temps, je me rappelais à peine en quoi cela avait consisté. Ça devenait flou. Je passais ma vie dans des motels, des restaurants, des aéroports régionaux, à parler à des inconnus, à lire des écriteaux adressés à la foule en général et jamais à moi en particulier. Je me sentais cerné de gens dont la vie avait une épaisseur, qui ressemblaient aux quidams qu'on voit à la télé. Contextualisés. Parties prenantes d'une histoire, avec ses phases habituelles. La mienne paraissait n'en avoir aucune. Le segment « voici d'où tu viens » venait d'être tronçonné, laissant place à un nombre non divulgué de pages vides.

Mon barman était de service, qui se montra une fois de plus un allié capable et efficace. Il expédia l'aspect « incident précédent » de nos retrouvailles en abordant le sujet d'emblée :

— Et après, vous comptez sortir votre flingue ?

— Pas si vous me filez des noix de cajou.

Il m'en fournit. C'était un bon barman, décrétai-je. La salle était vide de robots-cadres, et les seuls autres clients étaient une paire de couples très âgés, installés dans un coin. Ils avaient accueilli mon arrivée d'un air hostile. Je ne leur en voulais pas. Moi aussi, à leur âge, je maudirai les jeunes gens. Je les maudis déjà, d'ailleurs, ces petits trouducs d'échalas aux joues roses. Ça ne m'étonne pas que les ultra-vieux soient si bizarres et si ronchons. La moitié de leurs amis sont morts, ils se sentent merdeux les trois quarts du temps, et le prochain événement majeur de leur vie sera le dernier. Ils n'ont même plus l'espoir d'améliorer leur état dans un club de gym, de rencontrer une personne charmante dans les premières heures d'un samedi matin, ou de voir rebondir leur carrière et de finir au bras d'une star de cinéma. Ils sont passés de l'autre côté, vers une morne plaine de douleurs et de vue déclinante, là où le froid ronge les os et où il n'y a pas grand-chose à faire sinon regarder ses enfants et petits-enfants commettre bille en tête les erreurs contre lesquelles on les avait mis en garde. Je ne leur reproche pas d'être un peu déphasés. Je me demande simplement pourquoi les anciens ne sont pas plus nombreux à arpenter les rues en bandes pour beugler des insanités et se finir à la bière. Au train où va la démographie, ce sera peut-être ça, le prochain grand phénomène de société. Des gangs d'octogénaires, courant comme des dératés entre deux prises de crack. Quoique *marchant* comme des dératés paraisse mieux adapté – avec peut-être une heure de sieste de dératés dans l'après-midi.

Au bout d'un moment, le groupe du coin parut admettre que je n'allais pas me mettre à jouer d'un instrument ultramoderne ni braver les bonnes mœurs sexuelles. Ils retournèrent à leurs moutons, et je revins aux miens : nous coexistions, telles deux espèces animales partageant avec circonspection le même point d'eau.

Près de deux heures plus tard, Bobby fit son apparition. M'apercevant avachi dans mon box, il fit signe au barman d'apporter deux fois ce que j'avais pu commander, et me rejoignit.

– T'es murgé comment ?

Il me regardait d'un air bizarre.

– Sur une échelle de un à dix, répondis-je gaiement, je me mettrais au moins F.

– Parfait. J'ai trouvé quelque chose. Enfin presque.

Je sentis la tension revenir au galop. En me redressant je vis qu'il tenait une petite liasse de papiers.

– J'ai pu avoir accès à l'imprimante de la réception, dit-il. Mais où sont nos boissons, bordel ?

Elles arrivèrent au même moment dans les mains du barman.

– Pas d'autre noix ? demanda ce dernier.

– Non, non, répliquai-je. Juste lui et moi.

Je ris longuement. Oui, je suis sûr d'avoir ri. Le garçon s'éloigna. Bobby attendit que je reprenne mes esprits. Il me fallut du temps.

– OK, déclarai-je enfin. Crache.

– Pour commencer, j'ai refait un tour sur la toile. Toujours aucune trace des Hommes de Paille en tant qu'entité, mais j'ai trouvé sur des pages encyclopédiques d'autres explications à l'expression : une histoire de types qui au siècle dernier se plantaient à l'extérieur des tribunaux avec de la paille dans les grolles – j'ai pas trop compris ce passage – pour indiquer qu'ils produiraient de faux témoignages moyennant finance. Et une autre entrée évoquant l'absence de conscience – un truc du style paille contre chair.

– Autrement dit, des prête-noms trempant dans l'illégalité. On le savait déjà, merci.

– Puis j'ai examiné le disque, poursuivit-il en ignorant mon commentaire. Lancé un balayage de bas niveau, cherché des fichiers cachés, des partitions, des travaux. Rien du tout. Alors j'ai regardé ses logiciels, qui sont peu nombreux.

– Papa n'était pas un fêlé de la bécane, dis-je. C'est pour ça que je n'ai pas pris la peine d'explorer l'ordinateur sur place.

– Soit. Mais il utilisait le Net.

Je haussai les épaules :

– L'e-mail, de temps en temps. Et sa boîte possédait un site, même si la maintenance avait été confiée à un tiers. J'allais parfois y faire un tour.

Cela m'avait en effet semblé plus facile que de téléphoner à mes vieux. Depuis que j'avais laissé tomber la fac, ils n'avaient jamais vraiment su ce que je faisais, et encore moins les raisons qui m'avaient poussé à lâcher mes études, pas plus que le sigle de mon nouvel employeur. Mes parents n'avaient jamais paru très politisés, mais ils avaient pleinement vécu les années soixante, ainsi que la vidéo l'attestait. Ceux qui avaient connu le Summer of Pattes d'Eph en gardaient toujours quelques séquelles. À ce titre, découvrir que leur fils bossait pour la CIA ne les aurait pas exactement emballés. Je le leur avais donc caché, sans me rendre compte que cela revenait à leur cacher tout le reste. Bien sûr, cette pensée avait l'air un peu décalée aujourd'hui, sachant ce qu'eux m'avaient dissimulé...

Bobby secoua la tête.

— Il avait Explorer et Navigator dans sa bécane, et de toute évidence il en faisait grand usage. Une mémoire tampon énorme, et des trilliards de signets dans l'un comme dans l'autre.

— Pour quel type de contenus ?

— Tout ce qu'on veut. Références, commerce en ligne, sport...

— Du cul ?

Il sourit.

— Non.

— Dieu merci.

— Je les ai tous visités, sans exception. Même ceux qui ne m'inspiraient rien, juste au cas où il aurait renommé le signet pour masquer la nature du lien.

— T'es vicieux, mon pote. Je l'ai toujours dit.

— Ton père aussi, gars. Il en avait effectivement renommé un, noyé dans un dossier de cent soixante signets qui représentent à mes yeux la face la plus austère du monde de l'immobilier. Le lien s'appelait « Ventes récentes Mizner/Intercoastal ». Ça t'évoque quelque chose ?

— Addison Mizner était un architecte des années vingt et trente. Il a bâti une série de demeures de prestige à Miami et à Palm Beach. Style villas italiennes. Très recherchées et incroyablement hors de prix.

— T'en sais des choses dingues, toi. Sauf que voilà : ce lien ne débouche sur aucun site traitant de terrains ou de maisons. Il mène à une page blanche. Alors je me suis dit : « Merde, un cul-de-sac ». Il m'a fallu plusieurs minutes pour découvrir que cette page était en fait recouverte d'un graphique transparent contenant de l'hypertexte caché. Après avoir pigé le truc, j'ai atterri sur une nouvelle série de pages, comportant des liens assez zarbis.

— Zarbis comment ?

— Zarbis, répéta-t-il en secouant la tête. Ça ressemble à des pages d'accueil ordinaires, avec tout plein de fioritures, une ponctuation approximative et des couleurs pourries, mais le contenu est insipide au possible. Ça fait assez toc, comme s'il s'agissait de faux.

— Mais quel intérêt de fabriquer de fausses pages d'accueil ?

— C'est la question que je me suis posée. La plupart des liens m'ont conduit vers des impasses et des 404. Mais la ligne continuait à se dérouler, à travers des pages entières de liens — et sur chacune d'elles un seul lien semblait conduire au moins deux pages plus loin. Puis je me suis mis à entrer des mots de passe. D'abord des trucs en java fastoches que je savais craquer tout seul, à l'aide de quelques joujoux que tu planquais sur ton disque dur. À ce propos, tu manques de RAM. Ce salaud m'a planté à peu près cinq fois. Là-dessus — ne m'en veux pas, mais j'ai passé quelques appels longue distance sur le téléphone de la chambre —, j'ai demandé de l'aide à des amis spécialistes. Il fallait que je parvienne à forcer des portes de service UNIX et autres merdes. Un petit malin qui connaissait très bien son affaire avait brouillé les pistes à mort.

— Mais à quoi ça sert ? pestai-je. J'imagine que n'importe qui peut marquer d'un signet le site final, où qu'il se trouve, pour s'y rendre directement la fois suivante. Pourquoi s'emmerder à concevoir un jeu de pistes alors que le principe même du Web est l'accès non linéaire ?

— Mon opinion, c'est que l'adresse de destination change régulièrement. Mais toujours est-il que je suis parvenu au bout.

— Et t'as trouvé quoi ?

— Rien.

Je le dévisageai.

— Tu peux répéter ?

— Rien. Il n'y avait plus rien.

— Putain, Bobby, elle est nulle, ton histoire. Ça craint, mec. Qu'est-ce que t'entends par « rien » ?

Il me fourra sa liasse de papiers sous le nez. La page de garde était vide, hormis une courte phrase en plein centre : « NOUS NOUS DRESSONS. »

— C'est tout ce qu'il y avait, dit Bobby. L'équivalent de deux ou trois heures de boulot pour camoufler une page contenant zéro lien et trois petits mots. Les autres feuilles retracent simplement l'itinéraire que j'ai suivi pour arriver là, ainsi que certaines bidouilles dont j'ai eu besoin. J'ai aussi extrait l'adresse IP de la dernière page pour remonter à sa source.

Le plupart des adresses Internet ont un libellé qui, à défaut d'aller toujours de soi, se présente au moins sous forme de mots. En fait, l'ordinateur lui-même ne connaît d'adresses que numériques – 118.152.1.54, par exemple. En utilisant cette forme plus basique, on peut plus ou moins établir la provenance géographique de la page.

— Qui se trouve où ? demandai-je.

— En Alaska.

— Et plus précisément ? Anchorage ?

Il secoua la tête.

— Juste l'Alaska. Puis Paris. Puis l'Allemagne. Puis la Californie.

— Mais de quoi tu parles ?

— Elle changeait sans cesse. Elle migrait d'un endroit à l'autre, et à vrai dire je doute qu'elle ait jamais résidé dans aucun de ces lieux. Elle était déguisée. Je ne suis pas Mister Bécane, mais je sais ce que je fais, et je te jure que je n'ai jamais rien vu de tel. J'ai mis deux copains sur l'affaire. En résumé, il se passe des choses vraiment pas claires.

— Sans blague.

— Il n'y a pas que tes mésaventures, Ward. Ce genre de truc fait partie de mon boulot. Je dois découvrir comment ils s'y prennent. Et qui ils sont. (Il but une grande gorgée, puis me fixa d'un air grave.) Et toi ? Que comptes-tu faire ? À part te soûler.

— Eh bien, la cassette comporte trois parties. Pour ce qui est de la dernière, je suis impuissant. Comment veux-tu que je retrouve... l'autre enfant ? (J'avais prévu de dire « mon jumeau », avant de me dégonfler.) J'ignore de quelle ville il s'agissait, et la scène remonte à plus de trente ans. Il ou elle peut se trouver n'importe où sur terre. Ou sous terre. Quant à la deuxième section, elle ne semble mener nulle part. Alors il ne me reste plus qu'à chercher cet endroit à la montagne.

— Sage décision, estima-t-il. Et je vais t'aider.

— Bobby...

Il secoua la tête.

— Sois pas débile, Ward. Tes parents n'ont pas péri dans un accident. Tu le sais comme moi.

Oui, je devais le savoir, et depuis un moment déjà, même si je m'étais interdit de formuler clairement l'idée, de l'habiller de mots.

Bobby le fit pour moi :

— Ils ont été assassinés.

CHAPITRE 12

Nina était assise au jardin avec Zoe Becker. Dans la nuit fraîche, elle regrettait d'avoir décliné la tasse de thé qu'on lui avait proposée d'un voix distraite. Zandt s'était déjà entretenu avec madame, puis planté dans la chambre de la fille, et il se trouvait à présent en compagnie du mari, à l'intérieur. Aucun des époux Becker n'avait paru surpris de trouver deux enquêteurs sur le pas de leur porte, même à une heure aussi tardive. La rupture était consommée entre leur existence et ce qu'ils pouvaient accepter comme réalité. Les deux femmes bavardèrent un moment, de façon discontinue, puis rapidement le silence reprit ses droits. Zoe regardait son pied frétiller au bout de sa jambe croisée. Telle était du moins la direction de son regard. Car Nina doutait qu'elle vît quoi que ce fût, la devinant prisonnière d'un néant où le mouvement d'une cheville devenait aussi prégnant que tout autre événement. Nina bénissait ce silence, car elle connaissait l'unique sujet de conversation qui intéressait cette femme. Sa fille était-elle en vie ? Nina pensait-elle qu'on la reverrait un jour ? Ou bien y aurait-il désormais, dans cette maison que Zoe avait tellement bichonnée, une pièce que le vide et le silence allaient noircir jusqu'à former un cristal sombre au centre de leur existence ? Au mur de cette chambre se trouvait le poster d'un groupe qu'aucun d'entre eux n'avait jamais entendu, sauf par accident. Alors à quoi servait-il maintenant ?

146

Nina ne connaissait pas la réponse à cette question, ni à aucune autre de cet acabit. Voyant que la femme s'apprêtait à parler, elle releva les yeux avec appréhension. Pour découvrir en fait que Zoe s'était mise à pleurer, des larmes d'épuisement qui ne ressemblaient ni à un début ni à une fin. Nina ne lui ouvrit pas les bras. Certains acceptaient le réconfort d'inconnus, d'autres le refusaient. Mme Becker était de ces derniers.

Elle préféra se renverser dans son fauteuil pour regarder à travers les portes-fenêtres du séjour. Michael Becker était assis tout au bord d'un fauteuil. Zandt, debout derrière le divan. Nina avait passé toute la journée en sa compagnie sans l'entendre prononcer plus de cinq phrases, lesquelles étaient sans rapport avec l'affaire. Ils avaient arpenté le lieu de l'enlèvement en début de matinée, avant les heures de shopping. Puis visité l'école de Sarah Becker, pour que Zandt voie comment le bâtiment s'inscrivait dans son environnement. Il avait repéré les angles de vue et les points d'accès, les endroits d'où l'on pouvait guetter l'objet à aimer. Il s'y attarda un temps considérable, comme s'il espérait tomber sur une nouvelle perspective qui lui permette de capter l'image d'un homme en plein jour. Il était de sale humeur en repartant.

Ils n'avaient pas rencontré les familles des précédentes victimes de l'Homme Debout. Mais ils possédaient la transcription des dépositions, alors qu'auraient-ils pu apprendre de plus ? Nina savait que Zandt gardait ces entretiens en mémoire, et qu'il aurait pu rappeler aux familles des détails qu'elles-mêmes avaient oubliées. Leur parler n'aurait fait qu'ajouter de la confusion à la douleur. En outre, elle pensait en son for intérieur que, si Zandt parvenait à les rapprocher du tueur, ce serait moins par accumulation d'infos que par intuition.

Nina avait une autre raison de laisser Zandt à l'écart des familles : il ne s'agissait pas qu'un parent s'emballe et appelle la police ou le Bureau pour savoir où en était l'enquête. Personne ne savait que Nina avait remis John Zandt sur le coup. Et si cela venait à s'ébruiter, c'était la catastrophe assurée. La sanction ne serait plus seulement disciplinaire ; ce serait tout bonnement la fin de sa carrière. Présenter Zandt aux Becker était cependant un risque nécessaire. De toute façon, avec tous les flics qui avaient défilé chez eux depuis la disparition, pourquoi se souviendraient-ils de lui en particulier, ou mentionneraient-ils sa venue à d'autres ? Pourvu que cela n'arrive pas... Et pourvu que l'échange en cours entre les deux hommes fasse mouche dans la cervelle de Zandt.

Et, le cas échéant, qu'il lui en parle.

— Je peux recommencer, si vous voulez.

Michael Becker avait récapitulé son emploi du temps deux fois de suite, en répondant aux questions de manière vive et concise. Zandt savait que ce type n'avait rien d'utile à lui apprendre. Il comprenait aussi que, au cours des semaines précédant la disparition, le boulot de Becker l'avait tellement accaparé qu'il n'avait pu remarquer grand-chose autour de lui. Il secoua la tête.

Becker baissa les yeux et se prit la tête entre les mains.

— Vous n'avez vraiment rien d'autre à me demander ? Il doit bien y avoir quelque chose. Il y a forcément quelque chose.

— Il n'existe pas de question magique. Ou, s'il en existe une, je ne la connais pas.

Becker releva les yeux. Ce discours n'était pas celui qu'avaient tenu les autres policiers.

— Vous croyez qu'elle est encore en vie ?

— Oui, affirma Zandt.

Becker fut surpris par l'assurance qu'il lut sur le visage du flic.

— Tout le monde fait comme si elle était morte, pourtant. Ils ne le disent pas. Mais ils le pensent.

— Ils se trompent. Pour le moment.

— Pourquoi ? fit-il d'une voix blanche, d'un souffle erroné, le son d'un homme pris à vouloir y croire.

— En général, quand un tueur de cette espèce se débarrasse d'une victime, il cache le corps et fait son possible pour maquiller son identité. En partie pour compliquer la tâche de la police. Mais aussi parce que nombre de ces individus voudraient se dissimuler leurs crimes à eux-mêmes. Or les trois victimes précédentes ont été retrouvées en terrain fréquenté, vêtues de leurs propres habits et en possession de leurs effets personnels. Ce type ne se cache de personne. Il voulait nous faire savoir qui elles étaient, et qu'il en avait terminé avec elles. Ce « terminer » suppose une période au cours de laquelle il préfère les garder vivantes.

— Préfère les garder...

— Une seule de ses victimes a été violée à ce jour. Hormis quelques blessures bénignes à la tête, les autres ne présentaient aucune trace de sévices, sinon leur crâne rasé.

— Et leur meurtre, bien sûr.

Zandt secoua la tête.

— Dans ce type de situation, les meurtres ne constituent pas des sévices, mais ce qui abrège les sévices. Si les autopsies ne disent jamais tout, elles laissent penser que les filles ont vécu plus d'une semaine après leur enlèvement.

— Une semaine... répéta le type d'une voix sans timbre. Ça fait déjà cinq jours.

Zandt attendit avant de répondre. Durant l'entretien, son regard avait balayé l'essentiel de la pièce, mais il remarquait à présent un détail qui lui avait échappé. Une petite pile de livres scolaires, sur une table basse. Ils étaient d'un niveau trop avancé pour appartenir à la sœur cadette. Il se rendit soudain compte que son interlocuteur le dévisageait.

— J'en suis bien conscient, monsieur.

— Vous sembliez avoir une autre raison...

— Oui. Je ne crois pas qu'il l'ait déjà tuée.

Becker lâcha un rire amer.

— Vous ne « croyez pas » ? C'est ça, l'argument ? Super. On est vachement rassuré.

— Mon boulot n'est pas de vous rassurer.

— Non, répondit Becker, le visage inexpressif, j'imagine bien que non.

Un moment de silence, puis il ajouta :

— Ces choses-là existent vraiment, n'est-ce pas ?

Zandt comprenait le sens de cette phrase : certains événements, que l'on rencontre en temps normal sur écran ou sur papier, peuvent se produire pour de bon. Tels la mort violente, le divorce et les lésions à la colonne vertébrale ; tels le suicide, la toxicomanie, et le cercle de figures grises et floues penchées sur vous qui murmurent : « Le conducteur ne s'est pas arrêté. » Ces choses-là arrivent. Elles sont aussi réelles que le bonheur, le mariage ou la sensation du soleil dans le dos, et elles s'effacent plus lentement. On ne retrouvera pas toujours la vie d'avant. On ne fera pas toujours partie des veinards. Parfois, ça durera indéfiniment.

— Oui, elles existent.

Il toucha discrètement la couverture d'un manuel scolaire. Passa son doigt sur la surface rayée.

— À combien estimez-vous nos chances de la revoir vivante ?

La question était posée avec une simplicité et une maîtrise qui forçaient l'admiration. Zandt se détourna de la table.

— Partez du principe que vous n'en avez aucune.

Becker parut choqué, ouvrit la bouche pour répondre. Il n'en sortit rien.

— Chaque année, des centaines de personnes meurent entre les mains de ces types-là, expliqua Zandt. Des centaines, pour ne pas dire plus. On ne les coince pratiquement jamais. On fait tout un foin quand on en prend un, comme si on avait rentré le tigre dans sa cage. Mais ce n'est pas le cas. Il en naît un tous les mois. Les rares que l'on attrape sont malchanceux, ou idiots, ou parvenus au stade où ils commencent à faire des erreurs. L'immense majorité passe entre les gouttes. Ces gens-là ne sont pas des aberrations. Ils incarnent une facette de ce que nous sommes. C'est toujours la même histoire. La survie des plus forts. Des plus malins.

— Le Garçon de Courses est malin ?

— Il ne s'appelle pas comme ça.

— C'est ce nom-là qu'employaient les journaux. Et les flics.

— Il s'appelle l'Homme Debout. C'est le nom qu'il s'est

choisi. Oui, il est malin. Et c'est peut-être ce qui le perdra. Il est assoiffé de reconnaissance. D'un autre côté...

– Il se peut qu'on ne l'attrape jamais, auquel cas on ne reverra jamais Sarah.

– Si vous la retrouvez, répondit Zandt tout en rangeant carnet et stylo dans sa poche intérieure, ce sera un cadeau des dieux, soyez-en conscient. Aucun de vous ne sera plus jamais le même. Ce n'est pas forcément une mauvaise chose. Mais c'est la vérité.

Becker se leva. De mémoire, Zandt n'avait jamais vu de visage si crevé et si insomniaque à la fois. Sans qu'il le sache, Michael Becker pensait la même chose sur son compte.

– Vous allez quand même essayer ?

– Je ferai tout mon possible. Si je peux le trouver, je le ferai.

– Alors pourquoi vous me conseillez de prévoir le pire ?

À cet instant sa femme rentra par la porte-fenêtre, talonnée par l'agent du FBI, ce qui évita au policier de répondre.

Nina remercia les Becker de leur accueil et promit de les tenir informés. Elle parvint aussi à sous-entendre que leur visite n'était qu'une formalité, sans lien direct avec le déroulement de l'enquête.

Michael Becker les regarda s'éloigner dans l'allée. Lorsqu'ils furent hors de vue, il ne ferma pas la porte tout de suite, mais resta un moment à contempler la nuit. Dans son dos, il entendit Zoe monter à l'étage pour veiller Melanie. Il doutait que sa seconde fille soit endormie. Les cauchemars de l'année passée avaient repris, mais comment lui en vouloir ? Le peu de sommeil qu'il grappillait le mettait au supplice, lui aussi. Il savait qu'elle entonnait encore avant de se coucher la petite incantation qu'il avait composée, et cela le glaçait d'effroi. L'ironie n'était pas une armure à toute épreuve, quoi qu'ils aient pu en penser, lui, Sarah et les nouveaux producteurs de films d'horreur. Dans un univers d'os et d'hémoglobine, l'ironie ne faisait pas le poids. Michael se rappelait avoir discuté des angoisses nocturnes avec Sarah, voilà plusieurs années. La gosse curieuse qu'elle avait toujours été lui demandait pourquoi les gens avaient peur du noir. Il lui avait répondu que c'était une réminiscence des temps primitifs, lorsqu'on dormait en plein air ou dans des grottes, et que les bêtes sauvages risquaient de nous dévorer pendant la nuit.

Sarah avait paru sceptique :

– Mais ça fait une éternité, ça ! (Elle avait réfléchi un instant, avant d'ajouter, du haut de ses dix ans :) Non. Ce doit être autre chose qui nous fait peur.

Michael s'était finalement rangé à cet avis. Ce ne sont pas les monstres qui nous effraient. Les monstres sont de sympathiques chimères. En revanche, nous savons de quoi notre propre engeance est capable : c'est de nous-mêmes que nous avons peur.

Il se résolut enfin à refermer la porte et se rendit à la cuisine. Il prépara le café, son nouveau rituel à cette heure de la soirée. Il achemineraît le pot sur un plateau jusqu'au salon, accompagné de deux tasses et d'un pichet de lait chaud. Voire d'un cookie ou deux, le seul aliment que Zoe semblait encore tolérer. Ils s'installeraient devant ce que la télévision aurait à leur offrir, et attendraient que le temps passe. Le mieux, c'étaient les vieux films. Des reliques d'un autre âge, quand Sarah n'était pas née et que tout ceci ne pouvait être vrai. Parfois ils échangeaient quelques mots. En général, très peu. Zoe garderait le téléphone à portée de main.

Comme il sortait deux tasses du nouveau vaisselier – en vieux pin, importé d'Angleterre dans la foulée de leur récent voyage –, Michael rumina les paroles du policier, les soupesant avec soin. Et de découvrir que, pour la première fois depuis la disparition, il sentait les balbutiements d'une chose qui devait être l'espoir. Oh, ils auraient disparu d'ici le matin, mais tout répit était bienvenu. Pourquoi ce soupçon d'optimisme ? Parce qu'il pensait avoir décelé ce qu'il fallait lire entre les lignes, à savoir que les paroles du policier importaient moins que ses silences.

La nana du FBI avait décliné son identité, mais celle du type n'avait jamais été précisée. Avec l'application de celui qui croit en la magie de la sémantique, convaincu que décrire et encadrer les faits par des mots permet de les dominer, Michael Becker avait lu tout ce qu'il trouvait concernant les précédents crimes du ravisseur de sa fille. Il avait surfé sur Internet, exhumé les articles de presse, et même acheté le bouquin sur les crimes irrésolus vendu au supermarché du coin. Tout cela au détriment, entre autres, de son travail. Il n'avait pas touché à *Dark Shift* depuis la nuit de l'enlèvement. Au fond de lui, il doutait fort de s'y remettre un jour, même s'il n'en avait encore rien dit à son partenaire. En attendant, il repoussait sans cesse la réunion avec le studio. Mais Wang avait de l'argent, et des relations inépuisables. Il était introduit dans la ville à un point dont Michael n'osait même pas rêver. Il survivrait.

À la faveur de ses recherches, Michael avait appris, ou réappris, qu'outre la petite LeBlanc, Josie Ferris et Annette Mattison, une quatrième adolescente avait disparu à la même période. La fille d'un policier ayant pris part à l'arrestation de deux précédents tueurs en série. D'aucuns avaient alors suggéré, à demi-mot, que son kidnapping visait à sanctionner les succès de son père. Contre l'avis du FBI, celui-ci s'était investi dans les recherches pour la retrouver, et au moins un journal laissait entendre qu'il avait accompli quelque progrès là où les fédéraux piétinaient. Puis il avait disparu de la circulation. Son nom était John Zandt. Le Garçon de Courses – Michael Becker était bien placé pour le savoir – n'avait pas été appréhendé. Un long article publié un an après la série d'enlèvements rapportait qu'une Mme Jennifer Zandt était retournée en Floride, auprès de sa famille. Mais le journaliste ignorait ce qu'était devenu le policier.

Michael prit une décision. Quel que soit le programme télévisé, lui et sa femme devaient parler ce soir. Il lui ferait part de ses hypothèses concernant le type sans nom, et proposerait qu'à la prochaine visite des autres policiers, ces hommes et femmes dévoués qui devenaient tragiquement familiers, nulle mention ne soit faite de la rencontre de ce soir.

Une dernière chose. Bien que sa foi dans le langage fût sérieusement ébranlée, il s'accrochait à l'idée que les mots et les noms sont à la réalité ce que les colonnes et l'architecture sont à l'espace. Ils l'humanisent. De la même façon que l'ADN fabrique à partir d'éléments aléatoires des ensembles identifiables, le langage sait former, à partir de phénomènes inexpliqués, une situation sur laquelle on peut discourir, et donc peser.

Il ne penserait plus au Garçon de Courses. Ce serait désormais l'Homme Debout. Dans le même temps, il se préparerait au pire. Le flic avait raison sur ce point. Et puis c'était sûrement ce que Sarah aurait voulu.

Au diable M. Touche Dubois. Si les Parques exigeaient une telle offrande, elles pouvaient aller se faire foutre.

Ils étaient à la terrasse du Smorgas Board, un repaire de surfeurs situé à huit mètres environ de l'endroit où la petite Becker s'était volatilisée. Cela faisait une heure qu'ils étaient là, et le café s'apprêtait à fermer. Ils étaient les derniers clients, avec deux jeunes gens affalés sur une table plus loin, qui aspiraient d'un air éteint le contenu d'immenses gobelets.

– Tu cogites, ou tu regardes seulement ?

Zandt ne répondit pas sur-le-champ. Assis à côté de Nina, il observait la rue. Il avait à peine bougé. Son café était froid. Il n'avait fumé qu'une cigarette, dont la majeure partie s'était consumée toute seule. Il était vraiment ailleurs. Devant ce spectacle, Nina pensait à un chasseur, humain ou autre. Un animal capable de se tapir et d'attendre, aussi longtemps que nécessaire, sans qu'aucun ennui, aucune rage ou aucune douleur réussisse à le distraire.

– Ils ne reviennent pas tous, dit-elle d'une voix lasse.

– Je sais, répondit-il aussitôt. Je ne regarde rien de particulier.

– Tu parles ! ricana-t-elle. Alors tu nous fais une attaque ?

Il la surprit en esquissant un sourire.

– Je cogite.

Elle croisa les bras.

– J'ai le droit d'en profiter ?

— Je pensais : « Quelle perte de temps, et pourquoi m'a-t-elle fait venir ici ? »

Nina comprit que le sourire n'en était pas tout à fait un.

— Parce que j'espérais que tu pourrais nous aider, répondit-elle avant de pivoter tant bien que mal sur son siège. Qu'est-ce qu'il y a, John ? Tu sais très bien pourquoi. Parce que tu m'as aidée par le passé. Parce que ton avis m'est précieux.

Il sourit de plus belle, à lui donner la chair de poule.

— Et quel fut mon bilan, la dernière fois ?

— Je ne sais pas, admit-elle. Je t'écoute. Que s'est-il passé ?

— Tu le sais comme moi.

— Non, je ne le sais pas ! Tu m'as juste dit que tu avais une piste. Puis tu es devenu muet, inaccessible, alors que tu t'étais toujours appuyé sur moi pour connaître les infos du Bureau. Des tuyaux que tu n'aurais jamais dégottés autrement, puisque ta propre hiérarchie t'avait écarté de l'investigation. Je t'ai rendu un service, et tu m'as envoyée paître.

— Tu ne m'as rendu aucun service, objecta Zandt. Tu as fait ce qui servait au mieux tes intérêts.

— T'es vraiment trop con.

Sur ces mots, les deux légumes de l'autre table se redressèrent d'un bond, tels deux pantins dont le manipulateur se serait réveillé en sursaut. Chaude ambiance.

Elle baissa d'un ton et débita :

— Si c'est vraiment comme ça que tu me vois, tu n'as qu'à te barrer d'ici et rentrer dans ton Vermont de merde. Ce sera bientôt les grosses neiges, là-bas. Va donc t'y enterrer.

— T'es en train de dire que tu m'as tuyauté dans le seul intérêt de ma famille ?

— Oui, bien sûr. Et pour quelle autre raison ?

— Malgré le fait que tu m'aies aidé à jouer les maris infidèles ?

— Tu es pathétique, John. Je ne suis pas responsable des errements de ta queue.

Elle le fusilla du regard. Il lui rendit la pareille. Un silence s'installa, puis les yeux de Nina piquèrent vers le sol.

Il émit un rire bref.

– C'est censé me faire croire que j'ai le dessus ?

– Quoi ? dit-elle tout en se maudissant.

– Ce regard fuyant. Un vieux truc du règne animal. On flatte l'ego du mâle par un signe de soumission. Et maintenant que je suis redevenu le roi de la butte, je ferai tout ce que tu me demanderas, c'est ça le calcul ?

– Mon pauvre John, tu es complètement parano, dit-elle pour ne pas reconnaître qu'il avait mis dans le mille. (Elle en déduisit qu'elle avait passé trop de temps en compagnie d'imbéciles.) Ça ne m'intéresse pas d'ergoter avec toi.

– À ton avis, c'est quoi, l'idée des cheveux ?

Elle fronça les sourcils, déroutée par ce revirement.

– Quels cheveux ?

– L'Homme Debout. Pourquoi coupe-t-il les cheveux ?

– Eh bien, pour les pulls. Afin de broder les prénoms.

Zandt secoua la tête, alluma une cigarette.

– Pas besoin d'une chevelure entière pour ça. Toutes les filles avaient les cheveux longs. Pourtant on les a toutes retrouvées avec la boule à zéro. Pourquoi ?

– Pour les déshumaniser. De sorte qu'il soit plus facile de les tuer.

– Possible. C'est ce que nous pensions tous. Mais aujourd'hui je m'interroge.

– Et si tu me disais enfin ce que *toi*, tu penses ?

– Je me demande s'il ne s'agissait pas d'un châtiment.

Nina envisagea l'hypothèse.

– En réponse à quoi ?

– Je l'ignore. Mais je pense que ce mec a choisi ces filles, ces filles d'un type bien particulier, pour une raison précise. Je pense qu'il projetait certaines choses avec elles, et que d'une manière ou d'une autre elles n'ont pas été à la hauteur. Alors en guise de punition il leur a confisqué un attribut qu'il devinait primordial à leurs yeux.

Il but une gorgée de café, sans s'arrêter à sa froideur.

– Tu sais ce qu'on faisait aux collaborateurs à la fin de la Seconde Guerre mondiale, en France ? lança-t-il.

– Bien sûr. Les femmes qu'on soupçonnait d'avoir été un

peu trop accueillantes avec l'envahisseur allemand étaient exhibées dans les rues avec le crâne rasé. Un grand pas pour l'humanité, n'est-ce pas ? (Elle haussa les épaules). Je peux admettre qu'il s'agisse d'une punition, comme tu dis, mais je ne vois pas le rapport avec la guerre. Ces adolescentes n'ont pas pactisé avec l'ennemi.

— Tu as peut-être raison.

Zandt semblait déjà se désintéresser du sujet. Renversé sur son dossier, il regardait vaguement à travers la terrasse. L'un des légumes croisa son regard par mégarde. Zandt ne détourna pas les yeux. Le légume, si. Fissa. Il fit un signe à son pote, signifiant qu'il était justement temps d'aller cirer leurs planches. Ils se levèrent et se fondirent dans la nuit.

Zandt parut satisfait de ce dénouement.

Nina tenta de raviver sa concentration.

— Et où nous mènerait cette hypothèse ?

— Nulle part, peut-être, reconnut-il tout en écrasant sa cigarette. Disons simplement que je n'ai pas assez réfléchi la dernière fois. J'étais focalisé sur la méthode qu'il avait employée pour les trouver. Comment leurs routes étaient venues à se croiser. À présent je juge cela très étrange. La façon dont elles ont failli à ses yeux. Ce qu'il attendait vraiment d'elles...

Nina ne répondit rien, espérant qu'il allait développer. Mais, lorsqu'il reprit la parole, cela ne concernait plus l'enquête :

— Pourquoi as-tu cessé de coucher avec moi ?

Prise de court, elle hésita.

— Nous avons cessé de coucher ensemble, tu veux dire.

— Non. Me raconte pas de salades.

— Je n'en sais rien, John. C'est arrivé comme ça. Ça ne te faisait ni chaud ni froid à l'époque, je te signale.

— Disons que je l'acceptais.

— Qu'essaies-tu de me dire ? Que maintenant tu ne l'acceptes plus ?

— Bien sûr que si. Il y a tellement longtemps ! Disons que je pose les questions que je n'avais jamais posées. C'est marrant, une fois qu'on est lancé, elles se mettent à jaillir de partout.

157

Nina ignorait quoi répondre à ça.

— Alors, que veux-tu faire à présent ? s'enquit-elle.

— Je veux que tu t'en ailles, rétorqua-t-il. Je veux que tu rentres chez toi et que tu me laisses tranquille.

Elle se leva.

— À ta guise. Tu as mon numéro. Appelle-moi si jamais tu décides de remuer ton cul.

Il tourna lentement la tête, pour la regarder droit dans les yeux.

— Tu veux savoir ce qui s'est passé ? La dernière fois ?

Elle se figea, l'observa. Son visage était froid et distant.

— Oui, dit-elle.

— Je l'ai trouvé.

Un frisson parcourut la nuque de Nina.

— Trouvé qui ?

— Je l'ai traqué pendant deux semaines. J'ai fini par me rendre chez lui. Je l'avais vu épier d'autres filles. Je ne pouvais plus supporter ça.

Elle hésitait entre se rasseoir et rester debout.

— Que s'est-il passé ?

— Il a nié. Mais je savais que c'était lui, et il savait que je l'avais chopé. C'était notre homme, mais je n'avais aucune preuve, et il se serait enfui. Je suis resté deux jours avec lui. Il refusait d'indiquer où elle était.

— Tais-toi, John.

— Je l'ai tué.

Elle vit à son regard que c'était vrai. Elle ouvrit la bouche, la referma.

— Deux jours plus tard, on a reçu le pull et la lettre.

Soudain très las, il détourna le visage. Quand il reprit la parole, ce fut d'une voix neutre.

— J'ai buté le mauvais type. Libre à toi de donner suite à cette info.

Elle traversa la Promenade en s'interdisant de se retourner, concentrée sur la cime des palmiers qui s'inclinaient dans la brise du soir, à deux pâtés de maisons de là.

Mais, parvenue au trottoir d'en face, elle s'arrêta, virevolta. Il avait disparu. Elle attendit un peu, en se mordant la lèvre, mais il ne refit pas surface. Alors elle se remit en marche, à pas lents.

Il y avait quelque chose de changé. Jusqu'à ce soir Zandt avait paru coopératif, mais ce tête-à-tête en terrasse l'avait déçue. En définitive, il ressemblait moins à un chasseur qu'à un boxeur. Un boxeur capturé par l'objectif une heure avant le début du match. Pendant ce moment où l'on met le show-business entre parenthèses et où le combattant paraît se mouvoir dans un monde à lui, se soustrait au regard des autres pour se fondre dans son archétype. D'autres pouvaient prendre les paris, enfiler un costard, s'éclater aux frais de la princesse. Le reste plaiderait avec un mépris affecté pour l'interdiction de ce sport, depuis leur petite vie douillette où personne à leur place ne chercherait l'issue de secours. Pour les gars du ring, c'était une autre histoire. Ils se battaient pour de l'argent, mais pas seulement. Ils le faisaient parce que c'était leur truc. Eux non plus ne cherchaient pas la sortie. Ils cherchaient une entrée, une route qui les ramène vers ce lieu qu'ils sentaient palpiter en eux.

Le coup des parents s'était révélé une erreur. Mais Zandt en savait très peu, et il s'était mis à jouer les difficiles. Les seuls éléments nouveaux ne pouvaient provenir que des Becker. D'où la nécessité de les lui présenter. Mais elle avait su, sitôt rentrée du jardin, que cette rencontre avait ouvert des portes qu'il eût mieux valu garder fermées.

Elle n'avait pas besoin de ça. Elle n'avait jamais voulu de chasseur, ni de tueur. Elle estimait que la seule chose qui sortirait l'Homme Debout de sa tanière serait un adversaire qu'il ait envie de dominer.

Elle voulait un appât.

CHAPITRE 13

L'homme trônait dans son fauteuil, au centre du salon. La pièce saillait de la façade de la maison, avec des fenêtres sur trois murs. Deux étaient protégées par des rangées d'arbres, la dernière donnait sur une pelouse pentue, en terrasse. En cet après-midi, tous les rideaux étaient tirés, d'épaisses tentures qui ne laissaient pas filtrer le moindre soupçon du dehors. L'homme les préférait parfois fermées, parfois ouvertes. Il était à cet égard tout à fait imprévisible.

Le fauteuil était positionné dos à la porte. L'homme aimait la sensation que cela lui procurait. Une légère tension, un sentiment de vulnérabilité. En théorie, l'on pouvait ainsi se glisser derrière lui et lui assener un coup sur le crâne. Il faudrait certes au préalable déjouer l'important système de protection, mais le principe demeurait valide. Il montrait à quel point il dominait son environnement. Le monde extérieur ne lui inspirait aucune peur. Depuis un très jeune âge il avait été contraint de s'y frayer un chemin, pour ne pas dépérir. C'était comme ça et pas autrement qu'il aimait ses intérieurs.

Son visage était lisse et sans rides, grâce à l'usage intensif de crèmes et autres produits pour la peau. Son regard était clair et perçant, ses mains légèrement hâlées, les ongles impeccables. Il était nu de la tête aux pieds. La chaise formait un léger angle avec les lattes du parquet ciré qui traversait la pièce en rangées régulières. Une tasse de café noir fumait sur une petite table jouxtant le fauteuil, à côté d'une soucoupe remplie de perles de verre. Une mince publication reposait là, elle aussi. La tasse était placée en sorte que la quasi-moitié de sa base dépasse du plateau. Le fauteuil était vieux, revêtu de cuir râpé. En temps normal, on aurait trouvé un exemplaire du *New York Times* replié sur un accoudoir, et un larbin s'affairant derrière, prêt à servir des sandwichs sans croûte. L'homme avait recouvert toute une bibliothèque de hachures faites au stylo vert, bleu et rouge, dont la largeur n'excédait jamais trois millimètres, jusqu'à obtenir un noir délicatement marbré. Il lui avait fallu dix-sept stylos et plusieurs semaines de travail. À l'autre bout de la pièce, un beau bureau de chez Arts and Crafts était entièrement tapissé de minuscules photos de Madonna découpées dans des magazines, dont aucune n'était postérieure à sa période *Material Girl*, après laquelle l'homme avait cessé d'être fan. Il avait appliqué sur son collage de nombreuses couches de vernis foncé, jusqu'à rendre au meuble un simple aspect plaqué noyer. Comme dans le cas de la bibliothèque, seul un examen très rapproché permettait d'expliquer l'effet rendu.

Son projet du moment concernait la petite table volante dressée à côté du fauteuil, qu'il recouvrait de perles de verre. Celles-ci faisaient à peu près un millimètre de diamètre, dans quatre coloris : rouge, bleu, jaune et vert. Des couleurs génétiques. Les assembler requérait un grand soin, notamment du fait qu'elles n'étaient pas alignées au hasard, mais selon un motif séquentiel complexe. Cela terminé, il appliquerait plusieurs couches d'épaisse laque noire, jusqu'à noyer le moindre semblant de texture. Il ne viendrait à personne l'idée de se demander ce qui se cachait sous la surface, de même que personne ne remarquerait qu'une, et une seule, latte du parquet se composait d'une myriade d'allumettes collées les unes aux autres puis poncées et cirées jusqu'à se fondre parfaitement dans le décor. La collecte des allumettes avait pris plus de six mois. Sauf improbable coïncidence, chacune avait été craquée par une personne différente. L'homme croyait profondément en l'individualité, en son apport crucial à l'humanité. De nos jours, tout le monde suivait les mêmes émissions, lisait les mêmes magazines de luxe, était sommé par les médias de former une jolie file indienne pour regarder les mêmes films idiots. Les gens arrêtaient de fumer suite aux mises en garde de bonnes âmes qui, dans le même temps, se gavaient de graisses. Pour le confort et le bien-être d'autrui. Ils menaient leurs vies selon les règles édictées par l'autrui en question, par des êtres qu'ils n'avaient jamais rencontrés. Ils vivaient à la surface des choses, dans un monde CNN et MTV où l'Histoire se réduisait aux cinq dernières minutes. Le triomphe du momentané. Ils n'avaient aucune notion d'« hier » et se vautraient dans un présent perpétuel.

La publication couchée sur la table était un article universitaire récent, qu'il avait reçu au courrier ce matin-là. Il en avait lu le résumé sur Internet, avant de commander la version intégrale. On y traitait d'un sujet pointu, mais il était fort capable d'en saisir le sens. Cela faisait des années qu'il consacrait ses lectures aux disciplines qui le passionnaient : la génétique, l'anthropologie, les cultures préhistoriques. En dépit d'une scolarité très brève, il était intelligent et avait beaucoup appris de la vie. La sienne et celle des autres. Les gens disaient de ces choses, in extremis. Il y avait beaucoup de vérité dans leurs propos, une fois passé le stade du plaidoyer, quand le corps parle sans que l'esprit interfère.

Avant d'ouvrir sa revue il se leva, fit quelques pas et enchaîna trois séries de pompes. La première, les paumes à plat, écartées dans la largeur des épaules. La deuxième, les paumes toujours à plat, mais éloignées sur les côtés. La troisième, les mains rapprochées, en s'appuyant sur les poings. Trois séries de cent, entrecoupées d'une courte pause.

Il transpira à peine. Il était content.

Sarah Becker entendait sous forme de bruits sourds les efforts rythmés du type, sans prendre la peine de deviner leur nature. Elle ne voulait pas savoir. Elle ignorait l'heure qu'il était et ne s'en souciait pas davantage. Son horloge interne suggérait qu'on était en journée, peut-être l'après-midi. En un sens, c'était pire que la nuit. Il se passait de vilaines choses la nuit. Mais on s'y attendait. Les gens avaient peur du noir parce que le noir évoquait la nuit, or c'est avec la nuit que les malheurs nous tombent dessus. Ainsi tourne le monde. Le jour se veut plus positif. Le jour, on va à l'école, on déjeune, le ciel est bleu et la vie est relativement sûre tant qu'on évite les coins où les gens sont pauvres. Mais si la journée n'était plus sûre, il valait mieux ne pas y penser. Elle ne voulait pas savoir.

En étirant son cou vers le haut, elle parvenait à toucher avec le front le plafond de sa prison. Il y faisait noir comme dans un four. Couchée sur le dos, elle pouvait remuer ses mains et ses pieds d'environ deux centimètres dans chaque direction. Elle gardait cette position depuis un long moment, au moins quatre jours d'après ses calculs, peut-être même six. Elle ne se souvenait de rien entre le moment où elle se trouvait sur Third Street Promenade et celui où elle reposait sur le dos avec une étroite fenêtre en face du visage. Elle s'était vite rendu compte qu'on y apercevait le plafond d'une pièce, et que la fenêtre en question était un trou dans le plancher, sous lequel elle occupait un espace à peine plus large que son corps. La fenêtre mesurait approximativement douze centimètres de long sur dix de large, et courait du sommet de ses sourcils jusqu'au menton.

Elle s'était mise à crier et quelqu'un avait fini par arriver. Le type lui avait susurré des choses. Encore quelques cris, et il avait bouché le trou au moyen d'un petit panneau. Elle avait entendu ses pas s'éloigner, et un seul événement s'était produit depuis. Sarah s'était réveillée d'un somme durant ce qui ressemblait à la nuit, pour découvrir qu'on avait rouvert la trappe. La pièce au-dessus baignait dans l'obscurité, mais elle discernait le contour d'une tête penchée sur elle. Elle tâcha de parler au type, de le supplier, de négocier, mais il resta muet. De guerre lasse, elle se tut, et se mit à pleurer. Apparut alors une main, tenant un gobelet. Le type fit pleuvoir quelques gouttes sur son visage. Elle tenta d'abord de détourner la tête, puis, découvrant combien elle avait soif, ouvrit la bouche pour en avaler le maximum.

Après un laps de temps indéterminé, il était revenu, et ils avaient eu leur petit échange au sujet de Ted Bundy. Cette fois elle avait tout bu.

Avec le temps, son esprit avait paru se dégourdir, à mesure que son organisme éliminait la drogue qu'on avait dû lui injecter. Le revers de la médaille, c'était la difficulté à prolonger l'insouciante léthargie des débuts. Elle avait tenté de soulever la trappe à l'aide du nez et de la langue, en tirant à fond sur son cou, mais son emplacement était finement calculé et il était impossible de la déplacer de cette façon. À l'instar de cette cache, l'ouverture était prévue pour quelqu'un de sa taille, à se demander s'il ne l'avait pas conçue spécialement pour elle. Sarah était robuste, une pro du Rollerblade, et plus forte que la plupart des filles de sa stature. Malgré cela, sa geôle lui résistait depuis le début, si bien qu'elle avait jeté l'éponge. Son père disait souvent que les gens avaient tant de problèmes parce qu'ils gaspillaient leur énergie à vouloir changer ce qui ne pouvait l'être. Elle n'était pas en âge de comprendre ce qu'il entendait précisément par là, mais elle saisissait l'idée générale. Elle n'avait rien avalé depuis une éternité. Tant qu'elle n'était pas assurée de refaire bientôt des réserves d'énergie, il ne rimait à rien de gâcher le peu qu'il lui restait. Se débattre était stupide. Alors elle resta immobile, et songea à Touche Dubois.

M. Dubois était une invention d'elle et de son père. Du moins le croyaient-ils. En fait, ce personnage devait son existence, quoique de manière indirecte, à la mère de Sarah. Zoe Becker croyait en beaucoup de choses. Elle ne les prenait pas forcément au pied de la lettre, mais dans le doute, elle n'allait pas tenter le diable. L'astrologie ? Des fadaises, bien sûr, mais ça ne coûte rien de jeter un œil à son horoscope, et le plus étonnant, c'est que ça dit souvent vrai. Le Feng shui ? Un ramassis d'évidences, bien sûr, mais les carillons sont de beaux objets et leur timbre est joli, alors pourquoi les bouder ? Et si d'aventure un type particulier d'oiseau croise votre route, ce que certains verront comme un mauvais présage, il existe quelques parades verbales ou gestuelles qui de toute façon ne peuvent pas faire de mal.

Comme souvent dans les familles, Zoe tenait ses superstitions de sa grand-mère, et non de sa mère – une ex-éditrice très terre à terre qui croyait surtout au footing. Michael Becker n'avait, lui, aucun penchant pour ces histoires de poisse et de fatum, pas plus que sa fille. M. Dubois fut à l'origine une *private joke* entre eux deux, une réponse aux superstitions qui mettaient Michael Becker hors de lui. Dès que l'on prononçait sous son toit la moindre phrase qui puisse de près ou de loin tenter le mauvais sort, Zoe Becker la complétait aussitôt d'un « je touche du bois » aussi prompt et mécanique qu'un « à tes souhaits » après un éternuement. Si quelqu'un déclarait : « Je ne finirai jamais comme ça », elle ajoutait : « Je touche du bois » tout en frappant ses phalanges sur la table. S'il affirmait : « Mon père est en bonne santé », elle le disait aussi – de moins en moins fort, consciente avec le temps que son époux trouvait cela passablement crispant, mais elle le disait. Elle le disait même, et c'est dans ces moments-là que son mari se sentait prêt à bouffer le piano, après une phrase du style : « Je ne me suis jamais cassé la jambe. » Michael Becker faisait valoir qu'il s'agissait là d'une assertion factuelle, et non d'un bras d'honneur à la fatalité. C'était le simple énoncé d'un état du monde objectif, et lui adjoindre un mantra superstitieux était ridicule. On n'aurait pas idée de dire : « Deux plus deux égale quatre – touchons du bois », soulignait-il patiemment, alors pourquoi placer cette expression après d'autres vérités premières ? Cette manie s'expliquait, et demeurait à peu près supportable, dans le cas d'une bravade contre le pouvoir destructeur du monde. Mais face à un putain de fait...

Zoe écouterait cet exposé, comme souvent par le passé. Elle rappellerait ensuite qu'il s'agissait d'une tradition bien ancrée dans de nombreuses régions du monde ; qu'elle n'était peut-être pas infondée dans la mesure où les arbres possédaient un certain pouvoir ; et qu'en tout état de cause ça ne pouvait pas faire de mal. Alors Michael opinerait du bonnet, quitterait la pièce en silence, et se jetterait sur le piano pour le bouffer.

Sarah avait pris le parti de son père, et ils avaient au fil des ans développé le personnage de « Touche Dubois », un elfe maléfique, d'extraction scandinave sans doute, dont le seul boulot consistait à repérer les gens qui tentaient le mauvais sort en se livrant sans vergogne à des observations factuelles. Puis il se faufilait, invisible, dans leurs maisons au milieu de la nuit et changeait le cours de leur existence, pour le pire. Mieux valait ne pas se sentir en veine quand Touche était dans les parages, parce qu'il l'apprendrait et vous le ferait payer !

Avec les années ce concept était devenu leur rituel de séparation, lorsqu'ils se souhaitaient mutuellement du mal afin que Touche sache en les écoutant que sa présence n'était pas requise. Ce jeu avait également fait des merveilles l'année précédente lorsque Melanie, la petite sœur, s'était mise à avoir des cauchemars la nuit. Sur une idée de Sarah, Michael lui avait raconté que ces mauvais rêves étaient l'œuvre de Touche Dubois, qui rôdait autour du lit, à l'affût de gens à attaquer. Il suffisait alors de réciter une petite incantation – sur laquelle son père avait passé un temps fou, la fignolant comme peu de ses scripts –, grâce à quoi Touche Dubois comprendrait qu'on n'avait pas besoin de lui ici et irait embêter quelqu'un d'autre. Melanie testa ce remède, d'abord à reculons, puis elle prit vite l'habitude de réciter ce court texte en allant au lit – et petit à petit les cauchemars disparurent, et elle se soucia moins de savoir si les placards étaient fermés de façon complètement hermétique. Sa mère ne raffola pas de la plaisanterie, et pour sa part n'invoqua jamais Touche, mais il lui arrivait de sourire quand celui-ci surgissait dans la discussion. À table, il expliquait certaines choses sur le monde qui nous entoure et il figurait désormais au casting de *Dark Shift* parmi les démons secondaires ligués contre l'héroïne. Le coscénariste de Michael avait tiqué, question palette de pouvoirs et antécédents du personnage, mais Michael n'en avait pas démordu.

Couchée sous le plancher d'une maison habitée par un cinglé, Sarah se demandait si sa maman n'avait pas raison, tout compte fait. Peut-être existait-il un tel monstre, un tel esprit. Et peut-être avait-il su qu'ils s'étaient moqués de lui,

qu'ils avaient joué les fiers-à-bras. Et peut-être s'était-il mis
en colère. Et peut-être était-ce lui qui était venu la chercher,
et qui revenait à présent la voir, dans le noir, parce qu'il n'avait
pas de visage sous le masque qu'il avait revêtu pour la capturer.

Sarah se tenait immobile, les yeux grands ouverts.

L'article, qui s'intitulait « Le site de Krüniger et la société
de Mittel-Baxter », décrivait une fouille archéologique menée
récemment dans une région d'Allemagne que l'homme
connaissait mal. Il l'avait localisée dans son atlas, puis il avait
calculé qu'aucun de ses contacts ne résidait assez près pour
réaliser des observations sur place. Il était donc contraint de
s'en remettre aux données de l'article.

On venait d'exhumer un cimetière non loin des vestiges
d'un village du Néolithique. La datation au carbone 14 des
squelettes, ainsi que les indices complémentaires fournis par
des objets personnels retrouvés dans les tombes, permettait de
situer cet endroit dans la seconde moitié du huitième millénaire avant notre ère. Il y avait donc dix mille ans. Assis dans
son fauteuil, l'homme savoura cette idée, tâchant de concevoir
une image de cette période. Alors qu'aucun langage recensé
à ce jour n'était encore parlé, longtemps même avant l'édifi-
cation des pyramides – à moins de croire aux thèses des
archéologues New Age avec leurs collectes sélectives d'indices et leurs extrapolations grotesques –, ces humains avaient
vécu, péri, été enterrés, fait l'amour, mangé et déféqué à même
le sol. L'homme trempa les lèvres dans son café, en veillant
à reposer la tasse en équilibre sur le bord de la table. Puis il
poursuivit sa lecture.

On avait dénombré vingt-sept jeux d'ossements. Des
femmes, dont certaines avaient atteint la cinquantaine, des
enfants, quelques hommes jeunes, et un plus mûr. Des annexes
détaillées décrivaient l'état de chaque squelette et présentaient
les techniques utilisées tant pour déterminer leur âge que pour
déduire leur régime alimentaire et leurs conditions de vie. Les
auteurs de l'article soulignaient que les squelettes avaient été

étendus sur une grille, système d'inhumation que l'on n'avait observé sur aucun autre site européen de la même période. Suivaient alors des diagrammes montrant comment l'orientation des grilles répondait à l'intérêt supposé de cette époque pour les solstices d'hiver et d'été. Dieu merci, on échappait aux éternelles digressions sur l'astronomie primitive. En contrepartie, les chercheurs produisaient une série d'arguments expliquant en quoi cette disposition renforçait l'hypothèse qu'ils défendaient depuis des années, à savoir que cette région d'Allemagne avait hébergé une forme hybride d'organisation sociale qu'ils appelaient société de Mittel-Baxter (d'après leurs propres noms), une culture éphémère et isolée qui représentait un intérêt scientifique mineur et une influence historique négligeable.

L'homme étudia l'article jusqu'à la fin puis se plongea dans les annexes. Après avoir parcouru le compte-rendu sur les autres squelettes, hochant la tête devant une conclusion parfaitement étayée, il se rendit à la section concernant l'homme âgé. La position de sa dépouille – au centre d'une grille de cinq sur cinq – laissait penser qu'il avait été le premier enterré à cet emplacement, et les auteurs d'en déduire logiquement que l'homme était une figure importante du village voisin. On supposait de même qu'il était né dans une autre partie du pays, car le creusement bilatéral à l'intérieur de ses orbites – un phénomène baptisé *cribra orbitalia* – semblait révéler une carence prolongée en fer. La quantité de fer dans la végétation dépend des propriétés géologiques du sol, et son absorption est conditionnée par la teneur en plomb ; ainsi deux organismes issus de régions différentes présentent deux taux différents. Or une analyse en coupe des dents de l'homme, et une évaluation des isotopes de plomb et de strontium leur avaient permis de situer son lieu d'origine à quelque quatre cents kilomètres de là. Dans un encadré, on évoquait une lésion crânienne qui ne lui avait pas été fatale – car l'os avait eu tout le temps de cicatriser avant qu'il ne rende son dernier soupir. On voulait y voir la conséquence d'une bataille ou d'une lutte de pouvoir, et le signe qu'il avait mené une vie longue et trépidante. Les auteurs allaient jusqu'à former l'hypothèse qu'il avait lui-même introduit la culture Mittel-Baxter dans un milieu sous-développé et que sa sépulture témoignait d'un statut exceptionnel.

L'homme relut ce passage, puis reposa l'article sur ses genoux. Il était aux anges. C'était la meilleure découverte à ce jour. Elle remontait encore plus loin que les sept tombes exhumées tout là-haut à Cahuachi, dans la plaine de Nazca, où les défunts avaient la bouche pleine d'excréments fossilisés. Ces Mittel et Baxter lui inspiraient de la pitié, même s'il doutait que l'imbécillité crasse de leurs conclusions soit un jour mise en lumière. Peut-être même que leur papier allait sauver leur chaire dans cette vague université du Middle West où ils trimaient. Il pouvait toujours, a priori, prendre langue avec eux pour leur expliquer les choses. Il ne se sentait pas sûr d'être compris, cependant, même si la vérité finissait par s'imposer à ceux qui avaient des yeux. Les archéologues étaient imbattables dès qu'il s'agissait d'interpréter des indices sur la base d'idées préconçues. Peu importait s'ils avançaient au flair, comme Hancock et Baigent, ou à la sueur comme Klaus Mittel et George Baxter : tous ne voyaient que ce qu'ils voulaient voir. Les traditionalistes ne voyaient que des chemins de procession ; les adeptes du New Age, des pistes d'atterrissage pour Martiens. Il arrivait qu'ils soient tous dans le vrai, mais ils ne sauraient jamais à quel moment – car dans leur esprit ils avaient toujours raison. On n'accédait à la vérité qu'en étant prêt à examiner les faits de manière dépassionnée.

La lésion crânienne dénotait à l'évidence un coup à la tête, mais Mittel et Baxter étaient loin d'en saisir toute la portée. Une blessure d'enfance suffisamment profonde pour activer une zone du cerveau qui chez la plupart d'entre nous demeurait hélas en sommeil. De même, le *cribra orbitalia* observé n'était pas forcément un syndrome importé. Certes, celui-ci était souvent synonyme d'un manque de fer, voire d'une anémie congénitale ou hémolytique, mais il pouvait avoir une origine autrement intéressante. Une surexposition au plomb produisait cet effet. Or notre homme savait que celle-ci ne constituait en aucun cas un « empoisonnement », mais un véritable don qui, combiné à d'autres facteurs, entraînait une mutation d'ordre génétique, laquelle réveillait des segments neutralisés du génome humain et leur permettait de s'exprimer.

La vraie faute de Mittel et Baxter n'était pas tant leur erreur d'interprétation que leur incapacité à établir la véritable nature du site. L'homme retrouvé au milieu du cimetière n'était pas mort le premier. Bien sûr que non. Il était mort en dernier. À son heure, et par sa propre main.

Au centre de sa création.

CHAPITRE 14

L'agent immobilier posa les coudes sur le bureau, se pencha en avant et ouvrit sa petite bouche :

— Et dans quelle tranche envisageriez-vous d'acheter ? Dites-le-moi franchement. J'ai bien conscience que nous en sommes aux tout premiers jours de notre relation, monsieur, euh... Lautner, à l'aube de notre recherche d'une résidence potentielle, mais je vais aller droit au but en vous confiant que notre entente grandira sur le mode du bénéfice mutuel si je sais exactement combien vous comptez investir en matière d'immobilier à l'heure d'aujourd'hui.

Il se renversa dans son fauteuil et me fixa d'un air entendu, fier comme tout d'avoir joué cartes sur table. Ce gars-là n'aimait pas qu'on le mène en bateau, constatai-je avec dépit. Si je n'avais que huit dollars et quelques pièces en poche, ou comptais le payer avec des cailloux, il préférait le savoir d'entrée de jeu. Maigre, roux, la cinquantaine, il répondait à l'improbable nom de Chip Farling. Je m'étais déjà coltiné moult individus de cet acabit, et mon seuil de tolérance était en chute libre.

— J'aimerais plafonner dans les six, répondis-je brusquement. Pour l'instant. Un truc vraiment exceptionnel, et je serai prêt à monter.

Il s'illumina.

— Ce serait un paiement comptant ?

171

– Tout à fait.

Je lui rendis son sourire.

Il opina du bonnet, ses petites mains soignées déplacèrent deux ou trois documents sur son bureau.

– Bien, dit-il, dodelinant encore. Excellent. La partie s'annonce intéressante.

Puis il pointa un doigt sur moi. Je me raidis, avant de comprendre que ce geste introduisait le suivant, qui consistait à porter sa main à son menton afin de gratter celui-ci tout en fixant un point imaginaire situé à mi-distance. Comprendre : il réfléchissait.

Au bout d'une demi-minute de ce numéro, il s'ébroua.

– Bon. Mettons-nous au travail.

Il bondit de son siège et fila à l'autre bout de l'agence tout en claquant des doigts. Je soupirai dans mon café, résigné à l'attendre.

Je m'étais d'abord rendu chez UnRealty, bien entendu. C'était fermé. Une affichette remerciait les clients de leur confiance et leur indiquait que l'entreprise cessait son activité suite au décès de son propriétaire. C'est tout juste s'il n'était pas ajouté que la nullardise de l'unique héritier avait concouru à cette décision. Je m'étais collé à la vitre pour scruter l'intérieur. Peu importe si les bureaux et classeurs sont encore là, les ordinateurs à leur place et le calendrier de l'imprimeur local toujours suspendu au mur, signalant les périodes de vacances fixées unilatéralement par quelque sous-fifre constipé : on voit au premier coup d'œil si une boîte a de l'air dans les poumons. UnRealty n'en avait plus. Je savais qu'il en serait ainsi, mais le spectacle me saisit malgré tout. Réflexion faite, je ne m'étais même pas demandé si les découvertes de ces dernières quarante-huit heures éclairaient de quelque façon que ce soit la décision de mon père concernant UnRealty. Mes réflexions ne menaient nulle part.

Alors j'avais choisi de m'activer physiquement, en faisant le tour des agences accessibles à pied. Le standing d'une petite ville peut être grossièrement estimé au nombre d'agences immobilières qui jalonnent ses rues. À Cowlick, dans le

Kansas, il vous faudra chercher longtemps. Tout le monde rêve d'en partir, non d'y venir, avec pour seule exigence que ce ne soit pas les pieds devant. Tant qu'à faire. Dans un coin d'opulence modérée, vous trouverez peut-être une ou deux agences, agglutinées à d'autres entreprises en vertu d'un processus commercial de type brownien. Et dans un endroit comme Dyersburg, on croule sous les agents immobiliers. Avant même ses foulards, ses galeries et ses petits restaurants, ce type de ville vend d'abord un concept : l'idée que vous pourriez mener ce mode de vie toute l'année, être de ceux qui mettent la main sur l'un des bons morceaux et l'entourent d'une solide clôture ; que vous pourriez, vous aussi, vous prélasser dans un chalet construit sur mesure, sous un haut plafond mansardé, et vous sentir en communion avec Dieu et ses saints. Dans toute l'Amérique, les riches creusent leurs nids. Des ranchs jadis consacrés au bétail ou simplement à la nature sont rachetés puis divisés en propriétés de dix hectares où vous jouissez d'une belle vue et de voisins exactement comme vous. Ce n'est pas pour critiquer : moi aussi, je veux cette vue-là, et cette vie-là, nichée au creux de la montagne dans l'un des plus beaux paysages au monde. Juste, je ne veux pas ce qui va avec. Le golf. L'achat collectif d'un jet. Les caves à cigares. Les androïdes inexpressifs d'une insolente sérénité qui peuplent ces country-clubs et ces loges : des types carrés au bronzage parfait et aux poignées de main fermes, des femmes aux yeux d'acier et aux joues liftées ; des conversations faites d'une dose d'avidité, de deux doses d'autosatisfaction et de trois doses de silence sinistre. Tout cela me rendrait dingue.

Au bout de quelques instants, Chip réapparut, muni d'une liasse de prospectus et de deux cassettes vidéo.

– Monsieur Lautner ? susurra-t-il. C'est l'heure de trouver son rêve...

Je regardai sagement les films, en prenant soin d'émettre de-ci de-là quelques râles ou moues d'approbation. Mais je ne vis rien qui ressemblât à ce que je cherchais. Je feuilletai les brochures, qui montraient de faux chalets de bois décorés par je ne sais quel cow-boy shooté, ou des box tout blancs, d'une

173

stérilité si Art moderne qu'on les aurait crus importés de la Lune. Le seul aspect intéressant était la force comique des prix affichés. Comme dans chacune des agences précédentes. Je m'apprêtais, en bon client, à demander la carte de Chip avant de me retirer – puis je joindrais peut-être Bobby pour lui demander où il en était de son côté –, quand au milieu des publicités glacées je découvris une feuille toute simple.

« Les Halls, était-il écrit dans une police élégante. Pour ceux qui veulent davantage qu'une maison. »

Suivaient trois paragraphes d'une étonnante sobriété, décrivant un complexe perché dans la chaîne de Gallatin. Au pied des pistes, bien entendu. Un endroit calme et retiré, cela va sans dire. Une étendue de deux cents hectares en pleine montagne, transformée en un lotissement d'une indicible perfection, au point que Zeus lui-même y avait sûrement acheté un pavillon sur catalogue – et pourtant ce tract ne faisait aucun effort pour appâter le chaland. Il n'y avait aucune photo, ni même de prix, ce qui raviva ma curiosité.

Je sélectionnai une autre brochure plus ou moins au hasard, en veillant simplement à ce que le prix soit astronomique.

– J'aimerais voir celle-ci.

Chip vérifia mon choix, et d'acquiescer d'un air ravi.

– C'est une merveille, promit-il.

– Tenez, et puisqu'on est dans ce secteur, ajoutai-je comme une idée de dernière minute, allons faire un saut là-bas.

Je lui tendis le tract par-dessus le bureau. Il le reconnut, puis joignit les mains et me considéra.

– Voyez-vous, monsieur Lautner, avec les Halls le maître mot est sélectivité. Nous irions alors sur du très haut de gamme, financièrement parlant. Avec six millions, nous serions loin du compte. Et de beaucoup.

Je lui servis mon plus beau sourire d'homme riche.

– Comme je vous l'ai dit : montrez-moi un truc exceptionnel.

Une heure plus tard, j'écoutais Chip parler golf. L'écoutais encore. Et encore. Jusqu'à la fin des temps, parti comme ça.

Dès le début du trajet, avant même que nous n'ayons quitté Dyersburg, il s'était enquis de mon intérêt pour ce sport. J'avais spontanément avoué que je n'y jouais pas, me ressaisissant juste à temps pour ne pas ajouter : « Et pourquoi diable ferais-je une chose pareille, nom d'un chien ? ». Il m'avait fixé si longuement, d'un air si consterné et si ahuri, que j'avais déclaré vouloir m'y mettre sitôt que je serais installé – à vrai dire, ce projet était même la première des raisons m'amenant à chercher ce type de propriété. Alors il avait lentement hoché la tête, et pris sur lui de m'offrir un cours accéléré sur les secrets de cet art. Je pensais tenir ainsi encore une quinzaine de minutes, après quoi je n'aurais d'autre choix que de l'achever sur place.

J'avais déjà enduré la visite de la première maison, à Big Sky, avec son électroménager de chez Sub-Zero, son parquet en érable du Honduras et sa cheminée en gros galets faite main par un maboule. À la fin du circuit je m'étais contenté de secouer la tête. Chip m'encouragea d'une tape amicale sur l'épaule – à ce stade nous étions quasiment potes – et nous retournâmes à la voiture. Nous reprîmes la route principale, pour nous enfoncer plus avant dans la montagne, cependant que Chip me tuyautait sur deux petites faiblesses qu'il croyait avoir décelées dans le jeu de Tiger Woods – et qu'il attribuait l'une et l'autre au facteur racial. Le ciel, pourtant clair au petit matin, avait pris la couleur de la route. Vive et glaciale, la rivière Gallatin courait sur notre gauche. De l'autre côté s'étirait une étroite vallée peuplée d'arbres, comme une entaille dans les Rocheuses qui s'élevaient à pic de part et d'autre. En poursuivant dans cette direction, vous atteignez un haut plateau, puis redescendez à l'est dans le parc de Yellowstone, la caldeira d'un super-volcan en sommeil dont la dernière éruption remonte à six cent mille ans. De la roche en fusion s'accumule depuis lors sous sa croûte, et d'après mon père la légende locale fait état d'un léger bruissement sur les rives du lac de Yellowstone– celui de la pression qui s'accroît lentement dans les profondeurs de la roche. On dit que le bazar pourrait à nouveau péter d'un jour à l'autre, nous replongeant aussitôt à l'Âge de pierre. La tuile, quoi. Vu mon état après une heure de Chip, j'aurais pu déclencher la catastrophe rien qu'avec les crépitements de ma cervelle.

Au bout de trente kilomètres, Chip se rangea sur la droite, sans raison apparente. Il sauta de la voiture et se hâta vers une barrière, où je décelai un modeste portail. Surprenant. À l'instar de Big Sky, les endroits de ce genre possédaient en général une entrée principale imposante, façonnée dans des arbres qui avaient déjà belle taille du temps où personne n'avait jamais entendu parler de Chip Farling. Ce portail ne semblait protéger rien de plus qu'une route de service. Chip se pressa sur la droite de la grille, et je vis remuer ses lèvres, avant de remarquer un Interphone encastré dans le poteau. Il se redressa et attendit un instant, les yeux au ciel. Quelques gouttes de pluie commençaient à tomber. Puis Chip se retourna, tendit l'oreille et revint à la voiture.

Le temps qu'il boucle sa ceinture, le portail s'était ouvert. Il se referma sur notre passage. Chip s'engagea sur une piste matérialisée par deux bandes parallèles d'herbe aplatie. Il conduisait avec prudence, ce qui ne m'empêchait pas d'être ballotté dans tous les sens.

– Plutôt du genre rustique, non ? grimaçai-je.

Il sourit.

– Vous allez voir.

La piste filait sur presque un demi-kilomètre, perpendiculairement à la route principale, en direction d'un épais bouquet d'arbres. Comme nous contournions ceux-ci, le sol changea d'un coup : les deux lignes creusées firent place à un macadam étroit et immaculé. Virevoltant sur mon siège, je constatai que la grande route n'était plus visible, masquée par les arbres.

– Astucieux, dis-je.

– Rien n'est laissé au hasard dans les Halls, récita Chip. Ceux qui y élisent domicile sont assurés d'y trouver le nec plus ultra de la tranquillité.

Le chemin s'écartait à nouveau de la rivière, serpentant derrière un bosquet pour gravir la pente raide d'une ravine, puis slalomait encore pour rester hors de vue de la route. Au bout de quelques minutes, on peinait à croire que la nationale ait seulement existé. Les Halls étaient un endroit très pensé. Et j'étais assez impressionné.

— Depuis quand ce lieu existe-t-il ?

— C'est sa septième année de développement, répondit Chip, qui louchait sur la route à travers son pare-brise inondé. Quel dommage de le visiter par un temps si peu clément ! Une bonne chute de neige ici, et vous avez l'impression d'être monté au paradis.

— Vous en avez vendu beaucoup ?

— Pas une seule. Mais ils n'ont que dix maisons à céder, et ils n'éprouvent aucune urgence à remplir les dernières. Pour être honnête, j'avoue que leur prospectus ne leur rend pas service. Je leur ai pourtant conseillé d'insérer des photos.

Nous approchions du sommet d'une colline, après que les interminables zigzags nous eurent élevé d'au moins cent cinquante mètres.

— Aucun des autres agents que j'ai rencontrés ne semblait connaître cet endroit.

Chip secoua la tête.

— Nous avons l'exclusivité. Du moins, nous l'avons aujourd'hui.

Il me fit un clin d'œil, et l'espace d'une seconde j'entrevis l'homme que pouvait être M. Farling lorsqu'il regagnait ses pénates le soir. Je détournai la tête, convaincu d'avoir bien fait de me présenter sous un faux nom. Mon petit doigt me disait que Chip aurait reconnu le nom d'Hopkins plus vite que celui de tel ou tel architecte de Los Angeles, même si ses immeubles avaient servi de décor dans des centaines de films.

Une entrée se dessina comme nous passions un dernier virage. Elle n'était pas faite de bois, mais d'énormes blocs de roche, et se dressait en haut d'une petite butte, de sorte que ce qu'elle protégeait demeurait invisible. À mesure que nous approchions, je déchiffrai les mots « Les Halls » gravés à la main, dans le même style que sur le prospectus.

— Nous y voilà, pépia Chip inutilement.

De l'autre côté de la butte, la route bifurquait à gauche toute. À un kilomètre au loin, je crus deviner une chaîne de montagnes plus hautes, mais un nouveau bouquet d'arbres nous barrait la vue. Derrière eux s'étirait de part et d'autre une palissade. Sa hauteur empêchait de voir derrière. La pluie s'intensifiait, et le ciel noir semblait prêt à éclater.

— Le golf se trouve de l'autre côté, expliqua Chip, comme passé subrepticement en pilotage automatique. Neuf trous, signé Nicklaus *père et fils, bien sûr*[1]. Bien entendu, il est recouvert en cette période de l'année, mais qui en aurait besoin, avec ceux de Thunder Fall et de Lost Creek à quelques petites minutes d'ici ? Imaginez : des équipements de classe internationale, accessibles d'un saut de voiture, pour le bonheur du plus exigeant et sophistiqué des acquéreurs.

En effet, pensai-je. Et imagine que je te fourre mon doigt dans le nez.

— Vous voyez ici le centre-accueil, dit Chip. (Dans l'obscurité apparut une grappe de bâtiments en bois.) Salle de réunion, bar non-fumeur, et un excellent restaurant.

— Vous y avez déjà mangé ?

— Non. Mais je me suis laissé dire que c'est, disons, vraiment succulent.

Il se gara dans un espace bordant l'entrée, au bout d'une rangée de voitures très chères. Nous sortîmes de la sienne, et il me dirigea vers la porte. Je tâchai de scruter les alentours, de me faire une idée du reste de la cité, mais la visibilité était nulle, et nous ne pouvions nous éterniser sous cette pluie qui martelait chaque surface plane.

— Putain de flotte, marmonna Chip. (Devant ma surprise, il s'excusa d'un haussement d'épaules :) Désolé, mais la pluie est le pire ennemi de l'agent immobilier.

— Quoi, pire que des voisins latinos ?

Il s'esclaffa, me tapa dans le dos et me guida à l'intérieur.

---

1. En français dans le texte. (*N.d.T.*)

Il régnait un parfait silence. Sur la gauche se trouvait une sorte de salle de cocktail, avec des fauteuils en cuir entourant des tables de bois sombre. Déserte. Tout au fond, une fenêtre qui d'ordinaire devait dispenser une vue époustouflante. Elle n'était aujourd'hui qu'un pauvre rectangle gris. Sur la droite, une imposante cheminée, où crépitait un feu discipliné. En sourdine filtraient quelques notes de Beethoven, une sonate pour violon et piano. Le comptoir de la réception était un plan lisse d'un très beau bois, et le mur de derrière arborait une œuvre d'« art ». Comme nous attendions d'être reçus suite au coup de sonnette de Chip, je plongeai la main dans ma veste et pressai une touche de mon téléphone. Si le réseau captait jusqu'ici, Bobby allait recevoir un appel. Nous étions convenus que je procède ainsi si ma recherche était fructueuse.

Elle l'était.

L'étape introductive dura une demi-heure. Une svelte et séduisante femme d'une petite quarantaine d'années, rehaussée par de grosses dépenses d'ordre capillaire, nous installa dans le salon pour nous décrire tous les trésors que les Halls avaient à offrir. Elle était vêtue d'un impeccable tailleur gris et possédait de jolis petits yeux bleus ainsi qu'une belle peau, aussi fallait-il sûrement prendre toutes ses paroles pour argent comptant. Elle ne déclina pas son nom, ce qui m'intrigua. En langage commercial américain, on commence toujours par le blaze : d'entrée de jeu, dans la foulée de la poignée de main. Comme une preuve d'engagement. Tu sais comment je m'appelle, alors je ne peux vouloir que ton bien. Comment imaginer que je t'embobine – moi, ton ami ?

Au cœur du concept des Halls, expliqua Mme Anonyme, se trouvait le désir de reproduire l'idéal traditionnel de la « communauté » – mais en mieux. Du personnel était disponible vingt-quatre heures sur vingt-quatre pour offrir une assistance dans tous les domaines, même les plus complexes. Les résidents considéraient d'ailleurs ces employés comme de véritables amis – le genre d'amis, présumai-je, qui devaient faire tout ce qu'on leur disait, à n'importe quel moment, et quelle que soit la difficulté de la tâche. Le chef du restaurant avait officié auparavant dans une cantine chicos de L.A. dont moi-même je connaissais le nom, et les résidents pouvaient se faire livrer des repas à domicile entre 9 heures du matin et minuit. La cave à vin, jura-t-elle, défiait l'imagination. Chaque pavillon était bourré d'électronique, avec l'Internet haut débit généralisé. En plus du club de golf si longuement vanté, il existait un club de gym, un club de gastronomes, et plusieurs autres que je ne pris pas la peine de retenir. L'adhésion à chacun d'eux était automatique et coûtait environ un demi-million de dollars. Par année. Par club. Pendant tout ce temps, je voyais Chip opiner fébrilement du bonnet, comme s'il n'en revenait pas de trouver une si bonne affaire. Je sirotai mon centième café de la journée – au moins, celui des Halls était bon – tout en m'efforçant de ne pas blêmir.

La fille conclut en soulignant qu'il ne restait plus que trois maisons à vendre au sein de la communauté, à des prix allant de onze et demi à quatorze millions de dollars – des sommes obscènes, même pour de l'immobilier de luxe. Elle termina par une touchante envolée sur les joies de la copropriété, que je vis Chip recopier dans un coin de sa tête.

– Cool, fis-je quand le topo prit fin. (Je reposai ma tasse.) Allons voir ça de plus près.

La femme me dévisagea poliment.

– Vous pensez bien que c'est impossible.

– J'ai déjà été mouillé, la rassurai-je. Plein de fois. Je suis même allé à la piscine, un jour.

– Le temps n'a rien à y voir. Nous ne laissons jamais visiter les Halls tant que la validité de la candidature n'a pas été établie.

Elle lança un regard à Chip, qui se planquait derrière un masque inexpressif.

– La validité, répétai-je.

– Financière et autre.

Je levai les sourcils, souris gentiment.

– Quoi ?

Chip intervint :

– C'est-à-dire que, si je peux me permettre, comme je vous l'ai expliqué en venant ici, les Halls pratiquent une politique très...

– Je sais tout ça, le coupai-je. Dois-je donc comprendre, madame... ? (Je laissai un blanc, mais elle n'y glissa pas son nom ; cette femme n'avait aucune hâte d'être mon amie.) Dois-je donc comprendre que je n'irai pas plus loin que cette pièce tant que je n'aurai pas sauté à travers une série de cerceaux dressés par vos soins ?

– C'est exact. (Elle me gratifia d'un beau sourire, comme devant un enfant ayant enfin compris, au prix de longs et pénibles efforts, comment la position relative de la petite et de la grande aigu'lle indique le temps qu'il reste avant d'aller au lit.) Ainsi que M. Farling aurait dû le préciser.

– Et en quoi consisterait cet examen ?

La femme extirpa d'une chemise une feuille de papier. La plaçant sous mes yeux, elle énuméra :

– Le remise du montant intégral de l'achat désiré, ainsi qu'une provision couvrant les adhésions aux clubs pendant cinq ans. Aucune hypothèque ni option de paiement différé n'est envisageable. Une garantie d'accès à votre comptable ou à tout autre représentant agréé, dans le but de brosser un tableau général de vos finances. Une rencontre entre vous et l'ensemble du bureau de la communauté, qui comprend le personnel d'encadrement et un représentant de chaque propriété occupée, laquelle rencontre sera suivie si nécessaire d'un examen en comité restreint. La désignation par vous-même de deux personnalités emblématiques – et par « emblématiques », comprendre qu'elles le soient au niveau de la société au sens large – auprès desquelles notre bureau puisse se renseigner concernant votre situation passée et présente. En supposant que tout ceci se déroule sans accroc, vous serez invité à l'intérieur de la propriété pour découvrir la cité plus en détail, et procéder à votre choix.

– J'espère que vous plaisantez.

– Je vous assure qu'il n'en est rien.

Je tentai le bluff :

– Avez-vous seulement idée de qui je suis ?

– Non. (Elle sourit, joignant ses lèvres telle une plaie à peine cicatrisée.) Et c'est là toute la question.

J'avais plus ou moins conscience que le réceptionniste, un jeune homme qui avait passé beaucoup de temps au club de gym, nous observait. Je soutins le regard de la femme un instant, puis lui retournai son sourire.

– Excellent, dis-je.

Après un temps d'hésitation, elle fronça les sourcils.

– Je vous demande pardon ?

– C'est exactement ce que j'espérais. Je vois que M. Farling avait parfaitement cerné mes besoins. (Mon ton devenait un peu sec, sans doute pour coller à mon nouveau personnage.) Quelqu'un dans ma position a besoin de certaines garanties, et je suis ravi de constater que vous y pourvoyez.

Mme Anonyme recouvra des traits amicaux.

– Nous sommes donc en pleine convergence de vues ?

– Absolument. Serait-il possible de voir les plans des propriétés disponibles ?

– Bien entendu.

Elle rouvrit la chemise et produisit deux épais documents. Elle les déplia sur la table et je les examinai vite fait. Ils étaient détaillés et abondamment annotés. Ce que je voyais m'intéressait encore plus que prévu.

– Fascinant, dis-je. Je suis navré de ne pouvoir les apprécier en vrai dès aujourd'hui, mais ceci suffit déjà à piquer mon intérêt.

Je commençai à replier les plans, avant de songer qu'un homme riche comme moi laisserait à d'autres une tâche aussi triviale. Alors je me levai. La soudaineté du mouvement les prit tous deux par surprise, et ils se dépêchèrent de m'imiter. Je tendis ma main à la dame, et serrai la sienne vigoureusement.

– Merci de votre accueil, dis-je en faisant mine d'avoir déjà l'esprit ailleurs. J'imagine que pour toute question complémentaire je devrai m'en remettre à M. Farling ?

– C'est la voie normale, en effet. Puis-je vous demander comment vous avez entendu parler des Halls ?

J'hésitai un instant, car avouer que j'étais tombé par hasard sur leur papelard faisait un peu léger.

– Des amis, répondis-je.

Elle opina, presque imperceptiblement. Bonne réponse.

Je la saluai du bonnet et traversai le hall d'entrée, sans attendre Chip. Dehors, je stagnai quelques instants sous la marquise, à regarder l'averse. Quand bien même l'envie m'eût pris de désobéir, je constatais que les bâtiments étaient agencés de manière à soustraire la communauté à tous les regards extérieurs. Chip n'avait rien exagéré en parlant d'extrême tranquillité.

Ce dernier émergea peu de temps après et me ramena à la voiture. Au moment de monter, je vis qu'un autre véhicule venait de franchir l'entrée et suivait le chemin à vive allure. Noir, mastoc, un de ces monstres tout-terrain. Ses pneus barbouillèrent un arc autour du petit parking, et il se rangea à cinq ou six mètres de nous.

Je pris tout mon temps pour ouvrir la portière, m'engouffrer dans l'habitacle, me caler dans mon siège, allant même jusqu'à laisser un pied dehors afin de prolonger la manœuvre. J'attachai ma ceinture quand un type sortit du bâtiment que nous venions de quitter. Blond, il faisait à peu près ma taille et marchait d'un pas décidé, la tête baissée. À aucun moment il ne nous regarda. Je crus deviner qu'il avait les traits plutôt rugueux. Comme il se dirigeait vers le 4x4, le conducteur descendit et contourna l'engin pour ouvrir le coffre. Dos à nous, le premier type y enfourna un gros sac d'un ton bleu pétrole. La poignée était baguée d'un papillon des douanes, mais je ne pus déchiffrer les lettres. Les deux types grimpèrent dans la voiture.

Entre-temps, Chip avait démarré. Il recula avec précaution, passa la marche avant, et nous laissâmes les Halls derrière nous.

Chip fut quasi muet jusqu'à notre retour en ville. Je le soupçonnais de s'être fait cuisiner par Mme Anonyme après ma sortie et de se mordre les doigts pour ne pas avoir su fournir des réponses satisfaisantes. Qui j'étais, d'où je venais... Même moi, je savais que c'était là le b.a.-ba de l'immobilier, les acides aminés du génome transactionnel. Mon père aimait à dire, dans nos rares discussions, que pour inciter un homme à mettre la main à la poche, il fallait lui servir ses propres arguments, c'est-à-dire l'avoir suffisamment cerné pour faire mouche.

Chip me demanda néanmoins ce que j'avais pensé de ces visites. Je lui dis que Big Sky ne m'intéressait pas, surtout après avoir vu ce que proposaient les Halls. Il ne parut guère surpris. Je lui demandai à mon tour combien de personnes il avait emmenées là-bas. La réponse était huit, en trois ans. Toutes avaient franchi les étapes de sélection imposées par la direction. Aucune n'avait été admise à acheter.

Je le dévisageai.

— Ces gens-là ont rassemblé quinze ou vingt millions, ouvert leurs livres de comptes, et on les a quand même déboutés ? Ils veulent les vendre, leurs baraques, ou quoi ?

— Sélectivité, monsieur Lautner. Tel est le maître mot. (Il jeta un œil sur moi, pour s'assurer d'avoir toute mon attention.) Nous vivons dans un drôle de monde, c'est un fait. Nous possédons le plus beau pays du globe, les gars les plus travailleurs, et cependant nous côtoyons au quotidien des individus dont personne ne voudrait dans son hémisphère. Il y a une dimension historique derrière tout ça. Nous avons ouvert les portes au tout-venant, pour les refermer trop tard. Nous avons dit : « Venez donc, braves gens, rejoignez-nous. Nous avons besoin de sang neuf. Nous avons plein d'espace à occuper. » Mais nous avons omis de vérifier s'il s'agissait vraiment du bon sang. Nous n'avons pas suffisamment pensé à l'avenir. C'est pour cette raison que les gens comme vous viennent dans l'Ouest. Pour échapper aux grandes villes, aux hordes, pour se retrouver entre gens de la même espèce. Pour recréer un mode de vie authentique. Je ne vous parle pas de races, même si elles jouent leur rôle dans ce que je décris. Je veux parler d'attitude. De qualité. De personnes qui sont faites pour être ensemble, et d'autres qui ne le sont pas. Voilà pourquoi les gens choisissent des coins comme Dyersburg. C'est une sorte de filtre, qui la plupart du temps fonctionne très bien – mais on retrouve toujours des êtres qui n'y ont décidément par leur place. Des étudiants. Des skieurs du dimanche. Les petits Blancs massés près de l'autoroute. Des gens qui ne comprennent rien. Mais que voulez-vous faire ? On ne va pas les empêcher de s'installer, c'est un pays libre. Alors il ne reste plus qu'à se prendre en main.

– C'est-à-dire ?

– Vous resserrez le filtre de manière radicale. Vous trouvez des gens qui vous correspondent, et vous érigez une grande muraille.

– C'est ça, le principe des Halls ?

– On peut le voir comme ça. Mais cela demeure avant tout un lieu de résidence unique et inestimable.

– Si vous aviez l'argent, vous iriez là-dedans, vous ?

Il lâcha un rire bref et amer.

– Oui, monsieur, sans aucun doute. Mais d'ici là, je vais me concentrer sur mes commissions.

Nous redescendîmes la colline jusqu'au petit plateau. Quand nous atteignîmes Dyersburg, il faisait nuit noire, et la pluie commençait à décliner. Chip se gara devant l'agence, avant de se tourner vers moi.

– Alors ? sourit-il. Que décidez-vous ? Vous voulez réfléchir à ce que vous avez vu, ou bien on retourne dans mon bureau et je vous montre quelques possibilités pour demain ?

– Je voulais vous poser une question, dis-je sans ôter les yeux du pare-brise.

Le trottoir était désert.

– Je vous écoute.

Il semblait fatigué mais vaillant. Ma mère répétait souvent que l'immobilier n'était pas un métier pour qui aimait les horaires réguliers.

– Vous disiez avoir depuis peu l'exclusivité sur les Halls. J'en déduis qu'il y avait une autre boîte sur le coup ?

– C'est exact, fit-il d'un air méfiant. Pourquoi ?

– À votre connaissance, elle n'a vendu aucune maison ?

185

– Non, monsieur. À vrai dire, elle n'a pas gardé le dossier bien longtemps.

– Et comment se fait-il qu'elle ne soit plus de la partie ?

– Le patron est mort et la boîte a fermé. Pas facile de vendre des maisons quand on n'est plus de ce monde.

Je hochai la tête, gardant tout mon calme.

– De combien serait votre commission pour l'un de ces logements ? Une coquette somme, j'imagine.

– Rondelette, admit-il avec prudence.

Je laissai courir un silence.

– Assez pour tuer quelqu'un ?

– Quoi ? !

– Vous avez très bien entendu.

Mon sourire s'était envolé.

– Je ne vois pas de quoi vous voulez parler. Vous croyez que... quoi ? Qu'est-ce que vous me chantez, bon sang ?

Il y avait je ne sais quoi de déplaisant dans ses dénégations, or vous seriez étonné, et attristé, de savoir combien les gens sont doués pour mentir, même dans les circonstances les plus difficiles. J'avais attendu. Je m'étais montré gentil. Maintenant j'en avais marre de jouer la comédie.

Je plongeai la main derrière son crâne et le projetai en avant, écrasant son front contre le volant. J'avais ajusté l'angle de sorte que le plastique central lui fracasse l'arête nasale. Puis je le redressai.

– Je vais te poser une question, dis-je tout en rabaissant sa tête à quelques centimètres de la colonne de direction. (Il gémit faiblement.) Cette fois, il faut que je te croie. Il faut que je sache que tu dis la vérité, et c'est ta dernière chance de me convaincre. Autrement, je te tue. Pigé ?

Je perçus un acquiescement fébrile. De nouveau, je lui tirai les cheveux en arrière. Il saignait du nez, et son front était traversé d'une marque blafarde. Il écarquillait les yeux.

– Tu as tué Don Hopkins ?

Il secoua la tête. La secoua encore et encore, avec toute la frénésie d'un gosse paniqué. Je l'observai quelques instants.

J'ai eu affaire à de nombreux menteurs dans ma vie, l'ai moi-même été pendant de longues périodes. J'ai l'œil pour ça.

Chip n'avait pas tué mon père. Du moins, pas de ses propres mains.

– OK, fis-je avant qu'il ne se brise le cou à gesticuler comme un sourd. Mais je crois que tu sais des choses au sujet de sa mort. Alors voilà le marché. Je veux que tu prennes un message. Tu ferais ça pour moi ?

Il hocha la tête. Cligna des yeux.

– Tu diras aux nazis sur leur montagne que quelqu'un s'intéresse à eux. Dis-leur que je ne crois pas que mes parents soient morts dans un accident, et que je leur ferai payer ce qu'ils ont fait. C'est noté ?

Il opina de nouveau. Je lâchai sa tignasse, ouvris la portière et sortis sous la pluie.

Une fois dehors je me penchai pour l'observer. Sa bouche était tordue de stupeur et d'effroi, et le sang lui coulait le long du menton.

Je me retournai, les mains tremblantes, et partis à la rencontre d'un être humain.

CHAPITRE 15

Bobby était accoudé au comptoir chez mes parents, devant un verre d'eau minérale. À mon entrée, il releva les yeux, me regarda ruisseler sur le sol. J'avais fait tout le chemin sous la pluie.

— Qu'est-ce qui t'est arrivé ? demanda-t-il d'une voix posée.

— Rien.

— Soit, dit-il après un bref silence.

J'attrapai son verre d'eau et le vidai d'un trait. Seulement après avoir dégluti, je me souvins qu'elle provenait des dernières courses de mes parents.

— Il en reste ? demandai-je.

— Un peu.

— Ne la bois pas.

Je reposai le verre sur le comptoir et m'assis à la table. Puis décidai de retirer mon manteau, comme si une petite voix me prédisait une pneumonie. Par la vitre j'aperçus de la lumière dans le salon de Mary. Pourvu qu'elle ne sache pas que j'étais encore en ville. Elle m'aurait trouvé grossier de ne pas lui rendre visite. Puis je pris conscience que cette maison-ci avait plusieurs lampes allumées et une voiture dans l'allée : alors Mary devait bien être au courant. Décidément, je n'avais pas les idées très claires.

Bobby attendait, les bras croisés.

– Alors, lançai-je, ta journée ?

– À toi l'honneur, Ward.

Je secouai la tête. Il haussa les épaules et capitula :

– J'ai inspecté le lieu de l'accident. Vu la position de la voiture emboutie, il est plausible que ta mère ait simplement loupé son virage. Il est plutôt serré, il faisait nuit, et il y avait de la brume par-dessus le marché.

– Je vois, soupirai-je. Et ça ne faisait jamais que... quoi ? quarante-ans qu'elle conduisait ? Elle n'avait jamais dû rencontrer un virage serré, ni traverser ce carrefour une seule fois durant toutes les années qu'elle a passées ici. Le jus de myrtille et de la brume auront concouru à sa perte, c'est ça ? Je comprends enfin. Et c'est un miracle que la voiture ne soit pas partie en vrille au-dessus des premiers immeubles pour rebondir jusqu'à l'océan.

Bobby poursuivit sans relever :

– Il y a une petite station-service en face du lieu de l'accident, et une vidéothèque un peu plus loin. Il va sans dire qu'aucun des types à qui j'ai parlé n'était présent le soir de l'accident. Le vidéo-shop est une boîte indépendante gérée par deux frangins. Celui que j'ai rencontré affirme que son frère n'a rien remarqué avant qu'une voiture de police ne débarque.

– Il n'a pas entendu le fracas d'un lourd objet métallique qui s'écrase dans un autre, le genre de truc un rien inhabituel ?

– Tu connais ces boutiques-là. Un gros téléviseur suspendu au plafond, un film de John Woo à plein volume, et le type derrière son comptoir qui occupe sa soirée avec des bières et un joint de la taille d'un burrito. Tu lui aurais foutu un coup de marteau sur le carafon qu'il aurait à peine cillé. Alors je me suis rendu à la station-service, et l'employé m'a donné le numéro de son manager. Je l'ai appelé et il m'a fourni l'adresse du type qui était d'astreinte ce soir-là.

– En lui racontant quoi ?

– Que j'assistais la police dans son enquête.

– Génial, dis-je. À présent je vais avoir tout le comico sur le dos.

– Qu'est-ce que ça peut bien foutre, Ward ?

– Je ne fais plus partie de l'Agence, Bobby. Ici, dans le monde réel, les flics peuvent te faire chier.

Bobby balaya cette objection d'un revers de main.

– Je me suis donc pointé chez lui. Lui aussi déclare n'avoir rien vu. Il a entendu un bruit, mais s'est dit qu'un gus devait faire le con derrière la station. Il s'est tâté pour savoir s'il devait appeler les flics ou non, mais le temps de découvrir qu'il y avait eu un accident et que sa boutique était intacte, la police était déjà sur place.

– OK. (À vrai dire, je n'avais rien espéré de ces vérifications, mais Bobby tenait à les mener.) Quoi d'autre ?

– Là-dessus, je suis venu ici pour jeter un œil, comme convenu.

– T'as trouvé quelque chose ?

Il secoua la tête.

– Que dalle.

– Je te l'avais dit.

– C'est vrai, répliqua-t-il. Non seulement tu es beau, Ward, mais tu as toujours raison. Ah, si seulement j'étais gay... je n'irais pas chercher plus loin. T'es le meilleur. Alors à toi de parler, maintenant.

– L'endroit qui figure au tout début de la cassette s'appelle les Halls et se trouve en haut d'une ravine de la Gallatin Valley. Il faut être très riche pour en être, et ils ne te laissent même pas visiter tant que tu n'as pas prouvé que tu étais bien comme il faut.

– Les Halls ? C'est quoi, ce nom ?

– Je ne sais pas, soupirai-je. Un clin d'œil au Walhalla, peut-être. Ces gens se prennent peut-être pour des dieux. Possible qu'ils le soient, pour avoir autant de fric.

– Tu es certain qu'il s'agit du même endroit ?

– Ça ne fait aucun doute. Le vestibule était en tous points identique à celui de la vidéo, jusque dans le choix des tableaux. C'est cet endroit-là, Bobby. Et ils sont très, très sélectifs.

– Pourquoi n'as-tu pas appelé, dans ce cas ?

– J'ai bien essayé. On ne doit pas capter le réseau là-haut.

Mais je n'en savais rien : le téléphone était planqué dans ma poche.

— Et c'est comment ?

— Au poil. Je n'ai vu aucun résident, sauf à la fin, un type qui passait en coup de vent, mais je ne saurais même pas le reconnaître. En gros, si t'as du pognon et que tu ne veux pas être emmerdé par les Terriens de base, c'est l'endroit qu'il te faut. On m'a montré les plans, cela dit, et ça n'a rien du pavillon de banlieue. Ils ont fait appel à quelqu'un de fortiche, qui avait une idée très précise en tête.

— Quel genre ?

Je sortis un stylo de ma poche pour esquisser un croquis.

— Une disposition éclatée. Des espaces de vie surélevés par rapport au terrain. Des cheminées disposées à la confluence des pièces. Des vitraux sur les fenêtres opposées à la cheminée, et sur les lucarnes des couloirs. De longs avant-toits, des vitres zébrées à l'horizontale, de gigantesques terrasses.

Bobby scruta mon dessin.

— Et alors ? À mon avis, mon ami, ça m'a tout l'air d'une maison ordinaire.

— Nombre de ces éléments sont entrés dans l'architecture moderne, convins-je. Mais la façon dont ils étaient assemblés sur ces plans était du pur Frank Lloyd Wright.

— Ils l'ont peut-être engagé.

— Peu probable. À moins qu'ils n'aient aussi embauché un médium.

— Alors ils connaissent quelqu'un qui dessine comme lui. Il doit en exister des centaines. La belle affaire.

— Sans doute. Mais ce genre de truc n'est plus à la mode, et ne l'a jamais été pour ce type d'habitation. On s'attendrait plutôt à trouver de grands escaliers façon roi du pétrole, des chambres organisées en suites, et regarde-un-peu-comme-je-suis-riche.

— Plutôt séduisant.

— Mais artificiel. À l'origine, nos lieux d'habitation étaient forgées dans l'environnement naturel, et non construites ex nihilo. Voilà pourquoi l'architecture moderne paraît si souvent aride : elle n'a aucun rapport organique au site. Les maisons de Wright sont différentes. Le chemin d'accès est tortueux pour symboliser la retraite vers un havre de paix, et l'âtre de la cheminée est disposé au centre de la structure pour rappeler un feu au milieu d'une grotte. Les pièces sont modulables afin de permettre une perspective intérieure, synonyme de défense ultime ; elles évoquent aussi l'apprivoisement d'un espace naturel. Les fenêtres sont zébrées pour révéler l'extérieur sans exposer l'intérieur. Les vitraux évoquent aux habitants un mur de végétation à travers lequel ils peuvent voir, mais qui les cache en même temps. L'humain se sent bien quand il possède à la fois la perspective et le refuge – quand il possède une jolie vue tout en se sentant protégé des autres et des regards. C'est précisément ce qu'offrent ces structures.

Bobby me dévisagea.

– Tu es un drôle d'oiseau.

Je haussai les épaules.

– J'ai juste écouté en classe. Tout ça pour dire que si tu me trouves un autre village qui ressemble à ça, je te lèche le cul sur-le-champ.

– C'est tentant, mais je préfère te croire sur parole.

– Ce doit être l'une des raisons pour lesquelles ils refusent de laisser visiter au début. Ce n'est pas le genre d'édifice pour lequel on raque des millions en temps normal. Ce qui signifie qu'ils ont dû choisir ce style dans un but précis.

– Le promoteur est donc un fana de Wright. Ou bien ils ont dégotté un archi qui écoutait en classe, lui aussi. Je ne vois pas du tout où ça nous mène. Mais ça me ferait vraiment plaisir si tu me disais comment ça s'est terminé.

– J'ai agressé l'agent immobilier.

– Là-bas ?

Je secouai la tête.

– Tu me prends pour qui ? À notre retour en ville. Il n'y avait personne dans les parages.

– Il est mort ? demanda Bobby d'un ton routinier.

– Bien sûr que non !

– Et pourquoi t'as fait ça ?

– Sa tête me revenait pas. Et puis il y avait auparavant deux agences au service des Halls. Il n'y en a plus qu'une.

Bobby hocha lentement la tête.

– La boîte de ton père étant la perdante.

– T'es brillant, comme mec.

– J'en déduis également, vu que tu l'as pas buté, que tu ne soupçonnes pas cet agent d'avoir tué tes vieux. Malgré l'intérêt financier qu'il y aurait trouvé.

Je secouai la tête.

– Ce n'est pas lui personnellement. Mais il est de mèche avec ceux qui ont fait le coup. Pour quelle autre raison verrait-on ce lieu sur la cassette ?

D'un coup j'étais sur mes deux jambes, quittant la cuisine d'un pas vif. Comme je traversais le couloir, un détail me perturba, mais je ne parvins à l'identifier, aussi continuai-je d'avancer. Bobby me suivit au salon, où je m'arrêtai devant la table basse.

Je ramassai le livre qui s'y trouvait et l'agitai sous ses yeux.

– Un ouvrage consacré au grand architecte susnommé, constata-t-il. Et alors ? Ton père était agent immobilier. Les maisons, c'était son domaine. Et c'était un type âgé. Les vieux raffolent de biographies. C'est ça et la chaîne Découverte qui les maintiennent en vie.

– Bobby...

– OK, concéda-t-il. C'est une coïncidence intéressante. Si on veut.

Je rebroussai chemin vers le couloir puis m'arrêtai de nouveau. Je ressentais comme une boule d'énergie qui me poussait à l'action, mais je ne savais quelle direction prendre.

– Tu as fouillé la maison de fond en comble ? demandai-je.

– J'ai décollé la moquette, soulevé le plancher, passé la tête sous le toit et glissé une lampe torche dans la citerne. J'ai démonté les téléphones. Je n'ai rien trouvé. Évidemment, je ne saurais te dire si des trucs ont disparu.

– Moi non plus. Je ne venais pas assez souvent. J'ai juste remarqué l'absence de vidéos. (Je fronçai les sourcils.) Attends un peu. La dernière fois que je suis venu, j'ai posé le courrier ici. Il a disparu.

Je fixai Bobby intensément, persuadé d'avoir levé un lièvre.

– T'emballe pas, Sherlock. Un vieux mec est passé le prendre il y a environ deux heures. Avec un nez crochu. S'est présenté comme l'avocat de tes vieux. Je l'ai laissé entrer, en expliquant que j'étais un de tes amis. Ça ne l'a pas flippé plus que ça, même s'il avait l'air de vouloir recompter l'argenterie.

– Harold Davids. Il m'avait dit qu'il passerait.

Bobby sourit.

– Écoute, Ward, il y a assez de bizarreries autour de toi pour que tu n'ailles pas en inventer d'autres. Ne sois pas si parano.

Retentit un bruit de déflagration en provenance du salon. Nos corps réagirent, mais pas assez vite.

Ce n'est pas tant le bruit qu'une sensation d'immense pression, aussi brutale que de se faire gifler, enfant, par un adulte qui ne vous avait encore jamais frappé. Si vous êtes suffisamment proche d'une explosion, vous percevez avant tout le coup mat qu'essuient la tête et la poitrine, un impact qui transforme le vacarme en onde profonde, avec l'impression que l'univers s'est fait dégommer de son axe. Le son lui-même paraît secondaire, comme si vous l'entendiez avec deux jours de retard.

Je dus aussitôt cogner le mur, violemment, et m'écraser la tête la première sur une rangée de cadres. Comme je tombais à terre, le crâne gorgé de lumière blanche, assailli de bris de verre, une nouvelle explosion résonna, moins forte, puis je soulevai Bobby et l'entraînai jusqu'aux décombres de la porte d'entrée.

Nous détalâmes ensemble dans l'allée, glissant et chutant sur les dalles mouillées. Il y eut une troisième détonation, autrement puissante que la première. Cette fois j'entendis siffler les objets projetés tout autour, et le *fuip-pah !* de l'air comprimé puis libéré. Bobby continuait de gratter la terre, s'aidant de ses mains pour nous faire avancer. Je ruinai ses efforts en me retournant pour observer la maison, ce qui nous déséquilibra et nous projeta de dos sur l'herbe trempée. Le mur extérieur du salon était tombé, et l'intérieur était déjà en flammes. Je ne pouvais en détacher mes yeux. Voir une maison en feu, c'est comme de regarder brûler une âme, la voir bouffer par des vers de vingt mètres de haut.

Le temps que je me relève, Bobby avait dégainé son téléphone et s'éloignait derrière la clôture. Je refis quelques pas en direction de la maison. J'envisageais peut-être de rentrer et d'éteindre l'incendie. Ou de sauver quelques objets. Je ne sais pas. Je me disais qu'il devait bien y avoir quelque chose à faire.

De nouveau, une petite détonation, suivie de bruits de casse au fond de la maison. La chaleur grimpait très vite. La pluie n'était plus qu'une faible bruine, et je me dis que c'était vraiment typique. Il avait flotté tout l'après-midi. Pourquoi pas maintenant ?

Bobby me rejoignit en courant et referma son portable. Il saignait un peu au front.

— Ils sont en route, annonça-t-il.

Je n'avais aucune idée de qui il voulait parler.

— Qui ça ?

— Les pompiers. Allez, on s'en va.

— Je ne peux pas partir. C'est leur maison.

— Non, rétorqua-t-il. C'est le lieu du crime.

Bobby fit rapidement le tour de ma voiture en scrutant le sol. Puis se mit à quatre pattes dans la boue et regarda sous le châssis. Il se releva, se frotta les mains et déverrouilla la portière. Il se pencha pour jeter un œil sous le siège conducteur, débloqua le capot, contourna l'aile et examina le moteur.

— OK, dit-il. Ça se tente.

Il referma le capot et regagna le coté conducteur. Il introduisit la clé dans le démarreur, me regarda en grimaçant, donna un coup de poignet. Le moteur démarra, sans que rien explose. Bobby poussa un long soupir, tapota le toit de la voiture.

— Mais on n'a rien entendu, m'étonnai-je. Aucune bagnole.

— Je ne suis pas surpris, fit-il avec dans la voix quelques trémolos soulagés. Dans un coin comme celui-ci, il est plus discret de passer par les jardins. Personnellement, j'aurais planqué ma caisse en bas de la colline et parcouru les quatre cents derniers mètres à pied. Sauf que, si ç'avait été moi, nous n'aurions pas cette discussion à l'heure qu'il est. Tu as entendu comme ça continuait de fuser après la première explosion ? Ils ont monté leur coup dans la précipitation et fait un travail de porcs.

– Qu'est-ce que ça change ? C'est bien la première détonation qui a fait péter le reste, non ?

– La charge du détonateur a niqué les connexions. Ils ont voulu monter une putain de sucette, mais elle s'est désagrégée avant d'avoir pu se déclencher normalement.

– On serait restés au salon, on y passait. (Je me frottai vigoureusement le visage.) Il semble que Chip ait transmis le message.

– Tu l'as dit.

– Auquel cas... (Je consultai ma montre.) Ils ont assemblé l'engin en à peine une heure, trajet compris !

Je remarquai une belle estafilade au dos de ma main. Je l'épongeai avec mon blouson.

– C'est ce que je dis. Ils ont bâclé.

– Ils foirent peut-être les finitions, mais ils sont très motivés, n'est-ce pas ? (Au loin, je perçus des sirènes à l'approche, et les portes s'ouvraient de l'autre côté de la rue.) Ils ont plastiqué la baraque de mes vieux, articulai-je, incrédule, les yeux rivés aux flammes. Avec une bombe...

La maison en feu paraissait bizarre, comme une aberration dans cette rue aux logis impeccables. Je me tournai vers celle de Mary, de l'autre côté de la haie. Quelques lampes étaient allumées, et la porte d'entrée ouverte.

– Tu as affaire à des enculés de première classe, confirma Bobby en plaquant à nouveau sa paume sur la carrosserie. Et maintenant, on se tire d'ici.

Mais j'étais déjà loin, courant et pataugeant en direction du portail. J'entendis Bobby jurer et s'élancer à ma suite. Au bout de l'allée, je coupai directement à travers la haie pour atteindre le jardin de Mary. À peine y avais-je posé le pied que Bobby m'agrippait l'épaule et me faisait virevolter.

Je me libérai, repris ma course. Il me rattrapa, mais lâcha prise quand il vit ce que je vis, puis il me dépassa.

Elle était allongée de moitié sur le bord du porche, la tête et les épaules renversées sur les marches, un bras étiré sur le côté. Je songeai d'abord à une crise cardiaque, avant de remarquer tout le sang autour d'elle, la mare brunâtre qui engluait le bois rongé des planches. Bobby posa un genou à terre pour lui soulever la tête.

– Mary... murmurai-je. Oh, mon Dieu !

La saisissant de chaque côté nous la fîmes pivoter en douceur pour la ramener à l'horizontale. Elle respirait péniblement. Le feu voisin projetait assez de lumière pour creuser ses rides tels des canyons. Bobby fouilla les plis de ses vêtements, découvrant trou sur trou, espérant étancher le sang dont le flux paraissait anormalement lent. Elle toussa, et une masse sombre affleura dans sa bouche.

Avant ce jour je n'avais vu en elle que la vieille dame, l'un de ces êtres qui encombrent les caisses au supermarché et attendent le bus debout, qui savent quel cadeau l'on doit offrir pour tel anniversaire, qui ont l'air frêles et refroidis comme s'ils avaient toujours été ainsi. Des gens qui n'auraient jamais pu se soûler, ni escalader des barrières interdites, ni se bousculer, hilares, pour que l'autre se coltine la zone mouillée du lit. De vieux bâtons secs dont on ignore s'ils ont jamais aimé – personne qui ne soit encore de ce monde, en tout cas, personne qui ne soit davantage qu'un souvenir, et dont la dernière demeure n'arbore que quelques fleurs fanées qu'eux seuls pensent à remplacer. Mais à présent je voyais quelqu'un d'autre. La femme qu'elle avait été et demeurait sûrement, sous la patine des cellules mortes, de la peau sèche et parcheminée, des cheveux gris, courts et bouclés. Sous le déguisement des années, derrière l'idée fausse qu'en raison de son âge elle n'avait jamais été, et n'était toujours pas, un être réel.

Puis sa gorge émit un claquement, laissant jaillir une pleine pochée à l'odeur chaude et âcre. Ses pupilles parurent s'assécher dans la seconde, comme en avance rapide. Peut-être était-ce dû à la fraîcheur extérieure, mais on aurait dit que le ciel la reprenait sous nos yeux, d'un seul coup.

Bobby releva lentement la tête. Je croisai son regard. Je n'avais rien à dire.

— Qu'est-ce qui s'est passé ? demandai-je, la seule phrase qui voulût sortir en dix minutes. Qu'est-ce qui s'est passé, bordel ?

Bobby fixait la route, se démanchant d'avant en arrière pour inspecter les rues adjacentes que nous croisions à toute allure. Toutes baignaient dans le calme ordinaire d'un début de soirée. Le corps de Mary reposait deux kilomètres derrière nous, à l'endroit où nous l'avions découverte. Les secours arriveraient plus vite que nous n'aurions pu gagner l'hôpital, et sa mort était de toute façon sans appel. Bobby et moi le savions tous deux.

Il haussa les épaules.

— Elle s'est trouvée sur leur chemin. Comme je te le disais, le plastiqueur est passé par les jardins. Mary aura entendu du bruit, sera sortie. Alors ils lui auront vidé un demi-chargeur dans la peau. Je suis désolé, mec.

— Un type vient ici pour m'exploser, muni d'un flingue et d'un silencieux juste au cas où. Une vieille dame sans défense apparaît, alors il la liquide, comme ça ?

— Ces gens ne plaisantent pas, Ward, et ils ne t'aiment pas du tout.

Il s'engagea dans un virage serré à gauche qui nous ramena vers le centre-ville. Un camion de pompiers nous doubla sur la grand-rue, sirène et gyrophares en marche, dans la direction opposée à celle de la maison.

— Mais qu'est-ce qu'il fabrique, ce con ?

On nous klaxonna par-derrière. Nous nous retournâmes comme un seul homme. Le conducteur d'un pick-up nous fit signe que le feu était passé au vert et que nous aimerions peut-être bouger. Bobby redémarra et prit les pompiers en chasse.

– Le camion file dans la mauvaise direction, Bobby !

– Je leur ai pourtant transmis l'adresse que tu m'avais donnée. J'ai trouvé sans problème, moi.

– Mais qu'est-ce que... ?

Je n'achevai pas ma phrase. Nous percevions une lueur orange un peu plus loin.

Bobby se rangea d'un coup, sans mettre son clignotant. Cela nous valut un nouveau coup de klaxon du vieux en pick-up, qui nous fixa longuement en nous dépassant. Ni moi ni Bobby ne lui prêtâmes beaucoup d'attention. Nous découvrions que le Best Western, en partie du moins, était en flammes. Je contemplai le spectacle, ahuri, me demandant comment Dyersburg s'était soudain retrouvé sur l'un des cercles de l'enfer.

– Rapprochons-nous, dis-je d'une voix étranglée.

Nous roulâmes lentement, et au carrefour suivant quittâmes l'avenue pour contourner l'hôtel par une rue latérale en pente. Nous nous arrêtâmes en haut, à une trentaine de mètres du bâtiment à vol d'oiseau. De là nous vîmes que le feu était assez limité, qu'il ne ravageait qu'une petite dizaine de mètres dans une seule aile. L'hôtel se remettrait à temps pour accueillir de nouveaux séminaires. Quatre camions de pompiers étaient à l'œuvre, bientôt rejoints par un cinquième. Le bas de la rue se remplissait de badauds, et d'autres frôlaient la voiture d'un pas pressé pour mieux profiter du spectacle. La moitié du commissariat semblait sur le pont.

– Ta chambre correspond à peu près au foyer de l'incendie, non ?

Je ne pris même pas la peine de répondre. J'avais envie de vomir. Curieusement, l'attaque de l'hôtel me meurtrissait davantage que celle de la maison. Je me demandais si mes voisins de palier étaient présents.

– Ce message que tu leur as adressé, Ward, il disait quoi, au juste ?

– C'est grotesque. Et complètement disproportionné. Et la maison, alors ? Qu'est-ce que les pompiers attendent pour... ?

– Ils ont déjà des hommes sur place, j'en suis sûr. Les gens du voisinage les auront aussi alertés. Au fait, avant que la question ne t'étreigne, ton barda est sauf.

– Quel barda ?

– Pas tes fringues, disons. Regarde un peu derrière.

Me retournant, j'avisai la sacoche de mon ordinateur sur la banquette arrière.

– Ne jamais se croire à l'abri, énonça Bobby tout en pianotant sur le volant, les yeux fixés sur l'incendie. Je suis moi-même du genre prévoyant. Toujours garder le nécessaire à portée de main. Je pense que c'est le moment parfait pour mettre les voiles.

Je voulais filer dans la montagne pour tuer quelqu'un. Mais Bobby devina ma pensée et fit non de la tête.

– Quand cet incendie-ci sera maîtrisé, les flics verront bien dans quelle chambre il s'est déclaré. Avec un peu de chance, tes ennemis auront pris le temps de le rendre un minimum crédible. Mais entre ça et la maison, tu deviens l'ennemi numéro un de Dyersburg.

– C'est quoi, c'est conneries ? J'ai rien fait, moi.

– La maison de tes vieux est assurée ?

– Oui.

– C'est une grosse assurance ?

– Sûrement, soupirai-je. Ça m'a jamais intéressé. Puis ils vont trouver Mary et un flic futé va décider de la passer au pinceau, à tout hasard. Avec tout ce sang, ils pourraient bien trouver quelque chose. Tes empreintes sont fichées, Bobby ?

– Tu sais bien que oui.

– Tout comme les miennes. T'as raison, mec. Il est temps de partir.

Vingt minutes plus tard, nous étions à l'aéroport de Dyersburg.

CHAPITRE 16

Zandt atteignit Beverly Boulevard sur le coup de 21 heures. Épuisé, les pieds endoloris. Et soûl.

À 3 heures du matin, il s'était posté devant le cinéma où Elyse LeBlanc avait été vue pour la dernière fois. À l'instar des boutiques et des restaurants, les cinémas ont un drôle d'aspect dans les petites heures de la nuit. Ils font décalés, arbitraires, pour ne pas dire décoratifs – comme si nous étions des explorateurs ayant raté d'une ou deux décennies la mystérieuse civilisation qui les a créés. Quelques heures plus tard, Zandt contemplait la maison où la jeune Annette Mattison avait passé sa dernière soirée entre copines. Il reconnut la femme en tailleur strict qui en émergea vers 7 heures pour rallier la chaîne télévisée où elle officiait. Zandt avait interrogé Gloria Neiden plus d'une fois. Elle avait vieilli en l'espace de deux ans. Avait-elle gardé le contact avec Frances Mattison ? Leurs filles avaient passé beaucoup de temps l'une chez l'autre, et elles avaient toujours parcouru les trois petits blocs du retour à pied. Après tout, elles habitaient un quartier fort agréable, à Dale Lawns, 90210 – et la possibilité de se promener sous les étoiles en toute sécurité était sans doute l'une des raisons qui vous poussaient à signer un chèque à sept chiffres. Zandt devinait que les rapports entre les deux mères s'étaient distendus, pour ne pas dire rompus. De la même façon que la voix de Zoe Becker s'était teintée de gris en évoquant

Monica Williams – alors que cette dernière n'y pouvait rien si Sarah avait voulu attendre son père jusqu'à l'heure dite. Mais face à un drame de cette ampleur, vous cherchez une cause, des responsables. Ceux qui habitent dans les murs sont les plus accessibles.

Zandt se retourna quand la voiture de Mme Neiden le croisa. Outre qu'elle aurait pu le reconnaître, lui-même aurait eu l'impression, à s'éterniser ainsi sur ce trottoir, d'imiter un autre type, celui qui avait fait le guet devant cette même maison, peut-être au même endroit, deux ans plus tôt.

Il reprit son chemin. En fin de matinée, il s'était aventuré à Griffith Park, là où le corps d'Elyse était réapparu. Rien ne marquait cet emplacement, même s'il avait longtemps été recouvert de fleurs, et qu'y stagnaient encore les débris d'un vase de verre. Zandt s'y attarda un bon moment, contemplant la vue sur la ville brumeuse, là où des millions de gens travaillaient, dormaient et mentaient, devenant la mauvaise herbe du sol urbain.

C'est sur ces entrefaites qu'il poussa la porte d'un bar. Puis, un peu plus tard, d'un second. Entre-temps, et ensuite, il avait continué de marcher, quoique moins vite, à mesure que sa motivation s'effilochait. Il avait arpenté ces rues de nombreuses fois. Elles ne lui avaient offert que sang et déchirement. Il entendait encore les voix qui l'avaient arraché à son siège après le départ de Nina ; ces voix et les cris des disparues – mais trop faibles dans la lumière du jour et de la raison pour le conduire où que ce soit. Sa chemise lui sortait du pantalon, et il remarquait les regards obliques des passants. On prétend qu'il est possible de reconnaître un policier rien qu'à ses yeux : un regard qui pèse et teste, qui juge du haut de ses soupçons et de son pouvoir. Zandt se demandait si l'on pouvait aussi repérer ceux qui n'étaient plus flics, pour ce qu'ils suggéraient de castration ou de fuite. Il avait connu cette ville autrefois, de l'intérieur. Il avait foulé ce pavé dans la peau d'un de ces hommes vers qui l'on se tourne en temps de désordre. Un maillon du système immunitaire. Le voilà désormais privé de cette auréole. Fini l'uniforme, fini la gloire – ou son équivalent dans le métier. Il n'était plus qu'un badaud dans une ville où l'on marchait très peu – et où les rares piétons le regardaient d'un drôle d'œil. C'était là un domaine aussi réel que n'importe quelle steppe ou vallée ombragée ; cet endroit était à la campagne ce que la vallée de la Mort était au Vermont, ou le Kansas aux fonds marins, ni plus ni moins. La seule distinction provenait des gens, ceux couverts de smog et ceux fatigués de se battre. Les gens dans leur ensemble.

En fin d'après-midi, titubant légèrement déjà, il s'était arrêté au bord d'une petite rue de Laurel Canyon. Les buissons d'hier avaient été déracinés et remplacés par une dalle rectangulaire mesurant une cinquantaine de centimètres de plus que le corps d'Annette. Malgré son ébriété, Zandt demeurait assez lucide pour repérer qu'on l'observait depuis le joli pavillon de l'autre côté de la rue.

Au bout de quelques minutes, un homme en sortit, vêtu d'un pantalon de jogging et d'une veste gris clair. Il respirait la santé.

– Je peux vous aider ?

– Non, répondit Zandt.

Il tenta de sourire, mais l'homme resta de marbre. Si Zandt avait vu sa grimace dans un miroir, il ne lui en aurait pas voulu.

Le type renifla.

– Vous êtes soûl ?

– Je ne fais que passer. Rentrez chez vous. Je n'en ai plus pour longtemps.

– C'est quoi, d'abord ? demanda l'homme tout en pivotant légèrement, révélant un téléphone dans sa main cachée.

Zandt le dévisagea.

– Quoi ?

– Ces dalles, là. Qu'est-ce que ça fait ici ? Ça ne sert à rien.

– Une fille est morte ici. Y fut retrouvée morte, du moins.

Le visage du type s'adoucit un brin.

– Vous la connaissiez ?

– Pas de son vivant.

– Alors qu'est-ce que ça peut bien vous faire ? C'était quoi, une professionnelle ?

La gorge de Zandt se serra. Ah, la fameuse échelle des causes de la mort... Comme si les putes, les toxicos et les jeunes Noirs valaient à peine mieux que des chiens mal dressés, comme s'ils ne s'étaient jamais jetés dans les bras de leurs parents en gazouillant, n'avaient jamais prononcé leur premier mot, ni passé de longues nuits à se demander ce qu'ils trouveraient dans leur botte de Noël.

L'homme recula d'un pas vif.

– Je vais appeler les flics, menaça-t-il.

– Ils n'arriveraient pas assez vite. Vous auriez peut-être le temps de cracher sur une deuxième plaque de ciment, mais à votre place je n'y compterais pas trop.

Et sur ces mots il s'en alla, laissant l'homme à ses préjugés.

Enfin parvenu à Beverly Boulevard, il passa devant le Hard Rock Café, en même temps qu'il rentrait sa chemise dans son pantalon, lissait sa veste et redressait les épaules. Il pénétra dans l'hôtel Ma Maison sans problème et fondit sur les toilettes du bar. Après un bon coup d'eau sur son visage, seul un barman saurait qu'il n'avait pas sa place ici. Il regagna la salle et s'installa derrière une table basse d'où l'on voyait la rue. Avec les kilomètres qu'il avait dans les jambes, le moelleux du canapé lui donna l'impression d'être assis sur un nuage. Un jeune homme affable promit de lui apporter un verre.

En attendant, Zandt examina le boulevard où Josie Ferris avait disparu. Il ne s'agissait pas du dernier lieu du crime en date, mais il n'avait aucune envie de se planter devant l'ancienne école de Karen, ni devant la maison qu'il avait occupée avec sa petite famille. Et que serait-il allé faire dans l'autre lieu, la destination finale ? Un endroit qu'il avait lui-même créé et qui ne serait d'aucune aide aujourd'hui – pas plus qu'hier, du reste. Se pencher au-dessus du cadavre de l'homme qu'il avait tué ne lui avait rien apporté, sinon souligner la subtilité des nuances dont on fait des lois.

Jennifer avait appris, pour le meurtre. Il s'en était expliqué le surlendemain, à l'arrivée du pull. Ça n'avait pas sonné le glas de leur couple. Pas tout de suite, du moins. Elle avait compris son geste, lui avait tout pardonné sauf sa méprise. Ils avaient essayé de tenir le coup. Sans succès. Zandt s'était retrouvé en porte-à-faux. Soit il supportait l'horreur de la disparition de Karen et restait fort pour le bien de son épouse, tout en pressentant qu'il allait se désagréger en mille éclats coupants, soit il lui confiait la douleur qui le consumait à petit feu. En choisissant cette deuxième option, il renonça à l'image du mâle solide, sans rien gagner à l'aveu de sa souffrance, réputé l'apanage des femmes. À elle de s'épancher ; à lui de résister.

Il décida qu'il avait assez fait semblant d'être flic, en même temps qu'elle décidait de rentrer chez ses parents. On avait volé leur œuf d'or, et la poule qui l'avait pondu était morte.

À présent, avec le recul, il estimait avoir manqué de discernement. Seule sa rigidité avait creusé le sillon de ses fautes. Jennifer aurait bien fini par accepter sa faiblesse. Les femmes sont les plus raisonnables quand il s'agit d'assouplir certaines règles. La vie à deux exige de la flexibilité, a fortiori dans les périodes d'angoisse, ces phases où elle prend le goût d'un pacte désespéré contre un monde horriblement noir. Les couples solides lutteront pour préserver leur équilibre, quels que soient les tiraillements du moment. C'était là une consolation à double tranchant, mais cette prise de conscience lui avait permis de rester en vie. Parfois c'est en reconsidérant un traumatisme passé et en reconnaissant sa part d'erreur que l'on reprend pied. Avant cela on se sent floué, blessé, sans trouver le moindre répit. Mais « c'est pas juste » est le cri de l'enfant, de celui qui refuse de voir que les relations causales opèrent dans les deux sens. Du jour où l'on comprend que les torts étaient partagés, peu à peu la douleur se dissipe. Comme on fait son lit on se couche, et l'on s'y couche alors plus facilement, aussi dur et souillé soit-il.

Arriva sa Budweiser, qu'il sirota du bout des lèvres, les yeux rivés à la fenêtre. En fait il tentait, et ce depuis qu'il était levé, de considérer un faisceau d'éléments sous un nouvel angle. Face à des meurtres dépourvus d'indices véritables, le mieux à faire est de chercher de nouvelles façons d'imbriquer les infos disponibles. La quintessence d'un crime se réduit généralement à une simple phrase. Des empreintes, une liaison, un couteau dissimulé en hâte, des dettes et un alibi foireux : tout cela concerne les tribunaux, sert à boucler le réquisitoire. Mais le vrai crime, dans toute sa splendeur, tient en quatre mots : les gens s'entre-tuent. Les maris tuent leur femme. Les femmes tuent leur compagnon, et les parents leurs enfants, les enfants leurs parents, les inconnus d'autres inconnus. Les gens prennent ce qui ne leur appartient pas. Les gens incendient des maisons pour de l'argent, ou parce qu'il y a du monde à l'intérieur. Quand chaque déclinaison a été rangée dans la bonne case juridique, la vérité demeure entière. On peut prendre deux personnes au hasard et glisser le mot « tue » entre elles.

Zandt ne parvenait pas à élucider ce que l'Homme Debout attendait de ses victimes. Pourquoi les punissait-il ? L'avaient-elles déçu en refusant de l'aimer, de céder à ses avances ? Avaient-elles manifesté une peur excessive, ou bien insuffisante ? Avaient-elles failli en craquant devant lui, en se montrant dépourvues de cette force qu'il convoitait et souhaitait leur dérober ?

Son verre vide, il se tortilla sur son siège, cherchant le garçon dans la salle. Introuvable. Pourtant, les autres clients semblaient servis depuis peu. Il les examina brièvement. Des inconnus, s'abreuvant d'alcool pour se sentir mieux. Pour arrondir les angles de l'anxiété. Tout le monde s'y adonnait. Les Américains – sauf lors d'une brève expérience qui entraîna une explosion de la criminalité unique à ce jour. Les Allemands et les Français, avec cœur. Les Russes, avec une gravité mélancolique. Sans oublier les Anglais, fanas de bière. Tous passaient leur temps libre dans les bars, les pubs ou à la maison, à s'embrumer l'existence. Il leur fallait le masque d'écume, la glu.

Quelqu'un finit par arriver. Costume noir et chemise blanche, exactement comme son collègue – mais avec dix ans de plus et une mine moins épanouie. Si le précédent semblait s'accrocher au fol espoir de vendre un scénario ou de crier « coupez ! » un jour, celui-ci se rangeait à l'idée que les actrices de Hollywood allaient très bien survivre sans son amour. Il étudia Zandt d'un air suspicieux, lisant sur son radar de serveur que ce client n'avait ni chambre ni rendez-vous particulier dans cet hôtel.

– La même chose, monsieur ?

Cela prononcé en inclinant la tête, un geste de cordiale ironie : nous savons tous deux que Monsieur n'appartient pas à notre milieu favori, qu'il est plus ou moins rond et n'arbore pas la tenue adéquate.

– Où est passé l'autre gus ?

– L'autre « gus », monsieur ?

– Le type qui m'a servi.

– Je le remplace. Ne vous inquiétez pas. La bière aura le même goût.

Comme il repartait d'un pas languide, en faisant rebondir son plateau sur son genou, Zandt envisagea de l'abattre. En guise de leçon pour tous ces loufiats qui osaient prendre de haut ceux qui les faisaient vivre. Un rappel à l'ordre qui n'avait que trop attendu. Peut-être le message parviendrait-il jusqu'à la corporation des vendeurs, même à ceux de Rodeo Drive. Zandt n'oublierait jamais l'incident survenu le jour de son anniversaire de mariage, six ou sept ans plus tôt, lorsqu'il avait emmené son épouse dans une boutique chic pour lui offrir un corsage. Ils étaient vite ressortis, Jennifer cramponnée gauchement à un sac, Zandt frémissant de rage contenue. Le chemisier n'allait jamais quitter l'armoire, à jamais taché de l'humiliation infligée lors de l'achat.

Aujourd'hui ce souvenir affectait Zandt comme jamais. Pour ne plus y penser, il attrapa le bloc à en-tête de l'hôtel dans l'idée de prendre quelques notes – ce qui lui passerait par la tête –, mais il n'alla pas plus loin. Il apercevait le serveur derrière son comptoir, en train de lui verser une seconde bière.

Il s'agissait d'une Budweiser. Comme la première. Logique : le collègue précédent avait dû laisser un mot signalant ce que le client avait bu et combien il devait.

Une indication sur ses désirs, en somme.

Sur ses préférences.

Quand le serveur revint avec le demi, il trouva un siège vide et un billet de dix dollars.

CHAPITRE 17

La maison était perchée sur les hauteurs de Malibu. Petite et singulière, une enfilade de pièces comme dans un minuscule motel. Pour se rendre de l'une à l'autre, il fallait ressortir et emprunter un passage couvert. Le pavillon se dressait au bord d'une falaise desservie par une route sinueuse, pentue et mal éclairée. Ce n'était pas l'endroit où l'on échoue par accident. Le loyer était bas, malgré l'emplacement, car il reposait sur un sol instable et se trouvait à deux doigts de l'évacuation forcée. La partie séjour-cuisine, vaste et lumineuse avec sa large baie vitrée, constituait son principal atout, en dépit de la faille qui traversait la dalle de béton. On pouvait y glisser les trois quarts d'un poing, et les deux plaques étaient dénivelées d'au moins cinq centimètres. Dehors, côté terre, se trouvait une petite piscine. Elle était vide, les tuyaux ayant fondu dans un feu de broussailles l'année précédant l'arrivée de Nina. Il fallait un certain cran pour trouver le sommeil, ici.

Nina avait passé la soirée sur le patio à l'arrière de la maison, adossée au mur, bras et jambes étendus devant elle. La vue donnait sur l'océan, avec juste quelques arbres et buissons avant le précipice. On n'apercevait aucune autre habitation. Ce soir, même la mer était invisible, voilée par une brume que Nina pouvait presque toucher du bout des pieds. C'était un phénomène régulier, et Nina se demandait si ce n'était pas ce qu'elle préférait. Un lieu au bout du monde, où tout devenait

209

possible. Elle avait prévu de se munir d'un verre de vin, avant d'oublier. Sitôt assise, elle s'était sentie lourde comme un navire encalminé, sans trouver le courage de repartir vers le frigo.

Elle avait perdu sa journée à chercher Zandt. Il n'était ni à son hôtel, ni sur la Promenade, nulle part. En début de soirée, elle avait même roulé jusqu'à son ancien domicile, mais le propriétaire avait changé et Zandt n'était pas apparu. Alors elle était rentrée. Elle n'avait rien d'autre à faire ce soir que de rester assise. Le séjour situé dans son dos était longé d'étagères pleines de documents, de paperasse et de notes. Elle n'avait aucune envie de les consulter. Elle ne souhaitait parler à personne du Bureau. Sa position là-bas n'était plus celle d'autrefois. L'affaire de l'Homme Debout l'avait mise sur la touche. Non parce qu'il courait encore, même si cela n'arrangeait rien, mais plutôt parce qu'elle avait persisté à tuyauter un policier expressément écarté de l'enquête suite à la disparition de sa fille. D'autres avaient pris la porte pour moins que ça. Elle était parvenue à sauver sa tête, mais ce n'était plus comme avant. On l'avait connue comme la petite protégée de Monroe ; leurs rapports étaient désormais empreints de défiance et de lassitude.

Elle se sentait seule, et menacée. Mais sa peur était indépendante de sa solitude. Nina était habituée au célibat et le vivait plutôt bien, en dépit d'une nature qui aspirait à autre chose. Elle avait abrégé sa liaison avec Zandt pour une seule raison : plus elle s'était attachée à lui, moins elle avait voulu détruire sa vie de famille. Mais le fait que celle-ci ait péri malgré tout lui interdisait de fournir une telle explication à Zandt, quoi qu'il réclame. Certes, elle aurait pu distiller sa pensée sous forme de phrases habiles. Mais elle eût risqué de se trahir. De trahir le fait que, deux semaines après la disparition de Karen, Nina avait surpris dans un coin de sa tête une pensée licencieuse : quitte à ce que Zandt perde ses proches, autant que ce soit pour elle.

Il y avait eu d'autres hommes après lui, et il y en aurait sûrement d'autres. Trouver des hommes n'était pas sorcier, du moins ceux que l'on ne tenait pas à garder. C'était plutôt le désespoir qui la minait, et cet inépuisable cortège d'atrocités. Si nous étions vraiment comme ça, la partie était peut-être perdue d'avance. À voir ce que notre espèce s'infligeait à elle-même comme aux animaux, on en venait à se demander si nous ne méritions pas tout ce qui nous arrivait, quel que fût notre zèle en matière d'autopunition ; si les bêtes qui rampaient vers Bethléem[1] n'étaient autres que nos enfants prodigues rentrant à la maison.

Vers 21 h 30 elle se releva pour rentrer. Tout en ouvrant son frigo, qui ne contenait qu'une bouteille de vin à moitié vide, elle jeta un œil sur le petit téléviseur posé sur le comptoir. On y traitait encore de la tuerie en Angleterre – même si, ayant coupé le son, elle ignorait ce qu'on en disait, révélait ou alléguait. Des faits sordides, en tout état de cause, et un motif d'abattement supplémentaire.

Elle referma le réfrigérateur, sans avoir touché à la bouteille, et colla son front quelques instants contre la porte fraîche.

Elle redressa la tête en percevant un bruit dehors. Celui-ci se précisa peu à peu : des pneus crépitant sur les gravillons de la route. Elle traversa la pièce en trombe, enjambant la faille, et sortit un pistolet de son sac.

La voiture s'arrêta, et elle décela le murmure étouffé d'une conversation. Puis un claquement de portière, suivi de nouveaux bruits de pneus, qui rebroussaient chemin dans l'allée. Quelques pas, puis trois coups frappés à la porte. Elle alla ouvrir, l'arme cachée dans son dos.

Zandt se tenait sur le perron. L'air pantelant et un peu soûl.

– Mais où étais-tu passé, bon sang ?

– Un peu partout, répondit-il en s'avançant dans la pièce d'un air contemplatif. J'adore ce que tu as fait de cet endroit.

– Je n'y ai rien fait de particulier.

– Justement. Ça n'a pas bougé d'un poil.

---

1. Allusion à *La Seconde Venue*, célèbre poème de W.B. Yeats. (*N.d.T.*)

– Toutes les nanas ne sont pas des maniaques de la déco, tu sais.

– Bien sûr que si. Sous tes habits de femme, doit se cacher un homme.

– Zut, je suis découvert. (Elle croisa les bras sur sa poitrine.) Qu'est-ce que tu veux, John ?

– Seulement te dire que j'ai buté le bon type, en fin de compte.

Quand elle gagna le patio avec la bouteille à la main, Zandt était déjà lancé :

– Le problème, c'est que nous ne pouvions traiter cette affaire comme les autres. Les procédures d'investigation classiques ne donnaient rien. Quand plusieurs personnes disparaissent, on part de leurs relations, puis on tire sur chaque fil. On rencontre les familles, les amis, l'entourage. On cherche une intersection. Un bar qu'ils fréquentaient tous, à différents moments de la semaine. Un club de gym dont ils étaient membres. L'ami d'un ami d'un ami. Un point de confluence prouvant que ces disparus ont davantage en commun que le fait d'être morts. Un élément antérieur, qui aura lui-même décidé de leur sort. Or, avec l'Homme Debout nous avions de multiples disparitions, mais des similitudes superficielles. Même sexe, à peu près le même âge. Toutes jolies. Et après ? La ville regorge de garçons qui rêvent de nanas mignonnes du fond de leur piaule. De femmes, quoi. C'est un désir consensuel, non une pathologie. Sauf pour les cheveux longs, peut-être. C'est la seule caractéristique évidente, le seul critère patent – outre le fait qu'elles venaient toutes de milieux où l'argent n'était pas un réel souci. Ce n'étaient ni des fugueuses, ni des junkies. Cela nous apprend seulement que la tâche du tueur n'en était que plus ardue, car ces filles-là sont plus difficiles à capturer. Mais ce n'est pas une piste en soi.

Il se tut. Nina attendit. Il ne la regardait pas. C'est tout juste s'il remarquait sa présence. Il se tenait tout au fond du patio, et depuis l'embrasure de la porte sa silhouette paraissait floue. Il reprit la parole, dans un débit plus lent :

– Un homme poursuit une quête. Il est rongé d'angoisse, dévoré par un trouble qu'il ne peut surmonter qu'à travers une certaine ligne de conduite, qu'il a découverte soit par hasard, soit par tâtonnements. Mais il tient bon, depuis un moment déjà. Il s'est bien comporté. Il n'a pas replongé. Il s'est tenu à l'écart, sans nuire à personne. Ce n'est pas un faible. Il ne recommencera pas. Il n'en a plus besoin. Ni maintenant ni demain. Peut-être qu'il ne recommencera jamais. Peut-être qu'il pourra tirer un trait sur tout ça. Peut-être qu'il est guéri.

« Mais petit à petit... il se sent rechuter. Ça devient plus difficile. Il peine à se concentrer. Il n'est plus dans son assiette. Il n'a plus la tête à son travail, à sa famille, à sa vie. Il est tendu. Des idées lui reviennent en boucle, les vieux démons d'hier. L'anxiété le gagne, aggravée du fait qu'il en sait la cause. Il connaît l'unique moyen d'y remédier. Il commence à se remémorer ses exploits antérieurs, mais ça ne l'aide pas. Il ne se souvient pas forcément des détails. Et ceux-ci n'atténuent en rien ses sentiments actuels. C'est de l'histoire ancienne. On ne peut vaincre les angoisses du présent par les gestes du passé : le bon vieux temps n'efface pas le malheur d'aujourd'hui. Cet homme a besoin d'un objectif, d'un projet inédit. Même les talismans sont sans effet, ces reliques qu'il a conservées comme preuves de ses antécédents. Ils lui rappellent juste que c'est possible. Il a tellement envie de récidiver et sait qu'il ne peut vivre sans – de toute façon, quels que soient ses efforts, il a déjà versé le sang, ce qui exclut d'avance toute rédemption. Son existence est viciée, il ne peut revenir en arrière.

« Alors un jour, de façon quasi accidentelle, il se remet à rôder. Il se raconte peut-être que ça n'ira pas plus loin, qu'il ne fait qu'observer. Qu'il se maîtrise mieux, désormais. Qu'il évitera de toucher. Mais quand il franchit ce pas, il n'y a qu'une seule issue possible. Il oubliera les remords qui l'avaient assailli la dernière fois, de la même façon que se souvenir d'une gueule de bois n'empêche personne de re-boire le vendredi suivant. Ou alors, il l'a fait si souvent qu'il n'éprouve plus aucun complexe. C'est peut-être la seule chose qui ait du sens à ses yeux. Il retournera dans un endroit qu'il connaît, ou dans un lieu similaire. À ce stade il disposera d'un plan. C'est une activité dangereuse, alors il aura peaufiné quelques techniques pour limiter les risques. C'est ici que les intersections entrent en jeu, car ces intersections sont en l'homme lui-même, au carrefour de ses itinéraires. Elles proviennent des lieux où il se sent en sécurité, où il peut flâner tout en restant lui-même. Tel tueur considérera cet ensemble comme son terrain de chasse. Tel autre y verra un univers où il peut se fondre, où personne ne le regarde, où il devient invisible. Là où notre homme n'est pas faible, mais puissant ; où il n'appartient pas à la foule, mais la domine. Une cachette, là où la proie s'aventure à la faveur du soir, pour plonger dans la nuit qu'il lui réserve. Dans un premier temps il se contentera d'observer, puis arrivera le jour J. La fille tournera au coin de la rue et sentira soudain une présence dans son dos, et là l'homme trouvera enfin du répit, jusqu'à ce que vienne l'heure de nettoyer, de se sentir minable et de promettre à Dieu, ou à quiconque daigne l'écouter, qu'on ne l'y reprendra plus, plus jamais.

— Et c'est comme ça que tu l'as coincé, anticipa Nina.

— Non. Mais laisse-moi continuer. Nous n'avons rien trouvé qui relie toutes les filles entre elles. Nous n'avons jamais pu nous approcher du type car nous étions incapables de dire où il les avait vues pour la première fois. C'est pourquoi, après la disparition de Karen, je n'ai cessé d'arpenter les lieux des disparitions. C'étaient les seuls endroits que nous savions en rapport avec le tueur. Il ne me restait que ça. Zéro lien. Aucun moyen d'en trouver un. Jusqu'à la dernière fois, quand il est revenu sur ses pas. Je l'ai vu visiter un site, et j'ai pensé qu'il souhaitait revivre ce qu'il y avait commis. Après l'avoir repéré dans deux des coins en question, je me suis dit que c'était notre homme. Alors je l'ai suivi, et je l'ai trouvé.

— Mais ensuite, dit Nina en veillant au choix de ses mots, tu t'es rendu compte que ce n'était pas lui, en définitive.

— Erreur. Le type que j'ai buté a bel et bien enlevé certaines de ces filles.

– Essaies-tu de me dire que celui-ci n'est qu'un imitateur ?

– Non, j'essaie de te dire que j'ai tué le serveur, et non le client qui commande la bière.

– Je ne comprends pas.

– Le type qui a expédié les colis n'a pas commis les enlèvements.

Nina le dévisagea.

– L'Homme Debout décide qu'il a besoin d'une fille, et hop ! il passe commande ? Comme pour une vulgaire pizza ?

– Voilà pourquoi les disparitions ont cessé après Karen, bien qu'on ait reçu le paquet avec le pull. Le type qui les enlevait n'était plus là. Le tueur, si.

– Sauf que les serial killers ne fonctionnent pas comme ça. On en a connu qui agissaient en tandem, c'est vrai. Leonard Lake et Charles Ng. John et Richard Darrow. Même les West, dans une certaine mesure. Mais rien qui ressemble à ce que tu dis.

– C'est un fait nouveau, je te l'accorde. Mais nous vivons dans un monde en mutation, où tout devient plus grand, plus brillant, plus rapide. Pratique. À la carte...

– Alors comment expliques-tu l'absence de lien entre toutes ces filles ? Si l'on suit ton raisonnement, le kidnappeur devait avoir un mode opératoire fixe. On aurait su l'établir.

– Seulement s'il s'agissait toujours du même gars.

Nina ouvrit de grands yeux.

– Il y aurait donc *deux* ravisseurs ?

– Peut-être même plus. Pourquoi pas ?

– Mais parce que... parce que l'Homme Debout n'a fait qu'une seule victime en deux ans, John. Sarah Becker.

– Qui te dit qu'il n'y a que lui ? (Il attrapa la bouteille, constata qu'elle était vide.) Il doit te rester du pinard quelque part.

Nina le suivit à l'intérieur de la maison. Il ouvrit le réfrigérateur et fixa d'un air stupéfait le compartiment désert.

– Je n'ai plus rien à boire, John. Comment ça : « Qui te dit qu'il n'y a que lui » ?

— Dis-moi, combien la Californie compte-t-elle de tueurs en série en activité, au jour d'aujourd'hui ?

— Disons entre sept et onze. Ça dépend de ce qu'on entend par...

— Exactement. Et il ne s'agit là que de ceux dont on connaît l'existence. Dans un seul État, et un État qui arrive loin quant au classement national. Alors admettons qu'il y en ait cent cinquante à travers le pays, et que dix ou quinze d'entre eux puissent se payer une victime vingt mille dollars pièce. Voire plus. Voire beaucoup plus. Ça fait un vrai fichier clients, ça. Et un gros. On pourrait décrocher un putain de prêt bancaire avec un tel business.

— À supposer que tu aies raison, ce qui reste à prouver, en quoi cela nous aidera-t-il à retrouver Sarah Becker ?

— En rien, concéda-t-il, et son ardeur retomba d'un coup. (Il se frotta vigoureusement le front.) J'imagine que les fédéraux continuent de sonder l'entourage ?

Nina hocha la tête.

— Bon, soupira-t-il. Alors je suppose qu'il ne reste plus qu'à attendre.

Il fixa le téléviseur muet, qui diffusait un sujet sur les grandes tueries de ces dernières années, en guise d'illustration au carnage anglais.

— Tu as suivi cette histoire ? demanda Zandt.

— J'ai essayé de résister.

Ils regardèrent ensemble un bout de l'émission, debout dans la cuisine. Rien de nouveau. On ignorait toujours les motivations du forcené. La perquisition de son domicile avait mis au jour de la littérature raciste classique, une deuxième arme à feu, un ordinateur truffé d'images pornos, et un tableau médiocre montrant une nuée de silhouettes sombres sur un fond blanc, tel des spectres dans la neige.

Rien de cela n'était jugé probant.

CHAPITRE 18

— Il me faut plus qu'un peu d'eau, avait dit Sarah.

Elle parlait d'une voix faible, même à ses propres oreilles. Ce n'était pas la première fois qu'elle prononçait cette phrase. C'était devenu son leitmotiv chaque fois que la trappe s'ouvrait.

— Tu n'aimes pas cette eau ?

— Si, j'aime cette eau. Merci pour cette eau. Mais il me faut davantage. Il me faut davantage que de l'eau.

— Qu'est-ce que tu veux ?

— J'ai besoin de nourriture. D'un truc à manger.

Elle toussa. Ça la prenait de plus en plus souvent, et lui donnait la nausée.

— Nous mangeons trop, de nos jours, dit l'homme. Beaucoup trop. On tue des bêtes pour nous, on cultive à la tonne, puis on dépose le tout devant notre porte et nous nous jetons dessus comme des porcs sur leur auge. Nous ne sommes même plus des chasseurs. Rien que des charognards. Des hyènes munies de coupons de réduction, qui picorons les restes sous cellophane de parfaits inconnus.

— Si tu le dis. Mais j'ai besoin de manger.

— J'ai besoin de manger, j'ai besoin de manger, j'ai besoin de manger... railla-t-il.

Visiblement séduit par la sonorité de ces mots, il poursuivit ainsi pendant quelques minutes. Puis il se tut un instant, avant de déclarer :

– Il fut un temps où l'on se privait parfois plusieurs jours de suite. Nous étions plus maigres.

– Je sais, la crise de 29, les grandes sécheresses des années trente, etc.

L'homme se mit à rire.

– Mais c'était hier, ça ! Et ça n'a strictement aucun intérêt. Je te parle d'avant l'invasion.

– L'invasion, releva Sarah, tout en songeant : « OK, nous y voilà. Les petits hommes verts. Les Russes, les Juifs et je ne sais quoi d'autre. »

Elle toussa de plus belle, et l'espace d'un instant elle vit tout blanc. Lorsque le type répondit, on aurait dit que sa voix venait de très loin ou bien qu'il utilisait l'un de ces appareils comme Cher sur la chanson *Believe*.

– Oui, l'invasion. Comment tu appellerais ça, toi ?

Elle déglutit, en comprimant ses paupières, puis rouvrit les yeux.

– Je ne l'appellerais pas. J'ai trop faim.

– Tu ne vas pas pouvoir manger.

Quelque chose dans la voix de l'homme lui fit soudain très peur. Il n'avait pas l'air de sous-entendre qu'elle allait juste jeûner aujourd'hui, mais à jamais. Elle avait réussi, avec une remarquable rapidité, à s'adapter aux circonstances du moment, aidée en cela par une sensation de dislocation grandissante. Mais cette menace de diète absolue, définitive, suffit à la ramener en pleine réalité.

– Écoute, fit-elle d'une voix vacillante, tu dois bien attendre quelque chose de moi. Tu as forcément une raison d'agir ainsi. Je t'en supplie, fais ce que tu as à faire, mais tue-moi ou nourris-moi. *J'ai besoin de manger.*

– Ouvre la bouche.

Elle s'exécuta fébrilement, la salive affluant aussitôt sous sa langue. D'abord il ne se passa rien, puis une main apparut. Elle ne tenait rien qui ressemble à de la nourriture, mais juste un morceau de papier blanc. Le type le pressa quelques instants sur la langue de Sarah, puis le reprit. Sarah fondit en larmes.

Il se tut un moment, puis fit claquer sa langue en signe de réprobation.

— Aucun changement, dit-il. Ah, ce petit génome têtu. (Le bout de papier voleta pour atterrir à côté de Sarah.) Tu n'as pas appris grand-chose, n'est-ce pas ?

Elle renifla.

— Tu ne m'as rien enseigné.

— Je commence à m'interroger sur ton compte. Je te croyais différente. Capable de changer. Je suis venu te chercher, toi personnellement. J'avais des projets pour nous deux. Mais je commence à me demander si tu feras l'affaire, en fin de compte.

— Ah bon ? Pourquoi ça ?

— Tu es paresseuse, gâtée, et tu n'accomplis aucun progrès.

— Et toi, t'es qu'un malade mental.

— Et toi une sale petite conne.

— Je t'emmerde, lâcha-t-elle. T'es qu'un pauvre taré, et moi je vais m'échapper et te fracasser la gueule !

Elle ferma la bouche lorsqu'il lui versa son verre d'eau.

Ça faisait longtemps que son geôlier n'était pas revenu.

CHAPITRE 19

Nous atteignîmes Hunter's Rock à 3 heures du matin, au terme d'un court saut d'avion et d'une longue route. Après notre atterrissage dans l'Oregon, nous avions franchi la frontière de l'État par l'autoroute, puis emprunté des axes dont je conservais un lointain souvenir – à vrai dire, j'avais davantage l'impression de marcher dans les pas d'un aventurier dont j'aurais lu les exploits que de fouler mon ancienne terre. Puis nous traversâmes des coins de plus en plus familiers, et le trajet se compliqua. L'itinéraire que j'avais choisi n'était pas très direct, et je pense que Bobby s'en est rendu compte. Mais il ne fit aucun commentaire.

Je coupai enfin le moteur devant un vieux motel que je ne reconnaissais pas, trente kilomètres avant la ville. J'avais été partisan de dormir dans la voiture, mais Bobby estimait, avec son indéfectible pragmatisme, que nous serions plus productifs après quelques heures de sommeil dans un lit. Nous gagnâmes le bâtiment et tambourinâmes à la porte de la réception. Au bout d'une longue attente, apparut un homme en tee-shirt et pantalon de pyjama, qui exprima sans détour son hostilité. Nous reconnûmes qu'il était très tard, mais maintenant qu'il était debout, autant qu'il rentabilise l'incident en nous louant une chambre double.

Il nous examina longuement.

– Vous êtes pas un couple de pervers ?

Nous lui rendîmes son regard, et il sembla considérer qu'il valait mieux louer à deux homos en puissance que de se faire passer à tabac par ces mêmes homos au beau milieu de la nuit. Il me remit une clé.

Bobby s'allongea sur l'un des lits et s'endormit sur-le-champ. Je voulus faire de même, mais le sommeil ne venait pas. Je finis par me relever et quittai la chambre. J'achetai un paquet de cigarettes au distributeur et sortis dans la vieille cour, où une clôture rouillée entourait les vestiges d'une piscine. J'installai une chaise délabrée à un bout et m'assis dans le noir. Il n'y avait aucune lumière, hormis le rose terni du signal CHAMBRES LIBRES au fronton de la loge, un embryon de lune et quelques reflets sur les murs lépreux. Je sortis le flingue que Bobby m'avait confié et l'examinai un instant. Il n'avait pas grand-chose à me raconter, alors je le rangeai dans mon blouson.

Je scrutai ensuite les ombres de la piscine, me demandant depuis quand elle était vide. Depuis un bon bout de temps, à en juger par son aspect : ses parois étaient fissurées, et les quinze centimètres de vase qui croupissaient au fond auraient pu présider à l'apparition de la vie. Cette piscine avait un jour abondé d'eau fraîche, et les parents y auraient envoyé leurs bambins de bon cœur, ravis d'un tel répit après un long voyage. La pancarte du motel, aussi délavée que délabrée, situait sa construction à la fin des années cinquante. Je pouvais me projeter dans ce temps-là, mais uniquement sous la forme d'images arrêtées : des instantanés d'une époque glorieuse aux couleurs légèrement passées, chaque scène singeant une réclame pour le genre de vie qu'on nous a toujours vendue comme inéluctable. Un jardin de douceur et de lumière, de barbecues et de viriles poignées de main, de dur labeur, de grand amour et de franc jeu. La vie telle qu'elle devrait être. Au lieu de quoi on tourne en rond, sans charisme ni direction ni script – et quand le cirque finit par s'arrêter, on se rend compte que de toute façon personne ne regardait. Nous avons tellement l'habitude de voir les événements présentés sous un angle particulier que, lorsqu'ils nous arrivent à nous et que notre vie ne colle pas au modèle fourni, nous ne savons trop comment réagir. Notre propre existence nous devient méconnaissable. Faut-il poursuivre tête baissée la quête du bonheur, quand tout paraît si imparfait, détraqué et grisâtre ? Comment sommes-nous censés nous réjouir, quand tout est tellement mieux à la télé ?

Je me doutais bien que Bobby disait vrai en affirmant que ma naissance n'était pas enregistrée à Hunter's Rock, mais je devais le vérifier par moi-même. Durant tout le temps où Chip Farling m'avait trimballé en voiture, mon enfance m'avait étreint d'une main glacée. Mes parents se seraient donc rendus ailleurs pour ma naissance – était-ce si important ? Peut-être étaient-ils partis en week-end, le dernier en amoureux avant l'élargissement de la famille, quand je m'étais déclaré ? Mais n'était-ce pas typiquement le genre d'anecdote que l'on raconte à son gamin, le genre d'anecdote qui rend chaque vie unique ? Je ne voyais qu'une seule explication : ils n'avaient pas révélé mon lieu de naissance afin de me cacher l'existence d'un jumeau. Quant à savoir pourquoi ils allaient se séparer de lui, je n'en avais toujours pas la moindre idée. Peut-être était-ce là l'origine du vide autour duquel j'avais inconsciemment bâti mon existence. Tout le monde ressent ce type d'absence par moments. Dans mon cas, c'était souvent. Peut-être venais-je enfin d'en découvrir la cause.

J'ignore depuis combien de temps durait ce bruit. Quelques secondes, je dirais. Je décelai comme un faible clapotement. Il semblait tout proche, si proche qu'il me fit pivoter sur mon siège. Mais il n'y avait rien derrière moi. En me retournant à nouveau, je constatai mon erreur d'appréciation : le son provenait du fin fond de la piscine. Il faisait trop sombre pour le vérifier, mais le bassin paraissait se remplir d'eau. Surpris, je me penchai en avant. Le niveau montait, lentement mais sûrement. La profondeur n'était plus de quinze centimètres, mais au moins du double. Alors seulement, je m'aperçus qu'il y avait deux personnes dans la piscine. À l'autre bout. L'une était un peu plus grande que l'autre, et je ne distinguai d'abord que deux ombres épaisses. Elles se tenaient par la main tout en luttant pour avancer, poussant dans l'eau visqueuse qui continuait de monter. Le clapotement s'intensifia, le bac s'emplit de plus en plus vite, et les silhouettes s'activèrent pour gagner la partie émergée, de mon côté.

À présent la lune révélait leurs traits, et je sus qu'il s'agissait de ma mère et de mon père. Leurs efforts eussent mieux payé s'ils s'étaient lâché la main, mais ils n'en firent rien. Même après que le niveau eut atteint leur taille, ils demeuraient unis sous l'eau. Je crois qu'ils m'avaient vu. Ils regardaient dans ma direction, en tout cas. Les lèvres de mon père remuaient, mais le son ne me parvenait pas. Leurs bras libres taillaient dans les flots, sans même éclabousser, et ils continuaient de s'enfoncer. Leur progression n'y changeait rien : la pente de la piscine ne réduisait pas la profondeur ; l'eau ne cessait de monter. Même quand elle eut dépassé leur menton, qu'elle se fut mise à déborder, à se répandre à mes pieds telle une flaque de mercure sombre. Le regard de ma mère fut stoïque jusqu'au bout – c'est mon père que je vis paniquer, pour la seule fois de ma vie, et c'est sa main qui disparut en dernier, alors qu'ils avaient presque atteint le bord. Ils continuaient de couler, mais essayaient de m'agripper.

Mes paupières s'ouvrirent d'un coup. C'était l'aurore, et Bobby était penché sur moi, à secouer la tête.

Je me redressai, hagard, et vis que mon paquet de cigarettes avait quitté mes genoux pour sombrer dans les quinze centimètres de vase du bassin. Bobby me fit un clin d'œil.

– Z'ont dû valdinguer dans ton sommeil.

En fin de matinée, c'était confirmé. Aucun Ward Hopkins, aucun Hopkins d'aucune sorte n'avait vu le jour à Hunter's Rock. J'avais été reçu par une chouette fille derrière un bureau, qui s'était proposé de regarder si elle trouvait autre chose. Je ne voyais pas quelle autre information aurait pu m'aider, et il apparut qu'elle non plus. Elle essayait juste de me rendre service, à la fois par compassion et par ennui. Je lui laissai mon numéro et la remerciai.

Bobby m'attendait sur le trottoir, suspendu au téléphone. Je scrutai bêtement la rue de haut en bas jusqu'à ce qu'il ait raccroché. Même si j'avais su que ce moment arriverait, je me sentais dépossédé. C'était comme de s'entendre dire qu'on n'est pas sorti du ventre de sa mère, en fait, mais qu'on a bien été déposé sous un buisson par une cigogne. Je m'étais fait opérer des amygdales dans ce petit hôpital, et recoudre un genou écorché à deux reprises. À chacune de ces visites j'avais cru revoir l'endroit où j'avais poussé mes premiers cris.

— Alors, mon ami, dit enfin Bobby, les valeureux hommes et femmes du commissariat de Dyersburg aimeraient drôlement savoir où tu te trouves. Il semblerait, tu seras heureux de l'apprendre, qu'ils soient juste inquiets à ton sujet. Pour l'instant, en tout cas.

— Et la maison ?

— Gros dégâts dans le salon et le couloir, l'escalier du bas est partiellement détruit. Mais ce n'est pas un tas de cendres.

— Et maintenant ?

— Montre-moi ton ancienne maison.

J'ouvris de grands yeux.

— Pourquoi ?

— Parce que tu es grand, beau et blond, mon bichon, et que je veux *tout* savoir de toi.

— Va te faire foutre, lui conseillai-je, illustrant mon propos d'un geste nonchalant. C'est une idée stupide, sans intérêt.

— Tu as mieux à proposer ? Cette ville n'a pas l'air délirante, question distractions.

Je pris donc la grand-rue. Je n'aurais su dire ce qui me paraissait le moins familier : les nouveaux ou les anciens trucs. Le plus frappant était la disparition du vieux Jane's Market, remplacé par un modeste Holiday Inn paré d'une de ces petites enseignes carrées à la mode. Je suis très nostalgique des grosses pancartes dodues d'antan. Sincèrement. Et je ne vois pas en quoi les rectangles seraient meilleurs.

À l'approche de notre destination, je ralentis l'allure, puis me rangeai le long du trottoir d'en face. Cela faisait dix ans que je n'avais pas vu cette maison, peut-être même plus. Elle correspondait à mon souvenir, malgré sa façade ravalée et la végétation transformée. Un break de marque asiatique était garé dans l'allée, et trois vélos rangés sur le côté.

Au bout d'une minute, je distinguai une silhouette derrière la fenêtre. Ce n'était qu'un banal pavillon de banlieue, mais il me faisait l'effet d'une maison de pain d'épice dans un conte de fées. Sa réalité était trop forte, trop imposante, comme surchargée de glutamate. Je tâchai de me rappeler la dernière fois que j'y avais pénétré. Pourquoi n'étais-je pas venu lui faire mes adieux avant qu'elle ne change de mains ? N'avais-je pas encore compris que rien n'est immuable ?

— Tu es prêt ?

Je vis que mes doigts tremblaient un peu. Je me tournai vers Bobby.

— Prêt à quoi ?

— À visiter.

— Jamais de la vie.

— Oh que si !

— Enfin, Bobby, t'es cinglé ou quoi ? Il y a des gens qui vivent là. Je vais quand même pas m'incruster.

— Bon, écoute-moi. Il y a deux ans, mon vieux est mort. Je m'en foutais un peu – on s'était jamais entendus. Ma mère a insisté pour que j'assiste à l'enterrement. Mais j'avais des choses à faire. Je me suis défilé. Puis, six mois plus tard, je me suis rendu compte que j'étais pas dans mon assiette. Rien de visible à l'œil nu. Disons que je me sentais stressé. Tout le temps. Je m'angoissais sans raison particulière. Des crises de panique, en quelque sorte. Comme si le sol se dérobait sans cesse devant mes pieds.

Je ne savais que dire. Bobby regardait droit devant lui, à travers le pare-brise.

— Pour finir, le boulot m'a conduit un jour tout près de la maison, alors j'ai fait un saut chez ma mère, à Rochford. On n'était pas non plus les meilleurs amis du monde, tu sais. Mais c'était quand même bon de la revoir. « Bon » n'est peut-être pas le terme exact. Utile, disons. Je l'ai trouvée changée. Tassée. En reprenant la route, j'ai fait un arrêt au cimetière, et je me suis planté devant la tombe de mon vieux. C'était un après-midi ensoleillé, il n'y avait personne dans les parages. Et là, son fantôme, oui, son fantôme est sorti de terre d'un seul coup et m'a dit : « Eh, Bobby, tu flippes ? »

Je le regardai. Il pouffa doucement.

– Non, je déconne. Je n'ai ni senti sa présence, ni éprouvé d'indulgence particulière pour l'homme qu'il avait été. Mais depuis, je suis moins anxieux. Il m'arrive de penser à la mort, je suis plus prudent, et je me fais peu à peu à l'idée de me poser d'ici quelques années. Mais le truc zarbi est parti. J'ai retrouvé la terre ferme. (Il se tourna vers moi.) Les soucis non réglés sont un poison, Ward. Tu penses te protéger, mais en vérité tu creuses tout un tas de petites fissures. Laisse-les s'ouvrir toutes à la fois, l'édifice tombera en miettes et tu te retrouveras comme un chien affamé qui erre dans les rues la nuit. Et crois-moi, mon ami, tu as un sacré paquet de fissures qui ne demandent qu'à péter.

J'ouvris la portière et m'extirpai de la voiture.

– S'ils me laissent entrer...

– Ils le feront, promit Bobby. Je t'attends ici.

Je me figeai. J'avais dû penser qu'il m'accompagnerait.

– C'est ta baraque, Ward. Si on va sonner ensemble, la maîtresse de maison se croira bonne pour une figuration dans *Profession légistes*.

Je remontai l'allée et frappai à la porte. Le porche était en ordre, pas un gramme de poussière.

Une femme apparut, tout sourire.

– Monsieur Hopkins ? dit-elle.

D'abord surpris, je pigeai. D'un même élan, je maudis et bénis le nom de Bobby. Il avait préparé le terrain avec un coup de fil, en se faisant passer pour moi, puis il avait déroulé son scénario. Je me demandais ce qu'il aurait fait si j'avais refusé.

– C'est exact, répondis-je, prenant le train en marche. Vous êtes sûre que je ne vous dérange pas ?

– Pas le moins du monde. (Elle s'écarta pour m'inviter à

entrer.) Vous avez eu de la chance de me joindre tout à l'heure. Hélas, je crains de devoir repartir bientôt.

– Bien sûr, dis-je. Quelques minutes me suffiront amplement.

La femme, une quadragénaire suffisamment jolie et gentille pour jouer la maman dans une série télé, me proposa du café. Je déclinai, mais le jus était déjà prêt et au final il était plus facile de dire oui. Pendant qu'elle l'apportait, je restai dans le hall, à scruter les lieux. Tout avait changé. Cette dame (je ne pouvais lui demander son nom, l'ayant théoriquement eue au téléphone) avait un goût prononcé pour le pochoir. C'était assez réussi, comparé à ce que j'avais connu, si on aimait le style Pottery Barn.

Nous fîmes le tour du propriétaire. La femme n'avait pas à justifier sa présence. Je trouvais assez inhabituel qu'on laisse entrer un inconnu sur la seule foi d'un coup de fil, et comprenais d'autant mieux qu'elle veuille garder un œil sur ses biens. Mais je parvins à émettre assez de commentaires sur l'ancienne disposition des lieux pour qu'elle baisse totalement sa garde et préfère vaquer à ses tâches domestiques. Je me promenai dans chaque pièce, puis à l'étage. Je jetai un rapide coup d'œil dans l'ex-chambre des parents et l'ex-chambre d'amis, qui avaient toujours été deux territoires plutôt étrangers. Puis je me préparai pour l'objectif ultime.

Quand la porte de mon ancienne chambre s'ouvrit, je déglutis malgré moi. Je fis quelques pas avant de m'immobiliser. Des murs verts, une moquette marron. Quelques cartons et de vieilles chaises, un ventilateur cassé et la majeure partie d'un vélo d'enfant.

Je m'aperçus que la femme se tenait derrière moi.

– Je n'ai pas touché à cette pièce, expliqua-t-elle. Ma fille a préféré l'autre chambre, qui offre une meilleure vue, bien que celle-ci soit un peu plus grande. On s'en sert comme d'un débarras. Bon, je vous laisse.

Je m'attardai quelques minutes dans la pièce, tournant sur moi-même pour l'apprécier sous différents angles. Elle mesurait dans les six mètres carrés, et paraissait à la fois minuscule et immense comme l'Afrique. L'espace où l'on grandit diffère de l'espace normal. On le connaît si intimement, on en a pratiqué chaque recoin assis, allongé, debout. C'est là qu'une foultitude de pensées nous viennent pour la première fois, et dès lors cet espace s'étire à l'image du temps qui nous sépare de Noël, à mesure qu'on y vit et qu'on attend de devenir grand.

— C'est ma chambre, murmurai-je à mi-voix.

La revoir en vidéo m'avait fait bizarre. Mais plus ici. L'endroit d'où je venais n'avait pas bougé. Toute ma vie n'était pas effacée. En ressortant je pris soin de fermer la porte, comme pour conserver un trésor.

En bas, mon hôtesse était appuyée à la table de la cuisine.

— Merci, lui dis-je. C'était très chic de votre part.

Elle balaya le compliment d'un chuchotis, et j'étudiai brièvement la cuisine. Les appareils avaient rajeuni, mais les placards étaient d'origine. Robustes, un bois de qualité, pourquoi les remplacer ? La belle ouvrage de mon père lui survivait.

C'est alors que me revint en mémoire ce tête-à-tête père-fils autour d'un plat de lasagnes. Un torchon suspendu à la poignée du four, une partie de billard infructueuse. J'ouvris la bouche mais ne dis rien.

Ressortir de cette maison fut une expérience insolite : quitter mon ancien monde pour celui où je vivais à présent. Je fus presque surpris, en repérant notre berline blanche de l'autre côté de la rue, de remarquer combien les bagnoles d'aujourd'hui ressemblaient à de grosses puces.

J'adressai un dernier signe à la femme et redescendis l'allée d'un pas léger. Le temps que j'atteigne la portière, la maison derrière moi s'était refermée, pour de bon.

Bobby m'attendait plongé dans le contrat de location du véhicule.

— Ces trucs sont d'un chiant ! gémit-il. Je te jure. Ils devraient embaucher des écrivains. Histoire de pimenter un peu.

— Tu es un homme vil, lui dis-je. Mais merci.

Il rangea les papiers dans la boîte à gants.

– Bon, j'imagine que nous en avons fini avec Hunter's Rock ?

– Je ne crois pas, non.

– À quoi tu penses ?

– Et si, en fait, ils avaient déjà su, au moment de notre naissance, qu'ils allaient prendre cette décision-là ? Qui sait, ils s'estimaient peut-être incapables d'élever deux gosses à la fois.

Bobby parut sceptique.

– D'accord, acquiesçai-je. Mais admettons qu'ils aient prévu à l'avance d'abandonner l'un de nous deux. Ils savaient aussi qu'ils allaient mourir un jour, et que je risquerais d'entreprendre ce que j'entreprends aujourd'hui. De revenir à la maison, de mettre mon nez dans leurs affaires. Et de découvrir auprès de l'hôpital l'existence d'un frère ou d'une sœur.

– Alors ils s'arrangent pour que tu naisses ailleurs : au pire, tu buteras sur un mystère mineur quant à ton lieu de naissance, mais tu n'auras jamais vent d'un jumeau abandonné.

– C'est bien ce que je me dis.

– Dans ce cas, comment expliques-tu que l'Agence n'ait pas tiqué lors de ton recrutement ?

– Je rendais de fiers services, à l'époque. À mon avis, ils ont expédié l'enquête de moralité pour gagner du temps, et après je faisais déjà partie de l'équipe, alors quelle importance ?

Bobby réfléchit.

– J'ai pas mieux, conclut-il. Mais ça reste étrange. Si tes parents se sont donné tout ce mal pour cacher cette histoire, pourquoi laisser traîner une cassette montrant leur geste ?

– Il sera peut-être arrivé quelque chose, suite à quoi ils auront changé d'avis et décidé que j'avais le droit de savoir.

Songeant que la femme pouvait nous épier depuis sa fenêtre, je démarrai et repris la route.

– Je me dis qu'on a peut-être cherché dans la mauvaise direction, Bobby. Il y a trois parties sur cette vidéo. La première montre un endroit que je pouvais trouver. Les Halls. La dernière m'apprend quelque chose que j'ignorais. Et celle du milieu se déroule dans deux lieux différents. D'abord la maison, que je viens de revoir, grâce à toi. Rien à signaler. Puis un bar, que je n'ai pas reconnu, où je n'ai jamais mis les pieds.

— Et donc ?

Nous étions arrivés à un croisement.

— Un peu de patience, dis-je avant de prendre à gauche.

Une direction qui nous mènerait, à supposer qu'il existe encore, vers un rade que j'avais fréquenté jadis.

CHAPITRE 20

Ça n'avait jamais été le genre d'endroit où l'on se rend à dessein, à moins que le hasard n'en eût fait votre repaire. Je lui prédisais deux destins possibles : rehaussé d'une salle à manger et d'une armée de serveuses enjouées toutes de rouge et blanc vêtues, ou bien rasé au profit de logements sociaux où les gens criaient fort la nuit. En fait, le progrès semblait avoir tout bonnement ignoré le Lazy Ed's, contrairement au pourrissement des ans, qui l'avait imprégné tel un dégât des eaux.

L'intérieur était vide, silencieux. Le bois du comptoir et les tabourets étaient toujours aussi éraflés. La table de billard était à sa place, tout comme l'essentiel de la poussière – peut-être même la mienne. On notait quelques ajouts de-ci de-là, signes d'un mieux évident. Le néon MILLER avait été évincé par Bud Lite, et le calendrier mural montrait de jeunes femmes plus proches de l'état naturel qu'à mon époque. Naturel, en tout cas, dans leur degré d'habillement, à défaut de la forme ou de la constitution de leurs seins. Quelque part, sûrement très bien cachée, se trouverait une plaque avertissant la femme enceinte des dangers de l'alcool – même si la présence de cette dernière semblait inconcevable ici, sauf cécité ou pure démence. Les femmes ont des exigences plus élevées. C'est d'ailleurs pour cette raison qu'elles ont une influence civilisatrice sur les jeunes hommes. Il faut trouver un endroit décent pour les faire boire.

Bobby s'accota au billard, tout en embrassant la salle du regard.

— Tout est comme avant ?

— Comme si je n'étais jamais parti.

Je remontai jusqu'au comptoir avec une certaine appréhension. Autrefois, il me suffisait de déclamer le nom d'Ed pour être servi. Mais vingt ans s'étaient écoulés, et recommencer aujourd'hui serait un peu comme de retourner à l'école en pensant que les profs vont nous reconnaître. La dernière chose qu'un individu ait envie d'apprendre, c'est qu'il n'a jamais été qu'« un des gamins ».

Un type émergea de l'arrière-salle, s'essuyant les mains sur un torchon qui ne pouvait que les salir davantage. Il nous salua d'un coup de menton cordial, mais avec un enthousiasme mesuré. Il avait mon âge, peut-être un peu plus. Obèse et déjà frappé de calvitie. J'adore voir mes contemporains perdre leurs cheveux. Ça me dope.

— Salut, dis-je. J'aurais voulu voir Ed.

— L'avez devant vous, répondit-il.

— Celui auquel je pense aurait à peu près trente ans de plus.

— Lazy, alors. L'est pas là.

— Me dites pas que vous êtes Ed junior.

Ed n'avait pas d'enfants. Ni même de femme.

— Jamais de la vie, se récria le type, comme choqué par cette idée. Juste une coïncidence. Je suis le nouveau proprio. Depuis qu'Ed a pris sa retraite.

Je m'efforçai de cacher ma déception.

— Sa retraite, répétai-je.

Je ne voulais pas paraître trop insistant.

— Ouais, ça fait bien deux ans. M'a évité de devoir changer la pancarte.

— Cette salle n'a pas bougé d'un poil, hasardai-je.

Le type secoua la tête d'un air las.

— Je suis au courant, merci. Quand Lazy me l'a vendue, il a posé une condition. L'a dit qu'il vendait une affaire, pas sa résidence secondaire. Et que ça devait rester tel quel jusqu'à sa mort.

— Et vous avez marché ?

— Je l'ai eue pour une misère. Et Lazy se fait très vieux.

— Comment sait-il si vous respectez l'accord ?

— Il continue de venir. Presque tous les jours. Si vous êtes pas trop pressé, z'avez toutes les chances de le voir arriver. (Il avait dû remarquer mon sourire, car il ajouta :) Je vous préviens quand même. Vous risquez de le trouver pas mal changé.

Je passai une première commande et retrouvai Bobby à sa table. Nous vidâmes nos chopes et jouâmes au billard pendant un bon moment. Ce fut Bobby qui gagna.

Nous enchaînâmes les bières et, quand j'en eus marre de perdre, Bobby s'entraîna tout seul pendant une heure. Tant de discipline aurait plu à mon père. Nous eûmes longtemps le bar pour nous seuls, puis quelques âmes arrivèrent au compte-gouttes. En fin d'après-midi Bobby et moi représentions encore un tiers de la clientèle. J'avais gentiment sondé Ed sur les horaires de Lazy, mais ceux-ci était apparemment des plus imprévisibles. Je songeai à demander son adresse, mais quelque chose me disait que ce type ne la cracherait pas, et que la question éveillerait ses soupçons. Le début de soirée connut un rush quand quatre clients débarquèrent d'un coup. Aucun d'eux n'était Ed.

Puis à 19 heures, il se produisit quelque chose.

Bobby et moi étions penchés sur le billard. Il me battait à présent avec moins de facilité. Quelqu'un avait sélectionné un vieux Springsteen dans le juke-box, et on aurait aussi bien pu se trouver vingt ans en arrière, à l'époque du gel dans les cheveux et des bras de chemise. J'avais suffisamment bu pour frôler la nostalgie des années quatre-vingt, ce qui n'est jamais bon signe.

Du coin de l'œil je vis s'ouvrir la porte du bar. Toujours penché sur la table, je guettai le visiteur. Je n'eus qu'un aperçu furtif. Un visage, très vieux. Qui me fixa droit dans les yeux. Puis le type tourna les talons.

J'alertai Bobby, mais il avait vu. Il traversa la pièce en trombe et enfonça la porte avant même que j'eusse lâché ma queue.

Le jour déclinait et une voiture s'ébranlait en catastrophe. Une vieille Ford déglinguée, qui souleva des gravillons tout en chassant du cul vers la sortie. Bobby poussait des jurons de première classe, et j'en compris vite la cause : un connard bloquait notre voiture avec son gros camion rouge. Bobby se retourna.

— Pourquoi il s'est enfui ? demanda-t-il.

— Aucune idée. Tu sais par où il est parti ?

— Non.

Il pivota et flanqua son pied dans le pick-up le plus proche.

— Démarre la caisse, dis-je.

Je regagnai le bar et fondis sur le comptoir.

— C'est à qui, le camion ?

Un type tout en jean leva la main.

— Vous dégagez votre bahut de merde ou on le vire du parking manu militari.

Il me considéra un instant, puis se leva et sortit. Je me tournai vers Ed.

— C'était lui, hein ? Le type qui s'est taillé.

— Faut croire qu'il avait pas trop envie de vous causer, finalement.

— Eh bien, c'est fort dommage, répliquai-je. Parce qu'il va le faire, de gré ou de force. Je dois lui parler du bon vieux temps. Ça me travaille tellement que je pourrais en chier. Alors, il habite où ?

— Ça, je vous le dirai pas.

— Joue pas au con avec moi, Ed.

Le type glissa la main sous le comptoir. Je dégainai mon flingue et le braquai sur lui.

— Joue pas à ça non plus. Ça vaut pas le coup.

Le jeune Ed releva les mains. Je sentais les regards des clients converger sur nous, et priai pour qu'aucun ne soit

d'humeur bagarreuse. Les mâles peuvent devenir très protec-
teurs vis-à-vis de ceux qui leur servent la bière. C'est un lien
fort.

– Vous seriez le genre de gars à tuer quelqu'un, vous ?
Je le dévisageai.

– Qu'est-ce que tu crois ?
Un instant de flottement, puis Ed soupira.

– J'aurais dû me douter que vous alliez faire des ennuis.

– Je veux juste discuter.

– Là-bas sur Long Acre, dit-il. La vieille caravane près du
ruisseau, de l'autre côté du petit bois.

Je plaquai quelques billets pour les consos et ressortis à
toutes jambes, manquant de renverser le type qui revenait
d'avoir déplacé son camion.

Bobby avait manœuvré la voiture, prêt à mettre les gaz.
Maintenant que je savais où nous allions, le chemin me paraissait assez familier. Long Acre est une route interminable qui
serpente de l'orée de la ville jusque dans les collines. Il n'y a
pas beaucoup d'habitations par là, et le ruisseau en question
se situait bien au-delà, de l'autre côté d'une épaisse futaie.

Nous y fûmes au bout d'une dizaine de minutes. Il faisait
très sombre, et Bobby roulait très vite. Pas de phares rouges
à l'horizon.

– Peut-être qu'il ne rentrait pas chez lui, suggéra Bobby.

– Il y sera contraint tôt ou tard. Ralentis un peu. Ce n'est
plus très loin. Et puis tu me fous les jetons à conduire si vite.

Peu après nous distinguâmes la surface moirée du ruisseau,
grise sous le ciel bleu-noir. Bobby freina d'un coup aussi violent qu'un choc frontal et bifurqua sur une piste à peine marquée. Tout au fond se dessinait une vieille caravane jouissant
d'une tranquillité parfaite. Pas de voiture en vue.

– Merde, pestai-je. Bon, range-toi dans un coin où on ne
puisse pas nous voir depuis la route.

Au bout d'une demi-heure je commençais à perdre patience.
Même en supposant que Lazy ait pris un autre chemin pour
éviter d'être suivi, il serait déjà arrivé. Bobby était d'accord
sur ce point, mais il en tirait une tout autre conclusion.

— Non, protestai-je. On se connaissait, lui et moi. Pas question de fouiller chez lui.

— Je te proposais pas d'y aller toi-même. Allez, Ward. Dès la seconde où ce type t'aperçoit, il prend ses jambes à son cou. T'avais raison : la séquence du bar était censée te rappeler quelqu'un, et ce vieux mec sait des choses.

— Il m'aura peut-être confondu avec quelqu'un d'autre.

— Tu es sans doute un peu plus épais qu'à l'époque, mais ce n'est pas comme si tu avais pris cinquante kilos ou changé de couleur de peau. Il savait que c'était toi. Et pour un type soi-disant croulant, il nous a semés drôlement vite.

J'hésitai, mais pas longtemps. J'en avais passé, des soirées en compagnie de Lazy Ed. Je n'étais alors qu'un client parmi d'autres, c'est certain, et plusieurs générations de buveurs mineurs avaient défilé après moi. J'avais seulement espéré un accueil plus amical.

Nous sortîmes de la voiture et marchâmes jusqu'à la porte de la caravane. Bobby crocheta la serrure, se glissa à l'intérieur, et au bout de quelques instants une lueur dansa à travers les vitres.

Je m'assis sur la marche et montai la garde. Mes parents avaient-ils prévu qu'on en arriverait là un jour ? Leur fils à moitié bourré forçant la caravane d'un vieillard... Mais cet acte n'avait rien de gratuit : c'était le souvenir de cette lointaine soirée avec mon père, et de la réaction d'Ed en tombant sur lui, qui m'avait conduit vers ce bar, puis ici. Malgré tout, j'avais l'impression, comme je surveillais le bout du chemin tout en écoutant Bobby s'affairer à l'intérieur, d'entendre à nouveau la voix de mon père : « Je me demande ce que tu es devenu. »

Bobby réapparut dix minutes plus tard avec quelque chose dans la main.

— Qu'est-ce que t'as trouvé ? demandai-je en me relevant, les jambes endolories.

— Je te montrerai au chaud. Tu dois te geler les miches.

De retour dans la voiture, j'allumai le plafonnier.

– Alors voilà, commença Bobby. Ton Lazy Ed traverse le crépuscule de sa vie à l'aide de boissons alcoolisées, et il en est au stade où il se cache les cadavres de bouteille à lui-même. Soit ça, soit il porte bien son surnom[1] et n'est même pas foutu de les jeter dehors. C'est une vraie porcherie là-dedans. Je n'ai pas pu tout regarder. Mais j'ai découvert ceci.

Il me tendit une photo, que j'inclinai à la lumière.

– Je l'ai dénichée dans une boîte glissée sous ce qui lui sert de lit. Le reste n'était qu'un ramassis de babioles.

Le cliché montrait un groupe de cinq adolescents, quatre garçons et une fille. La photo était sombre, et le photographe avait oublié de dire « cheese ». Seul l'un des sujets, debout en plein milieu, semblait conscient d'être immortalisé. Les autres étaient pris de trois quarts, la majeure partie du visage dans la pénombre. On ne pouvait dire où se déroulait la scène, mais les vêtements ainsi que la qualité de l'image plaidaient pour la fin des années cinquante, début soixante.

– C'est lui, dis-je. Le mec au centre.

J'avais un peu honte de piquer les souvenirs d'un autre, surtout quand ils ne me concernaient pas.

– Tu veux sûrement parler de Lazy Ed ?

– C'est ça. Mais ce truc date d'au moins cinquante ans. Il n'était pas si fringant quand je l'ai connu. Loin de là.

– OK, fit Bobby avant de montrer la femme sur la gauche. Et elle, c'est qui ?

Je me rapprochai un peu. Je ne distinguais qu'un demi-sourcil, des cheveux et l'essentiel d'une bouche. Un visage fin, jeune, plutôt joli. Je haussai les épaules.

– Va savoir. Personne que je connaisse.

– Vraiment ?

– Où veux-tu en venir, Bobby ?

– Il est possible que je me trompe, et je ne voudrais pas t'induire en erreur.

---

1. *Lazy* : fainéant. (*N.d.T.*)

J'examinai le cliché de plus belle. Étudiai avec soin les autres visages afin de me rafraîchir les yeux. Puis les reposai sur la femme. Elle ne m'évoquait toujours rien.

— Ce n'est pas ma mère, si c'est à ça que tu penses.

— Non, non. Cherche encore.

Je m'y employai, et sentis poindre une idée. Je la laissai venir. Elle mit quelques secondes avant de tomber comme une brique.

— Putain de merde...

— Ça y est ?

Je continuai de la dévisager, pensant être vite repris par le doute. Mais il n'en fut rien. Une fois qu'on l'avait vu, c'était indiscutable. Bien que son visage fût largement caché, tout était là dans son regard, et dans la courbure de l'arête nasale.

— C'est Mary, dis-je. Mary Richards. La voisine de mes parents. À Dyersburg.

Je rouvris la bouche pour ajouter quelque chose — je ne sais trop quoi — avant de la refermer comme un clapet, cloué par un nouveau flash.

Bobby ne remarqua rien.

— Mais que pouvait bien fabriquer ce bon vieux Ed dans le Montana ? Ou que faisait-elle ici ? demanda-t-il.

— Tu tiens vraiment à attendre son retour ?

— Sauf si tu as une meilleure idée.

— J'ai peut-être autre chose à te montrer. Sans compter que ça caille et que je doute qu'Ed rentre chez lui ce soir. On devrait retourner en ville.

Mes mains tremblaient, ma gorge était sèche.

— Ça me va.

Je quittai la voiture, gagnai la caravane et forçai la porte. Je griffonnai un mot au dos de la photo, m'excusant pour cette intrusion, et la plaçai en évidence au centre d'une table de bridge. J'ajoutai mon numéro de portable, puis ressortis en prenant soin de coincer la porte avec un magazine.

Bobby retourna vers le centre-ville les phares éteints, mais nous ne vîmes personne, et lorsque nous croisâmes le bar, la vieille Ford n'était pas sur le parking. Ni, songerais-je après coup, le camion rouge.

CHAPITRE 21

Nous prîmes deux chambres au Holiday Inn. Je me douchai puis soufflai un peu en attendant Bobby. Ma chambre était propre, fraîche et rassurante. J'avais un pichet de café sous la main, tout juste livré par une soubrette arborant un chouette uniforme blanc et un sourire de façade, celui que je préfère. Je suis né sans le gène jovial. Et j'aime autant que les gens ignorent mon nom.

Je regrettais de m'être séparé de la photo. J'aurais aimé la réexaminer, car je n'étais pas loin de croire à un effet de lumière trompeur. Le visage sans vie de Mary restait gravé dans ma mémoire. Son cadavre devait reposer dans un casier de la morgue à l'heure qu'il était, et personne ne comprendrait ce qui lui était arrivé. J'estimais qu'on avait le droit de le savoir, et notre fuite de Dyersburg me pesait encore sur la conscience. Je me disais qu'un coup de fil chez les flics de Dyersburg aurait pu les mettre sur la voie. Ils auraient voulu connaître mon identité, mais j'aurais pu inventer quelque chose. Je suis plutôt fort à ce jeu-là.

Je tendais le bras vers le téléphone quand Bobby frappa à ma porte. Je laissai l'appareil où il était et m'extirpai du fauteuil.

— Tout va bien ? demanda-t-il tout en refermant derrière lui.
— Quelles journées, Bobby !

239

J'ouvris mon ordinateur et le posai au milieu de la table. Je fis signe à Bobby de prendre l'autre siège, puis insérai le DVD-ROM dans la fente et chargeai la scène du bar extraite de la vidéo.

De la musique forte. Le chaos. La progression titubante du type qui filmait. La quinte de toux, puis le passage dans la salle où l'on jouait au billard. Un jeune couple debout, dos à la caméra, et un gros barbu et sa copine qui s'apprêtaient à jouer leur coup.

La caméra chancela plus avant, et la fille aux cheveux longs fixa l'objectif. Je fis pause sur le logiciel de lecture. En deux, trois coups de souris, je sauvegardai l'image, puis lançai Photoshop. De là, j'opérai un zoom sur le visage de la fille. Je prélevai un peu de fond et en appliquai sur le bas de la chevelure pour la raccourcir. Je clonai sa texture de peau et la repiquai sur le contour des joues, afin de les vieillir et les épaissir. Je prélevai un paquet de cheveux pour leur restituer le style que prisaient les vieilles dames en 2002. Je délimitai grossièrement la coiffure obtenue, l'injectai de gris acier, et pour finir brouillai légèrement les parties modifiées pour masquer la différence de grain, avant de lisser les angles saillants à l'aide d'un flou gaussien. J'opérai un zoom arrière jusqu'à réduire l'image de moitié par rapport à sa taille normale, et le trucage devint ainsi plus discret.

Il fallait faire abstraction du second plan tout morcelé, bien sûr, mais ce n'était pas difficile, vu la puissance du verdict. Je m'en doutais depuis la visite de la caravane d'Ed, mais la preuve à l'écran me suffoqua.

— OK, murmura Bobby. C'est encore elle. En compagnie de tes parents.

— Mais ils n'ont rencontré Mary qu'en arrivant dans le Montana...

— Et ils t'ont dit un truc du genre : « Elle, Mary. Complètement nouvelle dans notre vie. Jamais-jamais rencontrée auparavant. »

— On aurait juré qu'ils se connaissaient depuis quelques années seulement. (Je me sentais gagné par un insidieux vertige.) J'entends encore ma mère m'expliquer au téléphone qu'elle avait fait la connaissance de Mary, la voisine, qui leur avait apporté des cookies le jour de leur emménagement.

— Ils se connaissaient depuis plus de trente ans.

Pendant que je parlais, Bobby avait avancé le clip jusqu'à l'image de la fille qui ondoyait, assise en tailleur, dans le séjour de mes parents.

Je hochai la tête. La façon dont la lumière soulignait ses pommettes et son nez rendait tout bidouillage inutile. C'était Mary.

— Et ce brave Ed, alors ? Ce pourrait-être lui, le cameraman ?

— La seule fois que je l'ai vu dans la même pièce que mon père, on aurait dit de parfaits étrangers. (J'avais raconté la scène à Bobby sur le chemin vers le bar.) Mais il faut croire qu'ils se connaissaient. Ils se connaissaient tous, en fait. Réfléchissons. Pour une raison X, Mary déménage dans le Montana. Peu de temps après le tournage de ce film, si ça se trouve. Ça faisait sûrement un bail qu'elle vivait là-bas quand mes vieux l'ont rejointe. Entre-temps eux et Ed restent ici, mais se perdent de vue, et la seule fois où je les réunis par hasard, mon père et Ed font mine de ne pas se connaître.

Je me remémorai les fois où j'avais croisé Mary chez mes parents, mais elles ne faisaient que renforcer mon impression : s'ils s'étaient tous connus avant le Montana, ils s'étaient donné un mal fou pour le dissimuler. Mais pourquoi s'évertuer à me cacher cette vérité ? me demandai-je avant de juger la question égocentrique et stérile.

Une seule conclusion : mes parents n'avaient pas migré là-bas par hasard.

— Ils ont convergé vers le Montana car ils pensaient ou savaient qu'il allait se produire quelque chose, et voilà pourquoi ils faisaient semblant de ne pas se connaître d'avant.

— Tu extrapoles un peu, là.

— Tu crois ? Peut-être que Mary n'a pas été tuée juste parce qu'elle était dans le passage. Peut-être que l'individu qui s'est rendu chez mes parents avait deux cibles en tête et que Mary était l'une d'elles.

Bobby réfléchit.

— Et quand tu réapparais à Hunter's Rock, Ed détale comme un lapin.

— On aurait dû rester devant sa caravane.

Il secoua la tête.

— Il ne doit pas être pressé d'y retourner. Il aura appelé le gars du bar, et appris qu'on avait son adresse. Et puis tu m'as pas l'air bien frais pour te lancer dans une activité qui puisse impliquer de courser des gens. Tu lui as laissé ton numéro. S'il rentre chez lui, il saura comment te contacter. Demain on retourne au bar et on cuisine le proprio. Savoir si l'autre croulant a des associés ou d'autres repaires.

— Une aiguille dans une botte de foin, en somme.

— Mais l'aiguille est toujours là. Pour peu qu'elle ait été placée au hasard, ça pourrait être la première chose qu'on trouvera.

— Très profond, Bobby. Je crois que je vais la noter, celle-là.

— C'est bien. Pendant ce temps, je vais faire un tour sur la Toile. (Il posa les yeux sur le cellulaire couché sur la table.) Et si tu espères un coup de fil de Lazy, tu ferais peut-être mieux de rallumer ton machin.

Tandis qu'il reliait l'ordi à la ligne de la chambre, j'examinai l'écran de mon téléphone. Bien vu, Bobby. Au bout de quelques secondes, l'indicateur de messages s'illumina.

— Tu as reçu quelque chose ?

Je composai le numéro du service et tendis l'oreille. Une voix de femme.

— Ce n'est pas lui. C'est la fille qui m'a renseigné à l'hôpital. Elle avait dit qu'elle consulterait ses dossiers et me préviendrait si elle découvrait quoi que ce soit.

— C'est le cas ?

— J'en sais rien, dis-je en raccrochant. Elle me demande simplement de l'appeler demain.

— Regarde, Ward, t'as un mail.

Je me penchai par-dessus son épaule. Un bref message occupait l'écran :

GROSSES RENTRÉES DE $$$ GARANTIES !!!

Nous sommes une petite société offrant un service EN PLEIN ESSOR. Grâce à notre produit, vous pourrez transformer votre univers, en travaillant à votre rythme et en toute liberté. Heureux les purs quand ils verrons notre site Web !

Revenez vous procurer les informations qui pourraient changer nos vies à tous ! Commencez sans attendre – avec une entreprise qui se développe de jour en jour. Des centaines d'entre vous gagnent déjà des sommes qu'ils n'auraient jamais osé imaginer. Alors pourquoi pas vous ?

N'hésitez pas plus longtemps – cette offre prend fin à minuit.

— Tu cherches « mail foireux » dans le dico, commentai-je, et ils auront sûrement reproduit ce texte in extenso.

— Mais regarde, dit Bobby. Il n'y a aucun bon de commande. L'adresse de l'expéditeur a l'air bidon, ils font mention d'un site Web sans donner son URL, et ils te fixent un délai qui expire dans trois heures. Comment comptent-ils t'escroquer, à ce compte-là ? Et tu vois ces deux phrases ponctuées d'un point d'exclamation ? La première est drôlement tournée – genre citation biblique – et la seconde dit « revenez ». Mais revenir où ?

Je réfléchis un instant.

— Si je reçois ça, c'est parce que j'ai visité un site qui a enregistré mon adresse IP.

— Parfois, Ward, on jurerait que tu as presque toutes tes facultés mentales.

Il double-cliqua sur un signet du Bureau, et son navigateur téléchargea. Au bout de quelques secondes, la page s'afficha, qui comportait les trois mots : NOUS NOUS DRESSONS.

Mais cette fois-ci ils étaient soulignés, et quand Bobby y plaça son curseur, ce dernier se transforma en main pointeuse.

– C'est devenu un lien, dit-il.

Il cliqua dessus et une boîte de dialogue jaillit, réclamant un mot de passe.

– Et merde...

– Les Hommes de Paille, proposai-je.

Il essaya. Apparut une page blanche coiffée des mots ACCÈS NON AUTORISÉ. Bobby jura et cliqua sur l'icône « précédent ».

– Remontre-moi le mail, dis-je.

Il réduisit la fenêtre du navigateur pour ramener le message au premier plan.

Je le parcourus rapidement.

– Essaie *verrons*, tel que c'est écrit dans la phrase avec « heureux les purs ».

– Pourquoi ?

– C'est la seule faute d'orthographe du texte, et elle se trouve dans la phrase qui parle du site.

Il cliqua et entra le mot. Accès refusé.

– On va bientôt se faire éjecter, grommela Bobby en revenant de nouveau sur ses pas.

– Essaie avec la bonne orthographe.

Il cliqua et tapa *verront*. Il y eut une pause. Puis une autre page emplit l'écran. Noire, avec en plein milieu le mot « BIENVENUE » écrit en lettres blanches.

– Très bien, dit Bobby, très concentré.

Il plaça le curseur sur BIENVENUE et obtint une nouvelle main. Je me rapprochai encore un peu, et il cliqua.

Un temps d'arrêt, et l'écran devint vert mousse, rempli de texte blanc.

LE MANIFESTE HUMAIN

[image : paillelogo.jpg]

VOICI LA VÉRITÉ

Certains réfutent la Théorie de l'Évolution. Ils ont tort. Si l'on nous a répété si longtemps que l'Évolution était un tissu de mensonges, c'est pour NOUS EMPÊCHER de voir la vraie vérité. Mais maintenant que nous l'avons Vue, elle ne peut plus être confisquée pas les Politiciens et autres MENTEURS.

Vous croyez connaître la Vérité mais c'est faux : vous ne connaissez que des MENSONGES.

L'HISTOIRE DE L'HUMANITÉ

Au temps jadis nous étions tous des singes. Puis un beau jour, voilà 5 Millions d'années, une nouvelle branche s'est séparée pour créer trois nouveaux types de singes : les gorilles, les chimpanzés et les « hominidés » – qui allaient devenir nous. Quiconque a vu un documentaire montrant combien les chimpanzés sont intelligents croira facilement en cette VÉRITÉ. 2,5 Millions d'années plus tard sont apparues les premières créatures formant la véritable Humanité. On se réfère parfois à elles sous le nom d'Habilis, bien que les noms concernant cette période soient controversés : nous vivons une phase sombre de notre Évolution, et les chercheurs emploient des MOTS LONGS lorsqu'ils en savent moins qu'ils voudraient nous le faire CROIRE.

Il y a environ 1 Million d'années, nous avons vu arriver un nouveau type d'hommes, baptisé Erectus, ainsi nommé car il se tenait Debout. C'est cette faculté qui nous distingue du singe, et de tout autre animal. Cette lignée déboucha pour partie sur l'Homme de Neandertal, qui régna pendant une longue période. Au cours des centaines de milliers d'années qui suivirent, cette espèce devint meilleure marcheuse, perfectionna ses outils, et apprivoisa le FEU. L'ÉVOLUTION se poursuivit alors en Afrique, aboutissant à l'Homo Sapiens. La taille de notre cerveau a grandi, ainsi donc que notre intelligence, qui est unique. L'Homo Sapiens a ainsi supplanté les Néandertaliens.

Au cours de ces différentes périodes, l'humanité et ses précurseurs étaient des CHASSEURS-CUEILLEURS. Nous vivions en petits groupes unis par des liens de Parenté et de Coopération. Nous nous nourrissions du gibier que nous CHASSIONS ainsi que des baies et racines que nous GLA-NIONS, puis nous nous remettions en route.

CE QUE TU SÈMES REGRETTERAS

Il y a environ quinze mille ans, tout se mit à changer. Cela peut paraître lointain, mais pas quand on raisonne en termes de Millions d'années. Nous avons alors abandonné la chasse et la cueillette, qui nous étaient pourtant naturelles. Pourquoi ?

D'aucuns ont attribué cela à l'accroissement de la population, qui aurait entraîné une réduction des ressources et de la mobilité. Ou au facteur climatique, car l'Âge de Glace était révolu, et à diverses autres choses. J'ai lu toutes les explications soi-disant scientifiques, et il s'avère que personne ne détient la réponse. Il fut un temps où des millions de bisons peuplaient les plaines d'Amérique. Ils ne dépérissaient pas pour autant. Ils devaient migrer pour trouver de nouvelles sources de nourriture, mais telle est la Voie Naturelle. Les Humains, qui ont la faculté de se tenir Debout, sont CONÇUS pour marcher sur de longues distances. Alors pourquoi avons-nous soudain cessé de nous déplacer – après avoir passé des millions d'années à évoluer dans un autre sens ?

La raison est que NOUS AVONS INVENTÉ L'AGRICUL-
TURE. En conséquence, les gens se sont peu à peu établis
dans des endroits fixes, et ont agrandi leurs groupes jusqu'à
inclure des centaines puis des milliers de personnes. Une fois
ce processus enclenché, il ne pouvait être arrêté. L'Agricul-
ture procure davantage de nourriture, mais cette méthode est
MOINS EFFICACE pour alimenter des groupes restreints.
Elle ne fonctionne qu'au sein de grosses communautés.
L'Agriculture entraîna en outre une augmentation des nais-
sances, ce qui accéléra l'élargissement des groupes. Une fois
en présence d'une forte population, vous ne pouvez changer
d'avis et revenir au glanage. Vous êtes Piégés.

De ces bouleversements naquirent les villages et les villes,
qui accentuèrent encore l'accroissement démographique. Cela
entraîna des INÉGALITÉS, puis l'apparition de DIRIGEANTS
et de la RELIGION. Ce fut aussi la naissance de la MORALE.
Si vous vous installez dans un endroit pour un certain temps,
vous croiserez demain les mêmes gens qu'hier. Cela signifie
que vous devrez vous comporter d'une certaine façon vis-à-vis
d'eux, sans quoi ils vous TUERONT. De là, les gens en ont
déduit qu'ils DEVAIENT adopter certaines attitudes – même
face à des inconnus. Et pour la première fois nous avons
assisté à une tendance humaine peu sympathique mais très
prononcée, une chose qui nous différencie de toute autre
espèce vivante : ALTÉRER LA TERRE. Jusqu'alors, nous
avions vécu comme des éléments de la nature : depuis l'avè-
nement de l'agriculture nous VIOLONS la terre en la soumet-
tant à nos propres fins.

Et pourtant les peuples agricoles étaient en MOINS BONNE
SANTÉ que les glaneurs. À effort égal, la culture offrait un
rendement plus faible. Les chasseurs-cueilleurs avaient
davantage de LOISIRS et TRAVAILLAIENT MOINS que les
agriculteurs. Ils avaient un régime alimentaire plus équilibré
que les cultivateurs, qui privilégiaient les racines ou les
céréales. Les agriculteurs étaient plus exposés aux infections

et aux épidémies – à cause de la promiscuité. Les gens vivaient moins vieux, et tombaient plus souvent MALADES.

ALORS POURQUOI CE MODE DE VIE A-T-IL DÉFERLÉ SUR LE MONDE, EN À PEINE QUELQUES MILLIERS D'ANNÉES ? Pourquoi, à travers la quasi-totalité de la planète, notre Espèce tout entière a-t-elle changé de mode de vie après des Millions d'années – surtout si dans un premier temps ce fut pour vivre MOINS BIEN ?

LE GÉNOME INHUMAIN

Les virus sont minuscules, mais lorsqu'ils sont en vous ils s'emparent de votre organisme pour le plier aux volontés de la Maladie. De nombreux virus vous rendent malade, tels que les rhumes. D'autres vous tuent, comme le SIDA. Mais les virus les plus malins ne font ni l'un ni l'autre – car ils cherchent en vous un HABITAT.

Il y 20 000 ans NOUS AVONS ÉTÉ INFECTÉS. L'Homo Sapiens a importé le virus d'Afrique, ce qui explique l'extinction des Néandertaliens. Ces derniers savaient mieux s'adapter aux conditions difficiles, comme à l'Âge de Glace – et pourtant, en quelques milliers d'années à peine, ils ont disparu.

Ce Virus nous a poussés à vivre en groupes et dans les villes pour qu'il lui soit plus facile de se RÉPANDRE PARMI NOUS. Nous n'avons pas suivi cette voie parce qu'elle était meilleure. Nous l'avons suivie parce que nous étions pris au piège. Lorsque le Virus nous a capturés et fait de nous sa maison, notre nature s'était modifiée et nous ne pouvions pas revenir en arrière.

Désormais le Virus fait tellement partie de nous-mêmes que les gens de l'Establishment Scientifique ne le décèleront jamais, aussi malins se croient-ils.

Voilà pourquoi la patrie est une notion primordiale pour tant de personnes, y compris les JUIFS : si nous migrons, le Virus va croire que nous retournons à notre vrai mode de vie, et nous causer des ennuis.

Voilà pourquoi nous n'avons que faire des habitants d'autres pays : ils ne sont rien à nos yeux.

Voilà pourquoi les Terroristes et les Meurtriers tuent d'innocents Américains : nous ne sommes rien à leurs yeux.

Voilà pourquoi nos villes sont pleines de Violence : nous sommes obligés de vivre dans la crasse des autres, pareils à des rats dans des boîtes, ce qui constitue pour nous une pure infamie.

Voilà pourquoi des événements tels que l'holocauste Nazi, la Bosnie et le Rwanda surviennent : les autres tribus sont nos ennemies, et si on nous rapproche trop nous allons nous battre.

Voilà pourquoi nos dirigeants sont des Menteurs et des Idiots. L'État signifie la privation de notre LIBERTÉ, au nom des prétendus droits d'individus que nous ne connaissons même pas.

Voilà pourquoi les gens Assassinent et Tuent : parce que la seule chose qui puisse nous retenir est la Morale, qui fut inventée par le Virus.

Ils veulent sans cesse nous faire croire que nous sommes les mêmes, et racontent que le même sang coule dans nos veines, mais même ça c'est faux : il existe différents groupes sanguins – à cause de la génétique.

Même à un niveau si basique nous sommes incompatibles entre nous. Jusque dans notre sang nous sommes différents.

QUE POUVONS-NOUS FAIRE ?

Nous devons passer à l'action dans les villes, au milieu de vous autres, les Noirs. Peut-être qu'on ne vous aime pas beaucoup – parce que nous ne sommes pas du même type, et que nous cohabitons par la seule faute du Virus – mais vous aussi êtes des Victimes. Vous avez été arrachés à votre Foyer naturel et parqués dans des lieux sans espoir pour votre Espèce. Vous devez être les premiers à vous dresser. Le monde suivra.

Nous ne sommes pas censés vivre dans de grands groupes. Nous ne sommes pas conçus pour nous soucier de gens que nous ne connaissons pas. Nous sommes faits pour être libres, et non agglutinés dans de grandes villes sous la coupe de personnes qui se moquent bien de nous et ne s'intéressent qu'à l'ARGENT. La seule façon d'empêcher cette chose de nous détruire est d'en TUER les porteurs. Les Politiciens ne seront d'aucune aide, car ils se nourrissent de cet environnement Maléfique. À l'image du virus, sans la « civilisation », ils n'ont plus d'habitat. Le choix nous appartient.

Ceux qui Tuent seront Libres.
Ceux qui ne Tuent pas sont Infectés.

Assainissez la planète.

Tuez le virus.

Les Armes vous rendront forts.

Je parvins au bout du texte quelques secondes avant Bobby.
– Sauvegarde-le, dis-je. Ce ne sera plus là demain.
Quand Bobby se fut exécuté, je remontai tout en haut de la page et la relus attentivement. On aurait dit la synthèse de centaines de délires, de tous ces tracts diffusés à la sauvette, que l'on parcourt pour tuer l'ennui sur le chemin de la maison ; de ces complaintes marmonnées la nuit dans la pénombre d'un bar, la voix alourdie par l'alcool, l'ignorance et la hargne. Mais il y avait là quelque chose de différent. Je me renversai sur mon siège et tâchai de mettre le doigt dessus.
– Reconnaissons-lui un mérite, dit Bobby après sa seconde lecture. Il a pris la peine d'aller en bibliothèque pour consulter

quelques bouquins. Mais ça n'en reste pas moins un truc de cinglé. J'imagine que tu es d'accord ?

– Oui et non. Des mots comme « supplanté » cadrent mal. Ou « infamie ».

– Ce ne sont pas deux mots un peu savants qui en font l'œuvre d'un génie. Il les a peut-être pompés dans un livre.

– Chaque virgule est à sa place, Bobby. Il y a des tas de zozos là-dehors qui prendraient ce truc pour parole d'Évangile. Ceux des milices paramilitaires, pour commencer. M'étonnerait pas qu'ils soient derrière tout ça.

Cela fit rire Bobby.

– J'en doute fort. Tu connais ces types comme moi. Des vétérans grisonnants et de pauvres gosses qui ont maté tellement de vidéos sur le Vietnam qu'ils finissent pas croire qu'ils y étaient aussi. Ils montent un camp dans les bois, où ils astiquent leur matos et se disputent les femmes.

– Ce ne sont pas tous des hommes de Cro-Magnon. Ni des crétins.

– Bien sûr que non. Mais on parle de mecs qui dévorent *Soldat de fortune* d'un bout à l'autre et achètent des manuels où l'on trouve la recette du napalm et des conseils pour installer des pièges dans ton jardin. Des gens qui ont rempli leur baignoire de boîtes de conserve en vue du prochain millénaire – et ont été super déçus de voir qu'il ne se passait rien, que la civilisation poursuivait son petit bonhomme de chemin. Ils enfilent un treillis et te rabâchent que le monde part en couille et que c'est la faute aux Juifs et aux Latinos, sans parler de Washington et de Saddam Hussein. Tu ferais mieux de t'inquiéter pour les Noirs des bas-quartiers, comme dit l'autre. Les mecs des gangs sont *très* remontés, et tous n'attendent pas de se prendre une gifle pour dessouder un mec.

– C'est la même chose, Bobby : des gens qui ne se sont jamais sentis intégrés dans une communauté, sauf celle où tout le monde se connaît par son prénom.

– Tu vas me faire pleurer, Ward.

– C'est ça, fous-toi de ma gueule. Tu mets toute ta confiance dans ton pays et tu l'aimes de tout ton cœur, comme on te le demande, puis tu découvres que ce n'était qu'une ruse pour que tu la boucles, et que le vrai message c'est : « Tout le monde peut tout avoir, sauf vous, les gars. On vous comptait pas dans le lot. » Sans blague, comment tu réagirais, toi ?

– OK, OK. Admettons qu'ils soient animés de sentiments authentiques, que leur QI soit à peu près dans la moyenne de la Chambre des représentants et qu'ils n'aient pas toujours dit que des conneries, à la rigueur. Mais ce que tu ne me feras jamais avaler, Ward, c'est qu'ils puissent être structurés. La plupart de ces bandes ont un mal de chien à maintenir trente mecs sur la même ligne. Alors tu les imagines discuter stratégie et objectifs avec d'autres groupes plantés à des centaines ou des milliers de kilomètres de là ? Pas dans ce monde-ci, Ward.

– Avant l'Internet, nuançai-je.

– On trouve des trucs sur la Toile, c'est vrai. Assez de vomi psychotique, en tout cas, pour occuper tous les thérapeutes du pays. Des antis de tout poil, des apocalyptiques, les Illuminati qui brûlent des effigies de chouettes à Bohemia Grove – et la face visible de Mars est une base de missiles de contrôle social, et les ogives sont braquées directement *sur toi*. Mais moi qui passe mes journées à parcourir cette daube, je te garantis un truc : aucune organisation mondiale n'est dirigée par ces mecs-là. Ils détestent tous ceux qui ne sont pas comme eux. Mets-les ensemble dans une pièce et ils se feront tous exploser.

– Tu ne peux pas surveiller chaque page de chaque site, rétorquai-je. Il pourrait exister tout un Web alternatif, qui utiliserait les mêmes bécanes, les mêmes lignes téléphoniques et les mêmes disques durs, mais grouillerait de tueurs, de barbarie et de projets sordides – et tant que tu ne sauras pas où chercher, tu ne trouveras même pas le sommaire. (Bobby leva les yeux au ciel, et je pris la mouche.) Écoute-moi, putain. *On est faits comme ça.* Tu ne l'as toujours pas compris ? Les scientifiques ont créé la Toile sur leur temps libre afin d'échanger des données et de passer titulaires à *Star Trek*. Et voilà que du jour au lendemain tu ne peux plus te connecter sans qu'on te bombarde de pubs, et le moindre cordonnier possède son propre site. Même avant ça, c'était la pornographie à tous les étages et des hommes et femmes prostrés dans des pièces sombres qui s'écrivent combien ils aiment se déguiser en Shirley Temple et se faire fouetter jusqu'au sang. Voilà ce que le Net va devenir : un moyen de se terrer dans l'anonymat pour cesser de jouer à monsieur et madame Voisins Modèles, et être vraiment soi ; pour cesser de prétendre se soucier d'un village global de mes deux, alors que nos listes de vœux font la taille d'une minuscule tribu préhistorique et qu'on a envie d'en oublier la moitié.

– C'est touchant, autant d'estime pour ses contemporains. Tu m'as l'air fin prêt à rejoindre la cause. (Il se frotta le visage.) Écoute, Ward, ce n'est peut-être que le trip d'un mec isolé.

– Arrête ton char. On est arrivés ici à partir d'un signet sur l'ordi d'un homme qui a tourné une vidéo où il évoque des « Hommes de Paille ». Un homme et sa femme viennent de mourir, ainsi qu'une voisine qu'ils connaissaient depuis des lustres. Une menace lancée à ceux qui habitent sur le lieu du film a entraîné le plastiquage d'une maison et d'un hôtel. Sans déconner, même l'architecture des Halls colle avec tout ça. Ils bâtissent des grottes à plusieurs millions de dollars pour des chasseurs-cueilleurs !

– OK, dit Bobby en levant les mains. J'entends bien ce que tu me dis. On fait quoi, maintenant ?

– Bon, on vient de découvrir ça. La suite ? Il n'y a ni liens, ni mail, rien du tout. À quoi peut bien servir ce truc s'il ne mène nulle part ?

Bobby inclina le portable vers lui et pressa une combinaison de touches. Apparut alors à l'écran le HTML de la page, ce langage multi-plateforme caché qui permet d'afficher un contenu quel que soit le système d'exploitation de la bécane. Bobby examina lentement la succession de lignes.

Puis s'arrêta.

– Attends un peu...

Il re-bascula sur l'affichage normal, qu'il fit défiler jusqu'à la toute fin du document.

– OK, fit-il en hochant la tête. C'est pas grand-chose, mais c'est un début. (Il indiqua l'écran.) Tu ne vois rien ici ? En dessous du texte ?

– Non. Pourquoi ?

– Parce qu'il y a bien un truc. Quelques mots écrits exprès de la même couleur que le fond. On ne remarque leur présence qu'en regardant le code ou en imprimant le document.

– Si on est réceptif à ce baratin, en somme. Et quels sont ces mots ?

Il repassa en mode HTML, puis sélectionna un bref segment tout en bas. Au milieu du charabia on pouvait lire :

‹font colour="#339966"›L'Homme Debout‹/font›

– L'Homme Debout, articulai-je. Qu'est-ce que c'est que ce blaze ?

TROISIÈME PARTIE

Nous avons l'histoire sur les talons.
Elle nous suit comme notre ombre, comme la
mort.

Marc Augé
Non-lieux : introduction à une anthropologie
de la surmodernité

CHAPITRE 22

Quand l'avait-elle entendu pour la première fois ? Sarah ne le savait plus. Peut-être un ou deux jours plus tôt. Il s'approchait lentement, attendait le bon moment. Elle croyait savoir qu'il était venu la nuit précédente, avant de s'éclipser en devinant qu'elle flairait son approche. Elle s'était demandé s'il ne passait pas aussi dans la journée, parfois, mais dans ces heures-là elle avait l'esprit plus alerte et parvenait à se convaincre qu'elle se faisait des idées. Puis, par une fin d'après-midi, elle l'entendit juste au-dessus de sa tête et se dit que, s'il passait désormais en journée, la situation devenait critique.

Le psychopathe lui avait rendu visite une heure ou deux avant que ça ne se produise. Il lui avait parlé sans relâche. Parlé, parlé, parlé. De cueillette. D'un fléau. Puis d'un coin d'Italie baptisé Castenedolo, un nom qui sonnait comme une destination de vacances, où l'on boirait des cocktails raffinés, où l'on pourrait peut-être même *manger*, des spaghettis, du salami, un steak, du calmar ou de la soupe, mais à l'évidence il ne s'agissait pas de ça. C'était juste un endroit où l'on avait découvert les restes d'un type, et le fait qu'il se trouve là prouvait qu'il était fait de Plasticine ou de Pliocène, et qu'il avait au moins deux millions d'années et qu'est-ce qu'elle pensait de ça, hein ?

Franchement, Sarah n'en pensait pas grand-chose. Elle faisait de son mieux pour suivre ce qu'on lui racontait, mais depuis la veille elle avait la nausée les trois quarts du temps. Elle avait renoncé à quémander de la nourriture : elle n'était même plus affamée. Elle émettait de petits bruits, des borborygmes, lorsque le type se taisait comme s'il attendait une réponse. Dans l'ensemble elle jugeait ses méthodes d'enseignement assez efficaces, et ses profs de collège auraient gagné à s'en inspirer. La moitié de ses camarades n'apprenaient rien de la journée et voyaient l'école à mi-chemin entre une amicale de quartier et un podium de défilé. Les séquestrer sous un plancher pour les inonder de paroles redresserait peut-être leurs priorités, songea Sarah. Les listes de vocab' espagnol rentreraient toutes seules, qui sait ? Elle soumettrait peut-être l'idée à maman en vue de la prochaine A.G. de parents d'élèves. Mais attention : il fallait quand même avaler quelque chose de temps en temps, sans quoi l'élève ne pouvait rester concentré.

Patient, le type la laissa surmonter une interminable quinte de toux, avant de reprendre son verbiage. Le sujet était Stonehenge, à présent, et Sarah écouta un moment, car Stonehenge était en Angleterre, et même si elle n'avait pas visité ce coin-là elle savait qu'elle aimait ce pays. L'Angleterre était cool et possédait de bons groupes. Mais quand il s'embarqua dans un laïus comme quoi Stonehenge n'était pas tant un observatoire qu'une carte de l'ADN humain, elle décrocha.

À la fin il lui donna un peu d'eau. La période où elle disait non avait fait long feu. Quand bien même elle eût voulu camper dans son refus, son corps aurait passé outre. La troisième fois sa bouche s'était ouverte sans même l'intervention du cerveau. L'eau avait un goût propre, pur et délicieux. Elle se souvenait d'un temps où ce goût lui avait semblé nouveau. Cela paraissait une éternité.

– Voilà une gentille fille, avait dit l'homme. Tu vois, tu n'es pas maltraitée ici. J'aurais pu te pisser dessus et il aurait quand même fallu que tu boives. Écoute ton corps. Écoute ce qu'il y a à l'intérieur.

– Il n'y a rien à l'intérieur, grinça-t-elle, avant de le supplier une dernière fois : je t'en prie, n'importe quoi. Même des légumes crus. Des carottes, du chou ou des câpres.

– Tu persistes, hein ?

– Je t'en prie, répéta-t-elle, sentant que ses tempes s'atomisaient. Je me sens pas bien et tu dois me nourrir, sinon je vais mourir.

– Tu as de la suite dans les idées, toi. C'est la seule chose qui me fasse encore espérer.

Il n'avait pas explicitement refusé sa demande, mais embrayé sur le végétarisme, pour expliquer que cette pratique était une hérésie car les humains ont une denture d'omnivores, et que le refus de la viande était dû au fait que les gens écoutaient trop leur esprit, qui était infecté, et pas assez leur corps. Sarah le laissa disserter à sa guise. Elle-même n'était pas trop copine avec les végétariens, notamment parce que ceux qu'elle connaissait se donnaient toujours de grands airs, comme cette Yasmin Di Planu qui s'épanchait sur les droits des animaux à longueur de temps mais possédait la plus belle collection de chaussures du bahut, pour la plupart élaborées à partir de choses qui avaient jadis pu se mouvoir de leur propre chef avant d'être attachées à ses jolis petits pieds.

Après l'avoir laissée boire, il referma la trappe et s'en alla. Sarah était restée deux heures durant dans un état de parfaite lucidité, ce qui rendit la suite encore plus effrayante. Elle savait qu'elle était restée lucide car elle avait songé à la fuite. Non à s'échapper vraiment – elle avait cessé d'y croire, même si cela avait occupé la majeure partie de ses cogitations au début. Elle s'était d'abord imaginée trouvant la force de crever d'un coup le plancher au-dessus d'elle, comme une personne rongée de haine d'avoir été inhumée trop tôt. Puis elle avait envisagé de parler au type, de l'amadouer – elle avait du charme et le savait : à l'école, il y avait des garçons qui buvaient ses paroles, sans parler du serveur du Broadway Deli qui n'avait cessé de revenir à leur table sans raison, et pour une fois ce soir-là ce n'était pas de Sian Williams qu'un être à pénis tentait d'attirer l'attention. Enfin, elle avait caressé l'idée de débattre avec le type de façon rationnelle, ou tout bonnement de lui ordonner de la relâcher. Chacune de ces options avait lamentablement échoué. Pour finir, Sarah s'était mise à rêver que son père venait à sa rescousse. De temps en temps, elle se prêtait encore à cette pensée, mais moins souvent.

Et puis elle avait entendu du bruit dans la salle. Elle l'avait d'abord attribué au type, avant de comprendre que c'était impossible : il y avait bien trop de pieds. Ces pieds avaient arpenté la pièce de long en large, sillonné le plancher juste au-dessus de son front. Puis avaient stoppé pile au-dessus de la trappe. S'étaient alors répandus des bruits semblables à des rires, tantôt aigus, tantôt profonds ou retenus. La chose avait remué d'avant en arrière pendant un certain temps, émettant des sons désagréables, des grognements et une espèce d'aboiement bizarre ; des parties de sa carcasse s'étaient posées, tandis que d'autres glissaient en crissant. Un gémissement, enfin, qui ne semblait pas l'œuvre d'une seule gorge mais de plusieurs à la fois, comme si la créature était dotée de plusieurs bouches.

Un long silence, puis la chose était repartie.

Sarah reposait avec les yeux grands ouverts. La situation prenait à l'évidence une mauvaise tournure. Très mauvaise. Il ne s'agissait pas du type, ou alors il avait muté. La créature qu'elle avait entendue incarnait ses pires angoisses, et voilà qu'elle se pointait en plein jour, sans attendre le bon moment.

Pas de doute possible. Ce ne pouvait être que Touche Dubois lui-même.

CHAPITRE 23

Nina quitta la maison de bonne heure, en laissant un mot disant qu'elle appellerait. Zandt passa la matinée à faire les cent pas dans le patio. Chaque matin, les chances de retrouver Sarah Becker saine et sauve s'amenuisaient. Mais savoir cela n'était d'aucun secours.

Il reconsidéra la théorie qu'il avait soumise à Nina, sans parvenir à lui trouver de faille. Elle reposait avant tout sur des spéculations, il en était conscient, et il s'y accrochait pour des raisons toutes personnelles. Si le type qu'il avait tué était bien l'auteur des enlèvements, s'il avait kidnappé les filles pour les remettre à un tiers tout en sachant qu'elles allaient mourir, Zandt entrevoyait la possibilité d'accepter son propre geste. Ces deux années de solitude lui avaient appris une chose essentielle : quand tu es en paix avec toi-même, le jugement des autres ne t'atteint plus. L'Homme Debout pensait sans doute la même chose, mais cela n'en était pas moins vrai.

Une bonne dose de café et la vue imprenable du patio triomphèrent petit à petit de sa gueule de bois, qui se mua en un mal-être général qu'il était capable d'ignorer. Les douleurs cervicales et lombaires consécutives à sa nuit sur le divan s'étaient elles aussi dissipées. La mer avait ce pouvoir, même à cette distance.

À la mi-journée, il avait ratissé la maison en quête de nourriture. Rien dans le frigo. Rien dans les placards ni au congélo. De mémoire, Zandt ne connaissait aucune femme n'ayant pas même un paquet de biscuits chez elle, ou des tranches de pain au freezer, prêtes à griller. Il avait l'impression que la plupart des nanas se nourriraient exclusivement de toasts si elles en avaient la possibilité. Dans son infortune, il se retrouva à errer dans le salon, où il examina le contenu des étagères. Des ouvrages sur les crimes en série, grand public ou plus spécialisés ; des séries de documents sur la psychologie criminelle ; des notes d'enquêtes photocopiées, rangées dans des dossiers et classées par États – une infraction caractérisée. Quelques romans, dont aucun n'était récent, la plupart dus à certains Harris, Thompson, Connelly et King. Bref, rien qui ne se rapporte pas, de près ou de loin, à la face sombre du comportement humain. La maison était un cadre familier, suite aux après-midi que Zandt y avait passés en 1999, durant ces heures où la criminologie avait été le cadet de ses soucis. Il s'était réconcilié avec cette phase de son existence depuis un bout de temps. Jennifer n'en avait jamais eu vent, et cette liaison n'avait affecté ni ses sentiments à son endroit ni l'issue de leur mariage.

Il attrapa l'un des recueils de notes et le feuilleta machinalement. La première partie détaillait les activités d'un dénommé Gary Johnson, qui avait violé et tué six vieilles dames en Louisiane au milieu des années 1990. Un billet épinglé en première page indiquait que Johnson purgeait actuellement six perpétuités cumulées dans une prison que Zandt savait sortie tout droit de l'enfer : un donjon rempli d'hommes dangereux dont les rares restes de douceur étaient généralement réservés à leurs pauvres mères. À vrai dire, c'était un miracle si ce Johnson était encore en vie. Un point pour les gentils. La partie suivante concernait une investigation en Floride qui, à la date des derniers commentaires, était toujours en cours. Sept jeunes hommes disparus.

Et un point pour les tueurs. Un sur combien...

Il piocha un nouveau dossier.

Deux heures plus tard, il était assis par terre, cerné de papiers, quand il entendit frapper à la porte. Il releva la tête, désorienté. Il fallut quelques coups supplémentaires pour qu'il reconnaisse leur nature.

Il se leva et ouvrit à un petit homme mal peigné, derrière lequel stagnait une voiture qui avait jadis eu de l'allure.

— Taxi, annonça-t-il.

— Je n'ai pas réservé de taxi.

— Je sais, merci. C'est la dame qui l'a fait. Elle m'a dit de venir vous prendre ici. Le plus vite possible. Vous emmener sur-le-champ.

— Quelle dame ?

Zandt se sentait perdu, l'esprit retenu par tout ce qu'il venait de lire. Quelque chose là-dedans le titillait.

Fulminant, le type plongea la main dans sa poche, brandit un papier froissé qu'il lut à voix haute.

— La dame, c'est Nina. Elle me dit de vous dire de vous dépêcher. Vous avez peut-être trouvé un truc, ou alors c'est elle qui a trouvé un truc, un homme à bout – je n'ai pas trop compris ce passage. Mais on part tout de suite.

— Où ça ?

— À l'aéroport, m'sieur. Elle m'a dit de faire très vite et m'a payé trois fois la course, et moi j'ai besoin de cet argent, alors on peut y aller, oui ?

— Attendez-moi ici, dit Zandt.

Il retourna au salon, décrocha le téléphone et composa le numéro de portable de Nina.

Elle répondit à la deuxième sonnerie. Il y avait du bruit autour d'elle, ponctué par une voix sourde et impérieuse de type annonce publique.

— Qu'est-ce qui se passe ? demanda-t-il.

— Tu es dans le taxi ?

Elle avait l'air tout excitée, ce qui pour une raison quelconque agaça Zandt.

— Non. Qu'est-ce que tu fabriques à LAX ?

— J'ai reçu un coup de fil du type que j'ai préposé au Web. On a un résultat avec l'« Homme Debout ».

— Ce ne sont que trois mots, Nina. Ça pourrait être le titre d'une expo photo de Robert Mapplethorpe. J'imagine que les fédéraux sont déjà sur le coup, de toute façon.

— Ce n'était pas une recherche officielle, avoua-t-elle avec un brin de gêne. J'ai fait ça en parallèle.

— Je vois. Tout s'explique.

— Il a repéré l'adresse IP de l'ordinateur qui a émis la requête et réussi à identifier sa ligne d'accès. Allez, John ! C'est la première fois que ça arrive en deux ans. Je n'ai jamais diffusé la lettre que tu as reçue, alors pour la terre entière, c'est toujours le Garçon de Courses.

Une nouvelle annonce publique envahit la ligne. Zandt attendit la fin pour répondre :

— Je l'ai dit à Michael Becker.

— La piste ne se situe pas à L.A., répliqua Nina.

— Où ça, alors ? *Où ?*

— Dans le nord de l'État. Un patelin près de la frontière de l'Oregon. Dans un Holiday Inn.

— Tu as appelé le bureau local ?

— Le directeur du coin me hait. Aucune chance qu'il m'envoie quelqu'un.

Génial, songea Zandt. Et dans l'hypothèse, certes peu probable, où il ne s'agirait pas d'une fausse alerte, tu tiens à procéder toi-même à l'arrestation... Dans l'embrasure de la porte il voyait trépigner le chauffeur de taxi.

— Trop risqué, Nina.

— Y aura toujours les flics du coin pour m'escorter. Peu importe. Écoute, Zandt, il y a un avion qui décolle dans quarante minutes. Je serai dedans, et j'ai acheté deux billets. Tu viens, oui ou non ?

— Non, dit-il avant de raccrocher.

Il regagna l'entrée, expliqua au type qu'il n'irait nulle part, et lui remit assez d'argent pour qu'il décampe.

Puis il poussa un juron, rafla son manteau et une poignée de dossiers, et parvint à se jeter devant le taxi avant que celui-ci n'eût quitté l'allée. Il estimait en avoir assez gros sur la conscience pour ne pas y ajouter Nina.

Et ce n'était pas du tout pour la protéger.

CHAPITRE 24

En ouvrant les yeux à 9 heures le lendemain matin, étalé sur le lit, comme tombé du haut d'une falaise, je vis que Bobby m'avait laissé un mot sur la table de chevet. Il m'invitait à le retrouver dans le hall dès que possible. Après un passage sous la douche qui me rendit un semblant d'humanité, j'enfilai les couloirs tel un paresseux contraint de marcher sur ses pattes arrière, un paresseux dans un jour sans. Après cette nuit de sommeil, je me sentais différent, à défaut de me sentir mieux. Mon esprit demeurait brumeux, engourdi, comme rempli de glace pilée et d'un alcool inconnu.

La réception était quasi vide : juste un couple appuyé au comptoir. De la musique douce suintait en fond sonore. Bobby était prostré au milieu d'un large sofa, plongé dans le journal local.

— Yo, murmurai-je en me plantant devant lui.

Il releva les yeux.

— T'as une mine à gerber, mon ami.

— Et toi t'es frais comme un putain de gardon. Sérieux, comment tu fais ? Chaque soir tu grimpes dans un œuf pour renaître le lendemain ? Tu pratiques certains exercices ? Dis-moi tout. Je veux devenir comme toi.

Dehors le ciel était clair et dégagé, et c'est tout juste s'il ne me fit pas gémir. Je suivis péniblement Bobby à travers le parking, me recouvrant les yeux avec la main.

– Ton téléphone est allumé ? Et rechargé ?

– Oui, dis-je. Mais entre nous, je n'en vois pas trop l'utilité. Soit Lazy Ed n'est pas rentré, auquel cas on perd notre temps à retourner là-bas, soit il est rentré et il n'a pas envie de parler.

– Fous êtes très négatif, Vard, répondit Bobby en singeant l'accent allemand. File-moi les clés, je vais conduire.

– Je me sens négatif, oui. Heureusement, j'ai un joyeux robot à mes côtés. Mais si tu refais cette voix-là, je te saigne.

Je lui tendis les clés.

– Ne faites plus un geste.

Cette phrase fut prononcée d'un ton net et ferme, et ne provenait pas de la bouche de Bobby. Nous échangeâmes un regard avant de nous retourner.

Quatre individus se tenaient derrière nous. Deux flics en uniforme, des locaux – l'un maigre et soigné, proche de la soixantaine ; l'autre avait trente ans de moins, et un bon mètre de tour de taille. Sur le côté, un peu en retrait, un type vêtu d'un long manteau. Plus près de nous, à trois mètres environ, une femme gracile dans un joli tailleur. De tous, c'était de loin la plus intimidante.

– Posez les mains sur le toit de la voiture, dit-elle.

Bobby répondit d'un sourire sinistre, sans bouger ses mains d'un iota.

– S'agirait-il d'une sorte de blague ?

– Vos mains sur cette putain de voiture, tonna le jeune flic.

Il rapprocha la main de son arme, brûlant de s'en servir. De l'empoigner, du moins.

– Lequel d'entre vous est Ward Hopkins ? demanda la femme.

– Les deux, rétorquai-je. Une sorte de clonage bizarre.

Le jeune flic fondit sur nous. Je levai une main à hauteur de torse, qu'il vint percuter.

– On se calme, dit la femme.

L'adjoint ne pipa mot, mais cessa d'avancer, se contentant de soutenir mon regard.

– OK, fis-je sans baisser ma paume, mais sans pousser non

plus. N'envenimons pas les choses. Commissariat de la ville, je présume ?

— Exact, répondit la femme tout en dépliant son badge. En ce qui les concerne. Moi, je suis agent fédéral. Alors on se détend, et on pose gentiment ses mains sur la voiture.

— Je ne crois pas, non, rétorqua Bobby d'un air détaché. Vous savez quoi ? J'appartiens à l'Agence.

La femme cligna des yeux.

— Vous êtes de la CIA ?

— Oui, m'dame, railla-t-il avec une fausse courbette et un accent péquenaud. Manque plus que les gars de la marine et on pourra faire une chouette parade.

Il y eut un instant de flottement. Le jeune flic se tourna vers son collègue, qui à son tour leva un sourcil en direction de la femme. Plus aucun n'affichait l'assurance de la seconde précédente. Au deuxième plan, le type au manteau secoua la tête.

Je décidai de baisser mon bras.

— Il est de la CIA, mais pas moi, dis-je en choisissant pour une fois d'être coopératif. Je suis un simple élément de la société civile. Nom : Ward Hopkins. Qu'est-ce que vous me voulez ?

— Attends un peu, intervint Bobby tout en désignant de la tête le jeune flic. Et si tu reculais de quelques pas, Rambo ?

— Je t'emmerde, riposta le flic d'une voix égale.

La femme me regardait toujours.

— Hier soir nous avons intercepté une requête Internet, expliqua-t-elle. Portant sur les mots l'« Homme Debout ». On a remonté jusqu'à votre compte, puis jusqu'à cet hôtel. Nous cherchons quelqu'un qui réponde à ce surnom.

— Je croyais que c'était moi qui vous intéressais.

— Hier encore, je ne savais même pas que vous existiez.

— Et pourquoi cherchez-vous l'Homme Debout ?

— Mêlez-vous de vos affaires, protesta le jeune flic. Dites, madame, vous comptez arrêtez ces deux trous du cul ou non ? Parce que si c'est pas le cas, je m'en tape, de leurs salades.

— Tu fais comme tu le sens, répondis-je. Tu peux essayer de nous choper, ou tu peux faire demi-tour. Si tu choisis la première solution, eh bien, fais comme chez toi, mais personnellement je te le conseille pas.

Le flic âgé sourit.

— Tu nous menaces, fils ?

— Non. Je suis bien trop gentil pour ça. Mais Bobby n'est pas très civilisé. Il y aura bientôt du sang à travers tout le parking, et ce ne sera pas le nôtre.

Super-manteau marmonna ses premiers mots :

— Génial... Mille bornes pour rencontrer deux petits merdeux.

La femme ignora la remarque.

— L'Homme Debout a tué au moins quatre jeunes filles, peut-être davantage. En ce moment même, il en détient une autre qui est peut-être en vie, mais on a très peu de temps pour la retrouver.

Bobby la dévisageait, la bouche entrouverte.

— Quoi ? réagit-elle. Ça vous évoque quelque chose ?

— Tu vas te faire pigeonner, Nina, avertit Super-manteau. Tu connais les barbouzes.

Cette remarque ramena Bobby sur terre – suffisamment pour qu'il rabatte sa mâchoire, mais pas assez pour déclencher une bagarre. La femme me regarda.

— Dites-moi ce que vous savez.

— OK, fis-je. Il se pourrait qu'on ait des choses à se raconter.

Le vieux flic en uniforme se racla la gorge.

— Je me demandais si vous aviez encore besoin de Clyde et moi, mademoiselle Baynam.

Nous prîmes une table près de la fenêtre du pseudo-bar de l'hôtel. La pièce était de bonne taille, et d'aspect neuf, mais elle avait l'ambiance d'une jarre à biscuits vide. Bobby et moi nous assîmes côte à côte, en face de la femme. Le type au manteau – qu'on nous avait finalement présenté comme un membre du LAPD, sans révéler son nom – s'installa un peu à l'écart, montrant bien que dans un monde idéal il ne serait même pas assis dans cet État. Les autorités du coin s'étaient déjà taillées dans leur véhicule pour s'envoyer des pancakes et fanfaronner sur la façon dont ils nous auraient rossés s'ils avaient pu.

Je saisis la liasse de papiers de Bobby et l'étalai sous les yeux de la femme.

— Si vous voulez savoir pourquoi nous cherchions l'Homme Debout, la réponse est ici. En fait, nous cherchions tout autre chose, mais voilà ce que nous avons trouvé.

Elle parcourut en vitesse les trois feuillets. Sa lecture terminée, elle les tendit au type.

— Et que cherchiez-vous, alors ? demanda-t-elle.

— Un groupe baptisé les Hommes de Paille. Bobby a débusqué un site Web qui répondait à cette requête. L'« Homme Debout » était l'étape logique suivante. On n'en sait pas plus.

— Et ceci concerne l'Agence ?

— Non, répondis-je. C'est personnel.

— Il y avait un bouton LIENS en bas de la dernière page, reprit-elle. Ça débouchait sur quoi ?

— Quel bouton ? m'étonnai-je.

— Oui, je l'ai découvert après que tu t'es endormi, expliqua Bobby d'un air penaud. Dissimulé dans un segment de java planté. J'aurais dû le repérer plus tôt.

— Et ça débouchait sur quoi ?

— Des tueurs en série. (L'homme au manteau releva les yeux.) Justes des sites de fans. Des pages remplies d'infos sur des assassins, laborieusement tapées par des neuneus qui n'ont pas assez d'ambition pour menacer réellement la société.

— Vous pourriez me remontrer la première page ? demanda la femme.

Bobby secoua la tête.

— Elle n'y est plus. J'ai voulu y retourner quand j'en ai eu marre de mater ces tronches de cinglés toutes floues. Dossier disparu du serveur. Retranché on ne sait où.

— Vous n'avez pas marqué les liens proposés ?

Bobby haussa les épaules.

— Je n'en voyais pas l'intérêt. Ce n'était qu'un ramassis de paranoïaques fascinés par les serial killers.

— Il y a eu une fuite, déclara le type au manteau en rendant les documents à la femme. Des sites de fans, effectivement. Et ça s'arrête là. Le vrai nom du Garçon de Courses a fini par s'ébruiter, et un psychopathe du dimanche l'aura repris pour baptiser cette daube. Un univers interactif pour ceux qui veulent prendre leur panard sur les statistiques de tueurs, avec des adresses de sites qui se déplacent comme des fantômes. Le Net regorge de cette merde. Des clubs de cannibales montés par des branquignols même pas foutus de gagner quelques biffetons chez McDo.

Je l'interrogeai du regard.

— Le Garçon de Courses ?

— C'est ainsi que la presse a surnommé le type que nous recherchons.

— Non, vous le cherchez encore ? m'étonnai-je.

— Et on le fera jusqu'à sa mort. Je vais m'en griller une, Nina. Puis je propose qu'on regagne la civilisation.

Il se leva et quitta la pièce.

— Il voulait dire « arrestation », murmura la femme après son départ. Dans sa tête, il pensait « arrestation ».

— Mais bien sûr, railla Bobby. Si vous voulez mon avis, votre copain mérite d'être tenu avec une très bonne laisse.

— C'est quoi, cette histoire d'Hommes de Paille ? demanda-t-elle.

— Raconte-lui, Bobby, dis-je en me levant.

— Vas-y mollo de ton côté, m'enjoignit-il. Pense à ce que je viens de dire.

Je les laissai pour regagner la réception. Le type au manteau était dehors, à quelques mètres de l'entrée principale.

— Vous avez une cigarette ?

Il me dévisagea longuement, puis fouilla dans sa poche. Ma tige allumée, nous restâmes un moment silencieux.

— Vous êtes flic, pas vrai ? finis-je par demander. (Il ne répondit rien.) Pas vrai ?

— J'étais flic. Je ne le suis plus.

— Admettons. Mais j'habitais San Diego à l'époque. Je lisais le journal. Je me souviens notamment d'un certain flic censé être la terreur des serial killers. Il a raté sa proie, et on ne l'a plus jamais revu. Personnellement, je dirais que c'est vous.

– Vous semblez avoir d'excellents souvenirs sur cette affaire. Vous seriez pas partie prenante, des fois ? Vous vouliez peut-être regarder combien vous aviez de fans ? Vérifier que vous étiez toujours une vedette ?

– On n'aurait pas cette discussion si vous me soupçonniez vraiment. Pas à moi, d'accord ?

Il tira un dernier coup sur son mégot, puis le jeta à travers le parking.

– Et vous, qu'est-ce que vous faites ?

– Je cherche ceux qui ont tué mes parents.

Il me fixa.

– Ces Hommes de Paille dont vous parliez ?

– Apparemment. Ce que j'ignore, c'est s'ils ont un rapport avec le gars que vous poursuivez.

– Aucun, assena-t-il tout en promenant son regard sur la parking. Cette histoire est un ramassis de conneries, une pure perte de temps – un temps dont on ne dispose même pas.

– Votre amie n'a pas l'air de cet avis. Honnêtement, je m'en fiche. Mais il semble qu'à l'intérieur de cet hôtel nous ayons deux personnes liées à des agences fédérales. Qui ont donc certains moyens d'action. De l'autre côté, il y a vous et moi, qui sommes actuellement liés à peau de balle. Alors on peut rester chacun dehors à pisser dans la tente de l'autre, ou bien on peut regarder où mène ce truc, en tâchant de pas trop se marcher sur les pieds.

Il réfléchit un instant.

– Honnête.

– Alors c'est quoi ton nom, mec ?

– John Zandt.

– Ward Hopkins, répondis-je, et nous scellâmes notre pacte d'une poignée de main avant de réintégrer l'hôtel.

À la porte du bar, mon téléphone sonna. D'un signe, je pris congé de Zandt et me rabattis vers la réception.

J'hésitai avant de décrocher, cherchant les mots justes pour accueillir un vieillard terrifié. Mais je n'en trouvais pas. Le mieux à faire était d'écouter ce qu'il avait à dire. Et d'éviter de lui gueuler dessus, sans doute.

Je décrochai et tendis l'oreille, mais ce n'était pas Ed. S'ensuivit un bref échange, puis je remerciai mon correspondant et rangeai mon téléphone.

De retour dans la salle, je les trouvai tous trois attablés, et Zandt semblait un peu plus loquace. La femme posa les yeux sur moi, mais c'est à Bobby que je m'adressai.

— Je viens de recevoir un coup de fil.

— Lazy Ed ?

— Non. La fille de l'hosto.

— Et donc... ?

— Elle a passé l'après-midi d'hier à remuer des archives.

— Tu as dû lui faire une sacrée impression, mon fripon. (Voyant que je ne relevais pas, il ajouta :) Tu veux me dire ce qu'elle a trouvé ?

— Elle a remonté la piste de mes parents jusqu'à leurs lieux de naissance respectifs. Aucun des deux n'était celui qu'on m'avait indiqué.

Ma voix se fendillait. Zandt me jeta un regard intrigué.

— Je n'en suis pas encore arrivé là, expliqua Bobby aux autres, mais il y a un frère ou une sœur dont les parents de Ward ne lui ont jamais parlé.

— Je crois qu'ils ne m'ont jamais dit grand-chose, tu sais. Rien qui soit vrai, en tout cas.

Je sentais les yeux de la femme posés sur moi ; et je songeais que Hunter's Rock et tout ce que j'avais toujours cru savoir n'étaient qu'une sorte de conte qu'on m'avait lu et relu, mais dont je ne me rappelais que le titre.

— Qu'y a-t-il ? demanda la femme.

— Ma mère ne pouvait pas avoir d'enfants.

— Après vous, vous voulez dire ?

— Non. À aucun moment de sa vie.

CHAPITRE 25

Ils nous accompagnèrent au bar. Le jeune Ed nous accueillit sans effusions, se contentant d'affirmer qu'il n'avait pas revu le vieux et ne savait pas où il pouvait se terrer. Il maintint cette version même après que Zandt l'eut pris à part. Je ne pouvais entendre ce que l'ex-flic racontait, mais le langage corporel d'Ed suffit à me convaincre que Zandt maniait un style conversationnel des plus persuasifs.

— Votre ami a vraiment envie d'attraper ce tueur, glissai-je à Nina.

Elle détourna les yeux.

— Si vous saviez...

Zandt prit enfin congé du barman, qui retourna fissa s'abriter derrière son comptoir.

— On perd notre temps ici, maugréa Zandt de retour sur le parking. Le prenez pas mal, les gars, mais je vois pas comment un vieux poivrot va nous aider, Nina et moi, à trouver notre tueur. C'est peut-être une piste pour vous, mais nous, ça ne nous avance pas d'un poil, et chaque minute qui passe rapproche Sarah de la mort.

— Alors qu'est-ce que tu comptes faire, John ? demanda la femme. Rentrer à L.A. et carrer ton cul dans un fauteuil ?

— Ouais. C'est exactement ce que j'avais en tête. Si tu crois que je me suis juste chatouillé le poireau quand j'étais chez toi. Je pense que...

273

Il secoua la tête.

– Quoi ? fit-elle d'un air agacé.

– Je te dirai dans l'avion.

– C'est bon, je vous laisse seuls un instant, offris-je.

Je les quittai pour retrouver Bobby au pied de notre voiture.

– M'est avis que la sainte alliance prend l'eau, dis-je.

– Alors, c'est quoi, le plan ?

– Arpenter les rues, vérifier les bars, les restaus, la bibliothèque et les lieux publics. En bons professionnels. C'est pas New York, ici. Il n'y a pas trente-six mille planques possibles.

– Tu as bien connu ce mec. Tu n'as pas la moindre idée de l'endroit où il aurait pu se cacher ?

– On n'était pas vraiment intimes, rectifiai-je tout en considérant l'édifice miteux. Je venais ici quand j'étais ado. On échangeait quelques mots, et il me servait de l'alcool. Ça s'arrêtait là.

Je revis à nouveau cette soirée en compagnie de mon père, et la façon dont Ed m'avait offert une bière après son départ, ce qui m'avait mis mal à l'aise. Je comprenais aujourd'hui qu'il y avait peut-être un deuxième niveau de lecture à cette soirée, comme un filigrane. Cette bière qu'Ed m'avait mise sous le nez d'un geste franc : peut-être n'était-ce qu'un élan spontané, mais ça ne lui ressemblait pas. N'était-ce pas plutôt une façon de me dire : « Ouais, je sais comment ton vieux peut être chiant par moments » ? Cela renforçait l'hypothèse selon laquelle c'était Ed qui maniait la caméra sur la deuxième séquence du film, puis comatait pendant qu'on l'utilisait comme bougeoir. Et cela rendait encore plus surprenant le fait que, retombant nez à nez après plus de dix ans, ces deux-là n'aient rien laissé paraître de leur accointance. Il avait dû se produire quelque chose à Hunter's Rock, un événement qui aurait brisé une bande d'amis, puis réuni trois d'entre eux à deux mille kilomètres de là, où ils auraient feint de ne pas se connaître – pas depuis longtemps, en tout cas, et pas avant d'emménager.

Même à moi, ils avaient joué cette comédie, mais comment s'en étonner désormais ? Après tout, si ma mère n'avait jamais pu enfanter, j'étais qui dans l'histoire ?

Par-delà le bâtiment, le ciel était chargé, qui rendait les arbres faméliques et froids. Peut-être était-ce cela, ou bien les senteurs de pin dans l'air frais, qui me restituait un souvenir si fidèle de cette fameuse nuit. Les odeurs ont ce pouvoir-là, plus encore que les images ou les sons, comme si les plus vieilles reliques de notre esprit, celles qui nous figent dans le temps et la mémoire, naviguaient encore à travers les effluves.

— Attends un peu... dis-je en sentant poindre une lueur au fond de mon crâne.

Je fermai les yeux pour laisser germer l'idée. Une chose que Lazy Ed m'avait confiée, le genre de projet qui passait pour une lubie dans la bouche d'un homme peu réputé pour la propreté de ses surfaces.

La lumière se fit enfin.

— Il y a un autre endroit qu'on pourrait essayer.

— Allons-y, dit Bobby.

Je me retournai vers les deux autres. Je voyais que dans sa tête Zandt avait déjà regagné le terminal d'embarquement. La femme semblait moins décidée. Je tranchai la question pour elle. Il y avait un coup à tenter, et je n'avais ni le temps ni la patience de l'expliquer à des tiers.

— Bonne chance, lançai-je avant de monter en voiture et de filer avec Bobby.

La Mare perdue n'est pas perdue, bien sûr. On y accède en s'enfonçant d'un petit kilomètre à pied dans la forêt qui s'étire au nord de Hunter's Rock : un domaine d'État, peu pratiqué sauf par les riverains et quelques randonneurs. C'était un endroit où vous iriez avec la classe vous instruire sur les bestioles et autres merveilles de la nature : un trajet en bus jusqu'à l'orée de la forêt, puis vous marcheriez au milieu des arbres et des feuilles mortes, ravis d'être loin de l'école. Les professeurs s'efforceraient de recentrer les élèves sur le but de la

sortie, mais sans acharnement : vous devineriez, au relâche-
ment de leurs épaules, qu'eux aussi apprécient d'échapper au
carcan quotidien. Je me souviens avoir vu l'un d'eux ramasser
un caillou, quand il pensait ne pas être vu, et le lancer loin
devant lui en visant un tronc mort. Il toucha la cible et eut un
sourire victorieux. Ce jour-là, je compris que, contrairement
aux apparences, les profs étaient aussi des gens normaux.

En grandissant on n'avait plus droit à ces escapades. Les
cours privilégiaient dorénavant des choses qu'on pouvait
mémoriser, non expérimenter. Mais les gamins continuaient
d'aller là-bas à l'occasion, juste pour voir, et c'est là que le
nom du lieu prenait tout son sens. Car peu importait combien
de fois on vous y avait emmené flanqué de trente camarades
jappant en rang deux par deux : dès que vous tentiez
d'atteindre la Mare, seul ou avec des copains, elle n'était
jamais où vous pensiez. Vous progressiez au milieu des talus
boisés, assez sûr de votre coup, puis, au bout de quelques
centaines de mètres, la piste disparaissait. Un ruisseau partait
en diagonale vers les petites collines, et la plupart des gens
atteignaient ce cap. On suivait ensuite ce cours d'eau jusqu'à
ce qu'il se jette dans un plus gros, et à partir de là on était
condamné à prendre une mauvaise décision. Que l'on pense
connaître l'itinéraire par cœur, ou convenir à l'unanimité que
ce devait être *par là*, deux heures plus tard on était revenu au
parking, assoiffé, vanné, simplement heureux d'avoir retrouvé
la sortie avant la tombée de la nuit, et sans avoir croisé d'ours.

Sauf moi. Un été où je n'avais pas grand-chose à faire, je
m'étais assigné comme défi de localiser cette mare. Je devais
avoir une quinzaine d'années, c'est-à-dire deux ans avant la
soirée billard avec mon père. J'avais procédé de manière scientifique, en épuisant méthodiquement tous les chemins possibles jusqu'à débusquer la mare – et le moyen d'y accéder. Je
me perdis en beauté plus d'une fois, mais ce n'était pas une
façon désagréable de remplir quelques semaines. Quand on
sait où l'on va, une forêt est un endroit sympa. On s'y sent
en sécurité, et on s'y sent à part. Le hic, c'est qu'après avoir
atteint mon objectif une bonne dizaine de fois, je me rendis

compte que le charme était rompu. À quoi sert une mare perdue qui ne l'est pas ? Elle redevient une banale étendue de flotte. Alors je cessai d'y aller. Et puis, avec le temps, je m'intéressais davantage aux endroits pour peloter, or il n'y avait pas moyen d'entraîner une fille dans les bois la nuit – et sûrement pas en quête d'un coin humide que vous saviez plus ou moins retrouver. Ce n'est pas le genre de truc qui attire les nanas. Ou alors c'était moi. Allez savoir.

Bobby et moi avancions l'un derrière l'autre, longeant un bras du ruisseau. Plus de vingt ans s'étaient écoulés, et l'environnement s'était métamorphosé. Les branchages formaient un toit inégal, percé par endroits de rais de soleil froids.

Nous arrivâmes à une nouvelle subdivision du cours d'eau, qui s'enfonçait de part et d'autre de grandes buttes. Je m'arrêtai au sommet d'une d'elles, gagné par le doute. Le secteur n'était pas familier. Et ça commençait à grommeler dans les rangs :

– Et tout ce cirque parce que le gus a dit qu'il *envisageait* de fabriquer une hutte de chasseur, il y a vingt ans de ça...

– Tu peux rentrer à la maison si tu veux.

– Quoi, sans mon fidèle enfant du pays ?

En y regardant à deux fois, je compris les changements survenus dans la végétation. Un des arbres qui me servaient de repère était tombé. Et ça ne datait pas de la veille : ses restes étaient tout pourris et couverts de mousse. Je révisai ma position et m'engageai dans la ravine.

Ses parois étaient raides et nappées de feuilles glissantes. Nous descendîmes avec précaution. Parvenu au fond, je pris à gauche et suivis la faible pente.

– On y est presque, dis-je en pointant devant moi.

Deux cents mètres plus loin, la ravine partait d'un coup à droite.

– Ce doit être juste après ce virage.

Bobby resta muet, et j'en déduisis qu'il s'était, comme moi avant lui, pris au jeu. Les forêts font partie de ces choses que l'on perd de vue pendant un temps, avant de devenir parent et de redécouvrir certains plaisirs, de les voir renaître dans les yeux d'un gamin – comme la crème glacée, les petites voitures et les écureuils. Je me demandai si cela expliquait aussi mon goût pour les hôtels. Leurs couloirs n'étaient-ils pas des sentiers entre les arbres, leurs bars et restaurants de petites clairières pour se réunir et se restaurer ? Des nids de taille et de standing variables, tous hébergés dans la même structure, une forêt privée.

À croire que les écrits de l'Homme Debout ne me laissaient pas tout à fait de marbre...

— Quelqu'un nous observe, dit Bobby.

— Où ça ?

— Sais pas, fit-il en scrutant les buttes qui nous cernaient. Mais il est là, quelque part.

— Je ne vois personne, répondis-je sans tourner la tête. Mais je te crois sur parole. Qu'est-ce qu'on fait ?

— Ne t'arrête pas. Si c'est lui, soit il va péter un câble, soit il va rester cool et décider s'il a envie de nous parler ou non. Si je vois dépasser sa tête du parapet, je lui cours après.

Nous parcourûmes les dernières centaines de mètres en silence, résistant à l'envie de lever les yeux. Au détour du virage le sol s'élevait d'un coup, et nous grimpâmes d'un petit mètre.

Là, devant nous, s'étendait la Mare perdue. Une centaine de mètres sur soixante, assez encaissée, malgré quelques plages boueuses. Une volée de canards nageait au centre, et les arbres surplombaient les trois quarts du plan d'eau peu profond. Je m'avançai tout au bord et y plongeai les yeux. C'était comme de se regarder dans un miroir et surprendre son visage de quinze ans.

— Tu sais où se trouvait la planque ? demanda Bobby.

— Je sais seulement qu'il projetait d'en construire une. Il en a parlé deux, trois fois maximum. Pas pour chasser. Juste pour passer du temps. Ed était un ermite dans l'âme.

— Doublé d'un pervers, peut-être ?

— Non, dis-je en secouant la tête. Personne ne vient là pour niquer. C'est trop lugubre, la nuit.

Il considéra l'espace, examina le sol.

– Si je devais construire une cabane, je le ferais ici. (Il désigna un carré d'arbres et de buissons touffus dominant la pente ouest de la mare.) Point de vue et protection.

Alors j'ouvris la marche le long de la rive, dans la direction indiquée par Bobby. Mon imagination me jouait peut-être des tours, mais le centre de la zone paraissait effectivement plus dense, comme si l'on avait assemblé des matériaux.

C'est alors que retentit le premier coup. Un craquement aigu, précédé d'un sifflement.

Bobby m'agrippa et se mit à courir. Un deuxième tir fusa dans les feuillages moins d'un mètre au-dessus de nos têtes. Trouvant refuge derrière des troncs, je me dévissai le cou à chercher l'origine des tirs.

– C'est quoi, son problème, à ce mec ?

– Attends, dis-je. Regarde là-bas.

Je montrais l'épaisseur dans les fourrés. Une tête en émergeait, celle d'un vieillard. Bien loin de la provenance des coups de feu.

– Merde, grogna Bobby, qui avait déjà sorti son flingue.

Deux types en treillis couraient sur la pente en direction de la mare. Un autre tout en jean approchait par l'autre côté.

– C'est le mec d'hier soir au bar, dis-je. Celui qui nous a bloqués sur le parking.

Les types en kaki avaient atteint l'autre rive. Le plus épais des deux se laissa tomber à genoux et tira droit dans le bouquet d'arbres – des tirs précis, maîtrisés. L'autre contournait la mare à toute allure, obliquant vers le haut de la pente. L'homme en jean faisait feu lui aussi.

– Qui sont ces mecs, putain ?

– Bobby ! Y en a un qui fonce sur Ed.

– Je l'ai, dit-il. Couvre-moi.

Il piqua un sprint. Je dégainai mon flingue, me décalai d'un pas et me mis à tirer.

Le type agenouillé accomplit une belle roulade latérale et se glissa derrière un tronc couché. Je coupai en biais à travers les arbres. Je tirais dans une lumière froide et oblique qui me criblait le visage à travers les branches tordues, m'efforçant de ne pas trébucher dans les racines. Au bout de dix secondes je perçus un cri, et l'homme en jean virevolta avant de tomber sur le dos.

Bobby se frayait un chemin dans les fourrés, tout en visant le type qui redescendait la butte après avoir franchi le col. Il semblait nous ignorer, en dépit des tirs de Bobby ; il n'avait d'yeux que pour la planque de Lazy Ed, qu'il canardait sans relâche.

Je stoppai, me stabilisai, tirai.

La première balle l'atteignit à l'épaule. Bobby logea la suivante une demi-seconde plus tard, et le type fut projeté contre un arbre. Mais il continuait de faire feu, et pas sur nous.

Je pressai de nouveau la détente, et l'atteignis en pleine poitrine. Bobby s'était arrêté lui aussi, qui vida trois autres cartouches. Le type disparut de notre vue.

Je fis un pas en avant, mais Bobby leva sa paume, m'intimant de rester où j'étais. Il s'éloigna avec prudence.

– Ed ? appelai-je. Tu n'as rien ?

Soudain le type en treillis refit surface. Il avait progressé de quelques mètres vers le bas de la pente, caché par la végétation. Sous nos yeux ébahis, il remonta sur ses genoux, serrant dans ses mains un pistolet-mitrailleur.

Avant que je puisse esquisser un geste, il rouvrit le feu. Il mourait sous nos yeux, mais trouvait le temps de loger une quinzaine de balles dans les buissons. Il n'envisagea même pas de nous abattre. Comme si nous n'existions pas.

Puis il bascula la tête la première et se tut à jamais.

Bobby rebroussa chemin, le temps de recharger. Je m'élançai en avant, flanquai mon pied dans le mort par acquit de conscience, et me frayai un chemin dans les broussailles.

En plein milieu je découvris les restes d'une cabane. Un ensemble éclaté de bois pourri, d'herbes sèches et de vieilles branches noueuses. Un œil innocent y aurait vu une fantaisie de la nature, tout au plus une vieille ruine, mais jamais la création d'un homme qui aimait se poser dans les bois et contempler la mare. Au centre gisait Lazy Ed.

Je m'agenouillai devant lui, conscient qu'il ne quitterait pas la forêt vivant. Son corps était criblé de trous. Son visage était moins touché, bien qu'une oreille fût arrachée, laissant voir l'os.

– Qu'est-ce qui se passe, Ed ? Qu'est-ce qui se passe, bordel ? Pourquoi ils vous butent les uns après les autres ?

Il tourna la tête de quelques centimètres, me dévisagea. Difficile de le reconnaître derrière les rides et les veines explosées.

– Je t'emmerde, grinça-t-il assez distinctement. Toi et ta putain de famille.

– Ma famille est morte.

– Tant mieux, dit-il, et ce fut son tour.

La hutte n'abritait rien d'intéressant. Quelques canettes vides, un sachet de tabac, une demi-bouteille de tequila bon marché. Je songeai à fermer les yeux d'Ed, puis changeai d'avis, impatient de quitter les buissons.

Lorsque j'atteignis la mare, et le cadavre du type en jean, Bobby redescendait un talus.

– S'est barré, grommela-t-il.

– Et il avait l'air de connaître son boulot. Tu vas bien, toi ?

– Ouais, sauf que j'ai failli me paumer sur le chemin du retour.

– C'est une mare perdue, Bobby. (Mes mains tremblaient.) Seigneur...

– On ne s'attendait pas à ça.

– À qui le dis-tu ! soupirai-je, hébété de me retrouver dans un lieu d'enfance une arme au poing.

Bobby s'accroupit devant le corps, palpa ses poches et trouva un portefeuille. Ni permis de conduire, ni timbres, ni reçus, ni photos – rien du bazar habituel. Juste une quarantaine de dollars.

– Tu as vérifié l'autre mec ?

– Je me suis juste assuré qu'il n'allait pas réactiver son flingue, dis-je. Il portait un gilet pare-balles, mais je reste impressionné par sa résistance. Ce type a mené sa mission avec une ferveur incroyable. Laquelle mission n'avait rien à voir avec nous. Ils auraient pu nous buter sans problème. Non, ils en voulaient à Lazy Ed. On s'est juste trouvés dans le passage. (Bobby opina.) Ed non plus ne portait aucun élément distinctif. Mais vraiment aucun. J'ai retourné le col de sa veste, et regardé dans son froc. Pas d'étiquettes. Elles ont été coupées.

— Ce sont les Hommes de Paille, dit Bobby. Ils les liquident un par un.

— Mais pourquoi ? Et comment nous ont-ils dénichés ?

Il haussa les épaules.

— La minette du FBI y est bien parvenue. Ils s'y sont peut-être pris comme elle. C'est leur site, après tout : chaque connexion leur est notifiée en temps réel, sans qu'ils aient à pirater quoi que ce soit. Ou bien ils étaient sur le coup avant nous, Ward. Dans le cadre d'une vaste opération de nettoyage.

Il me regarda d'un air las, furieux de notre échec.

— En tout cas, ils sont parvenus à leurs fins. Il n'y a plus rien pour nous ici, à part des ennuis, et on a eu notre compte pour aujourd'hui.

Sans un mot nous repartîmes.

CHAPITRE 26

Nina attendait encore que Zandt lui confie le fond de sa pensée : dès l'instant où les deux autres étaient partis, il s'était muré dans son silence. Lorsqu'il avait émergé du taxi à LAX, à défaut d'être aimable il avait au moins paru présent. Mais sitôt établi que les deux pensionnaires du Holiday Inn de Hunter's Rock – quelles que fussent leurs intentions, et des doutes demeuraient à ce sujet – n'avaient aucun rapport avec l'Homme Debout, Zandt n'avait plus pipé mot. Nina se sentait stupide de l'avoir ainsi traîné aux confins de l'État, mais l'erreur valait toujours mieux que l'inaction. Le temps qui passait l'obnubilait, la torturait telle une main lui dépeçant le visage. Alors elle éprouvait le furieux besoin de parler, de faire ou dire quelque chose, n'importe quoi, comme si l'on pouvait hâter le dénouement rien qu'en l'invoquant. Chez Zandt, l'effet semblait inverse : il ne fallait plus grand-chose, devinait-elle, pour que son mutisme franchisse le point de non-retour.

L'avion était quasi vide, et cependant Zandt ne s'était pas assis à côté d'elle. Il était installé de l'autre côté de l'allée, plongé dans de vieux dossiers qu'il avait pris à la maison. Elle contacta le bureau de Brentwood, pour apprendre qu'il n'y avait rien de nouveau là-bas, sans dévoiler à ses collègues qu'elle ne se trouvait pas tout à fait au coin de la rue.

Puis elle détourna la tête vers le hublot, observa la terre qu'ils survolaient pour regagner L.A., se demandant s'ils passaient au-dessus de la résidence, de la tanière ou de la cabane, quel que soit le terme qu'il préférait, de l'Homme Debout. L'idée que Sarah Becker se trouvait peut-être là, dans ce paysage, était insoutenable. Alors elle attrapa devant elle le magazine de la compagnie et s'efforça de lire.

Zandt avait à peine conscience de se trouver à bord d'un avion, et ne pensait même pas à Sarah Becker. Il méditait sur quatre disparitions survenues à divers endroits du pays en l'espace de trois ans. Elles avaient peu de chose en commun, sinon qu'elles étaient présentement répertoriées sur les genoux de Zandt. Mais, dans l'hypothèse d'une sorte de sous-traitance – sa dernière théorie en date –, les méthodes applicables aux crimes en série perdaient de leur validité. Face à des enlèvements multiples ou à des cadavres regroupés dans une zone réduite, il semblait avisé de limiter à ladite zone la recherche d'indices ou de faits corollaires. La plupart des tueurs possédaient leur territoire de chasse, une poignée de kilomètres carrés où ils se sentaient en confiance. Certains restreignaient leur rayon d'action à quelques pâtés de maisons, voire deux ou trois rues – notamment s'ils sévissaient dans des milieux sociaux n'inspirant aux autorités qu'un intérêt mesuré. Zandt se rappelait les images de la démolition de l'immeuble de Jeffrey Dahmer, là où des garçons noirs et asiatiques avaient été, dans un ordre ou dans un autre, démembrés, adorés et mangés. Les familles des victimes assistaient à l'événement, la plupart en silence, quelques-unes en pleurs – mais bien peu demandaient des comptes à qui pouvait les écouter, ou cherchaient une raison d'accepter que leurs enfants soient assassinés sans que personne s'en émeuve.

Deux disparitions constatées dans des régions diamétralement opposées étaient rarement mises en regard, même après l'entrée en scène du FBI, a fortiori si elles s'étaient produites peu ou prou au même moment. On n'allait pas kidnapper une personne à San Francisco le mardi soir, puis une autre à Miami dans les premières heures du jeudi.

Du moins, pas tout seul. Zandt s'était mis en quête d'enlèvements présentant des similitudes avec ceux imputés à l'Homme Debout, et survenus à la même époque. Mais il ne s'attendait pas à trouver d'autres étoffes brodées d'un prénom de fille : l'Homme Debout était assez malin pour faire croire que ses crimes dans la Cité des Anges formaient un ensemble indépendant.

Voilà le constat qui l'avait saisi au moment où le taxi était venu le prendre pour LAX : ces pulls étaient trop voyants. Et s'ils procédaient, en définitive, moins d'un fantasme morbide que du désir d'isoler quelques cas parmi une multitude ? L'Homme Debout aurait-il fait le pari que la police serait tout autant impressionnée par cette signature que le public face aux films montrant des chrysalides dans la gorge des macchabées, et aux séries télé où les méchants crient sur tous les toits leurs plus intimes psychoses ? Vous avez un pull avec un nom dessus, alors c'est l'un des nôtres. Vous n'en avez pas, ça ne nous intéresse pas. Notre gars présente une pa-tho-lo-gie. C'est l'un des rares indices à notre disposition, alors nous l'explorons à fond, et vous seriez gentils de nous laisser travailler, maintenant.

Zandt jugeait fort probable que l'Homme Debout ne souffre d'aucune pathologie particulière, et dès lors échappe à toute tentative de profilage. Peut-être continuait-il en ce moment même à cueillir des victimes n'importe où dans le pays. Voire n'importe où dans le monde. Juste parce qu'il en avait envie.

Ses victimes ne relevaient d'aucune catégorie précise. On surestime la beauté parce que la beauté rend les gens reconnaissables, leur donne l'air célèbre. Et d'après Zandt les cheveux longs n'étaient pas un meilleur critère. S'il voyait juste en considérant les pulls comme un écran de fumée, la longueur des cheveux n'était plus une fin, mais un moyen. Ne restaient alors que deux éléments objectifs. L'âge, d'abord. Les jeunes enfants disparaissent par légions, et l'on ne compte plus les vieillards qui se font agresser chez eux. Ces deux groupes sociaux croisent malgré eux la route des statistiques en raison de leur faiblesse physique. Parmi le reste de la population, la plupart des femmes kidnappées ont autour de vingt ans : suffisamment jeunes pour mener une vie indépendante ; des femmes souvent célibataires, que l'on verra rentrer seules le soir, qui auront la fraîche insouciance de venir en aide à un brave homme handicapé par un bras en écharpe, à demi caché dans le coin sombre d'un parking. Des femmes de tous âges se volatilisent, mais c'est dans cette tranche-là que se situe le pic de la courbe. Pourtant, les victimes avérées de l'Homme Debout, ainsi que celles dont Zandt avait le nom sous les yeux, n'étaient âgées que d'une quinzaine d'années. Des filles assez grandes pour opposer une résistance physique à leur agresseur, et trop jeunes pour hanter les lieux à hauts risques. Mais de là à considérer toute une génération comme potentiellement victime, il y avait un pas. Un peu partout dans le pays, des filles de cet âge passaient la nuit dehors, sur le trottoir. En d'autres termes, si l'Homme Debout ou son entremetteur ne regardait que l'âge, il aurait affrété un camion vers ces quartiers pour le remplir jusqu'à ras bord. Au lieu de ça, il avait choisi des filles non seulement moins vulnérables que la moyenne, mais issues de milieux assez protégés. La famille d'Elyse LeBlanc était un peu moins fortunée, mais tout de même ancrée dans la classe moyenne. Cela pour dire que l'Homme Debout ne cherchait pas une simple viande. Il cherchait ce qu'il considérait comme de la qualité.

Zandt fixait le portrait photocopié des filles mortes. Son esprit semblait tourner de plus en plus vite, amalgamant les données listées sous ses yeux à celles qu'il avait assimilées deux ans plus tôt. Les lieux, les noms, les visages... Il tâchait d'y voir un tout, en excluant toutefois sa propre fille qui, il en était désormais persuadé, avait été choisie à seule fin de le punir. Zandt avait tenté par le passé d'ôter Karen de l'équation, mais sans succès. Le poids de sa disparition avait conditionné ses moindres gestes depuis que Jennifer et lui avaient ramassé la lettre sur leur perron. Mais il se penchait aujourd'hui sur un tout nouveau groupe de filles, se demandant si elles étaient liées par davantage que des spéculations, s'efforçant d'oublier le lieu où cet avion le ramenait, où il avait vécu la majeure partie de sa vie, cette étrange ville des marchands de rêves, de la pauvreté, des bouts d'essai, du meurtre et de l'argent... Il s'efforçait de l'oublier pour d'autres endroits, d'autres nuits, d'autres terrains de chasse. D'autres villes, d'autres machines, forêts, immeubles et rivières de béton où d'autres hommes et femmes se languissent de ciels étoilés, cultivent de petites plantes au rebord des fenêtres, et s'entourent de petits chiens qu'ils promènent dans des couloirs où se succèdent à l'infini boîtes, carrefours et lumières artificielles ; où ils louent des mètres carrés pour avoir un endroit où dormir, avant de se lever pour accomplir des tâches à finalité capitalistique dont ils ne comprennent ni ne questionnent le sens, dans le seul but de gagner les jetons nécessaires pour louer l'espace où ils dorment, râlent et regardent la télévision, jusqu'au jour où certains s'esquivent par les fenêtres pour courir les rues sombres en hurlant, rejetant la torpeur imposée par une société elle-même minée de fractures, de trahison et de désespoir ; des fous solitaires dans une culture qui vire babiole de Noël, oripeau criard enveloppant un vide qui gonfle à vue d'œil dans les parkings, les centres commerciaux, les salles d'attente et autres forums virtuels – des non-lieux où personne ne sait plus rien sur personne.

Puis d'un coup le tourbillon cessa.

CHAPITRE 27

La nuit tombait lorsque nous rejoignîmes l'hôtel. Deux messages attendaient Bobby. Pendant qu'il rappelait ses correspondants, j'allumai la télé, sans le son, sur la chaîne d'infos locales, me demandant avec une curiosité malsaine combien de temps il faudrait à nos mésaventures pour devenir un titre. Selon toute probabilité, des marcheurs auraient entendu les coups de feu, puis découvert les cadavres. Même si aucun élément ne nous accusait dans cette affaire, il me tardait de quitter Hunter's Rock.

Je m'activai dans la chambre, rassemblant mon maigre barda.

— Putain de merde... articula Bobby d'une voix bizarre, toujours au téléphone. Allume la télé, Ward.

— C'est fait.

— Pas ces merdes régionales. CNN ou un truc de ce genre.

Je zappai jusqu'à lui donner satisfaction.

La prise de vue était manuelle et tremblante. Un grand bâtiment gris dans un décor urbain. Une école. Visiblement filmée plus tôt dans la journée, car il faisait encore jour.

— On l'a, dit Bobby dans l'appareil. Je te rappelle.

Je remis le son. Le commentaire portait à trente-deux le bilan des victimes, plus de nombreux disparus, car la moitié de l'immeuble restait à fouiller. On ignorait encore si les deux élèves abattus par la police étaient les uniques instigateurs du

288

carnage, ou s'ils avaient bénéficié de la complicité d'un tiers. Ils s'étaient servis de fusils-mitrailleurs et d'un gros engin incendiaire artisanal.

La caméra tournait autour du sinistre, capturant au vol des grappes d'enfants et d'enseignants, le visage hagard dans la lumière blanche des projecteurs. Le fond sonore avait été réduit au montage, mais on percevait encore des sirènes et des sanglots. On vit passer une femme chancelante, soutenue par deux secouristes, le visage entièrement recouvert de sang.

— Où est-ce que c'est ?

— Evanston, dans le Maine.

Bobby ferma les yeux, prit une longue inspiration.

Retour au direct. Sur place, le calme semblait revenu, malgré quelques badauds bloqués devant l'école par un ruban de plastique. Un reporter en manteau marron tenait un micro, brossé par le halo intermittent des gyrophares bleus. On avait exhumé deux corps supplémentaires. Jane Mathews et Frances Lack, toutes deux âgées de onze ans.

De nouvelles images enregistrées. Camions de pompiers, ambulances. Des blessés, enfants comme adultes, étendus par terre, recevant les premiers soins. D'autres dans la même position, mais sans personne qui leur tienne la main. Ceux pour qui l'on ne pouvait plus rien.

— Nom de Dieu ! m'écriai-je en pointant mon doigt sur l'écran.

La caméra balayait le côté opposé de la rue, d'où les passants découvraient ce trou béant sur l'enfer. Parmi eux se trouvait un grand type blond avec un gros sac à l'épaule, vu de dos. Contrairement aux autres, il ne se contorsionnait pas pour mieux voir, mais se tenait impassible. Le cameraman ne le remarqua pas, qui poursuivit son lent panoramique d'épouvante.

— J'ai déjà croisé ce type, dis-je.

Un homme blond, aux Halls, avec un sac de voyage bleu.

Bobby passa une bonne partie du vol suspendu au téléphone. Je l'entendis organiser auprès de trois correspondants successifs un acheminement de cassettes vers l'aéroport de Dyersburg. Puis il raccrocha et contempla son café en silence.

Je me tournai vers lui.

— On est sûr que ces gamins ont agi seuls ?

— Les perquisitions continuent à leur domicile. On n'a encore rien dégotté. Il ne s'agirait pas d'un attentat pour des idées, ce coup-ci, mais de l'œuvre de deux jeunes Américains parfaitement intégrés. Bref, c'est pas la joie.

Je le croyais volontiers : l'atmosphère était morose dans les travées, et le commandant de bord nous avait servi un discours de bienvenue des plus tièdes.

— Je ne t'ai pas entendu raconter nos exploits du jour, glissai-je.

Il émit un rire sardonique.

— Il ne manquerait plus que ça ! « Allô, les gars, on vient de buter deux types dans les bois, et en rentrant à l'hôtel le pote avec qui je me trouve a cru reconnaître un troisième larron à la télé. » Il ne s'agit pas d'un jeu virtuel, Ward, et tu ne leur as pas exactement laissé un bon souvenir. L'Agence a fait un peu de ménage dans ses rangs. Et ils me foutraient à la porte encore plus volontiers que toi.

— Ils ne m'ont pas foutu à la porte. Je me suis barré.

— Poussé au cul par un détecteur de mensonges.

— Peu importe, rétorquai-je. C'était lui, Bobby.

— Tu dis toi-même que tu l'as à peine aperçu là-haut. Sans distinguer son visage.

— Je sais. Mais c'était lui.

— OK, je te crois. (Il prit soudain l'air grave.) Ce qui est bizarre, c'est que moi aussi, j'ai l'impression de le connaître.

— Ah bon ? Mais d'où ?

— Que veux-tu que j'en sache ? Le temps que je comprenne ce que tu me montrais, il avait disparu. Mais il avait quelque chose de familier.

Nous atterrîmes de nuit. La voiture que j'avais laissée au parking n'était plus là, sûrement récupérée par le loueur. Bobby se rendit à un autre guichet pour en retirer une nouvelle. Il ne restait qu'une énorme Ford. Je la sortis du parking avant de faire un crochet pour attendre Bobby devant la sortie principale.

Il émergea enfin du terminal avec une petite boîte sous le bras.

– Cool, fit-il d'un ton morne en grimpant à bord. On pourra caser les gosses et toute une semaine de shopping. Allons trouver un drugstore.

– Au moins, on pourra y dormir en cas de besoin.

– Alors là, n'y compte pas.

– Tu mollis, soldat.

– Absolument, et ça veut dire que je ne suis plus obligé de bouffer des brocolis, pour paraphraser un ex-président regretté.

– Regretté par qui ?

– Par sa mère.

Bobby avait conservé les clés de sa chambre au Sacagawea. S'étant assuré qu'elle ne grouillait pas de bagages inconnus, il partit négocier avec la direction.

Je dénichai deux canettes de thé glacé et les rapportai dans la chambre. Davantage encore que la piscine du motel de Hunter's Rock, celle-ci évoquait les vacances d'antan : plus de cinquante années de voyageurs s'étaient succédé entre ces murs, posant leurs bagages à mi-chemin d'un long périple. Le fauteuil. Je me carrai là où jadis un touriste avait pu découvrir *L'Île aux naufragés* à la télévision, sans que le générique sonne à ses oreilles comme un morceau de folklore rance. Un jour ce sera peut-être au tour d'un être en combinaison spatiale siliconée de s'installer ici, muni d'un soda lunaire sans sucre, sans caféine et sans goût, et de penser la même chose devant un épisode de *Friends* : « C'est quoi, cette bande de rachitiques ? Et qu'est-ce qu'ils fabriquaient avec leurs cheveux ? »

Bobby réapparut avec un magnétoscope mastoc sous le bras.

– Ce vieux chnoque n'avait même pas remarqué mon départ, dit-il. Mais il est reste assez lucide pour exiger une caution pour cette antiquité. J'ai peur qu'il faille la remonter avec une clé.

Une fois l'appareil relié au poste quasi collector de la chambre, Bobby s'assit au bord du lit et creva le colis réceptionné à l'aéroport. Deux cassettes VHS. Il vérifia rapidement les étiquettes, et glissa l'une d'elles dans la machine.

— C'est du matos inédit, prévint-il tout en pressant la touche PLAY. Discrétion de rigueur, donc.

Le cameraman avait atteint l'école dévastée très tôt après l'explosion initiale. Dans la plupart des villes américaines il existe un marché pour les équipes de tournage free-lance, ces tandems qui errent dans les rues comme deux chiens sans collier. Ils se branchent sur la fréquence des flics et arrivent souvent les premiers sur les lieux de suicides, de carambolages et de bars criblés de balles, en quête de rushes sensationnels qui aideront les networks et les chaînes câblées à satisfaire un quota d'images par minute en constante augmentation. La médiocrité des prises de vue suggérait une telle provenance, mais je pouvais me tromper. Face à de telles scènes, je ne jurerais pas que mes mains soient beaucoup plus stables. Quand on découvre des horreurs à la télé, on oublie vite — malgré l'impression de vérité qu'elles dégagent — que l'info a déjà été filtrée pour notre bien. On regarde des gens plantés devant des charniers en Bosnie, et l'aspect brut de l'image nous aide à oublier qu'on ne montre pas ce qu'il y a en dessous, ni ce que ces bribes empoussiérées signifient pour ceux qui sont réellement là-bas, et non protégés par une épaisse paroi de verre dans un living à l'autre bout de la planète. Même la couverture non-stop du cauchemar du World Trade Center nous épargna ce que virent les secouristes. Nous sommes tellement rompus aux documents montés, tellement conditionnés par les tours de passe-passe des médias, que nous repérons mieux les ajouts que les coupes. Peu importe combien de « making of » nous aurons visionnés : dans le feu de l'action, le monstre en latex nous effraiera toujours, et l'on ne se demandera jamais pourquoi le plan de tel reportage prend fin à tel moment, ni ce qui jonchait la surface de tel paysage caché. Il s'agit d'infos allégées, édulcorées avec les moyens du bord. Nous avons le droit d'entendre les cris, mais à un volume raisonnable — tout en écoutant une voix off dont la gravité sera déjà un début de réconfort. « C'est mal, dit-elle en substance. C'est affreux. Mais ça n'arrive pas souvent, et ça va s'arranger. Ça va passer, et tout finira bien. »

La vidéo était livrée sans commentaires ni coupes. Elle ne disait rien. Se contentait de montrer.

La déflagration avait arraché la façade du vaste bâtiment. Ce faisant, elle avait expulsé des tonnes de béton, de verre et de métal à des vitesses très élevées. Ces corps s'étaient heurtés à d'autres du même type, ainsi qu'à des matières autrement molles. Une bonne partie de ces dernières furent pulvérisées dans l'atmosphère. Quand le cameraman était arrivé – flanqué d'un preneur de son qu'on entendait gémir à intervalles réguliers –, il s'était simplement frayé un chemin à travers le parking dévasté bordant l'école. L'objectif virait parfois à droite, vers la loge du bâtiment, ou de l'autre côté du parking pour saisir les premières ambulances et véhicules de police. Mais pour l'essentiel la caméra enregistrait ce qui se trouvait devant elle.

Une fille, visiblement ignorante du fait qu'elle avait perdu un bras, courait en hurlant un prénom. Des restes de corps, des têtes. Un garçon, dont le visage était à ce point ensanglanté qu'on aurait dit un nouveau-né, errait dans la fumée en poussant une sorte de miaulement. Une longue traînée de chair, comme une énorme flaque de vomi sanguinolent, parsemée de quelques membres ou organes identifiables. La majeure partie d'un homme entre deux âges, convulsant à même le sol, la face carbonisée, réduite en une masse rose percée d'un orifice aussi muet qu'inutile. La moitié d'une jolie jeune femme, les yeux ouverts, sans rien en dessous de la cage thoracique hormis un moignon de colonne vertébrale et le capot de la voiture où elle avait atterri.

Peu à peu le fond sonore se modifia : les cris de détresse s'atténuaient au profit des sanglots et des hurlements qui montaient crescendo. Un semblant d'ordre se répandit parmi les gens montrés à l'image. Les mouvements désordonnés faisaient place à des gestes précis, à mesure que les lymphocytes de la société investissaient le terrain et tentaient de le structurer. Certains d'entre eux se montrèrent efficaces : pointant, dirigeant, pansant. D'autres auraient aussi bien pu faire partie des victimes.

Puis nous le vîmes.

À ce stade, l'équipe de tournage avait eu son lot de gore et s'était retranchée vers l'entrée du parking, côté rue. Le preneur de son avait vomi deux fois, le réalisateur une. La foule n'avait pas eu le temps de s'attrouper sur le trottoir d'en face, mais le ruban de signalisation se déroulait déjà, isolant l'événement de notre réalité, le consignant dans le domaine des circonstances exceptionnelles.

Notre homme était déjà présent, toutefois, plus ou moins là où je l'avais aperçu plus tôt. Grand, les cheveux blonds et courts, les pieds plantés dans le sol, il observait les dégâts, considérait le panache de fumée qui s'élevait d'un incendie loin d'être maîtrisé. Bobby fit PAUSE.

L'homme n'avait pas le sourire aux lèvres. Qu'on ne se méprenne pas. L'image sautillait dans tous les sens, et il était impossible de détailler son visage. Disons simplement qu'il regardait.

Nous restâmes muets. Bobby attrapa sa canette, essaya d'en avaler une gorgée, s'aperçut qu'elle n'était pas ouverte. Y remédia, en engloutit la moitié.

— OK, murmura-t-il. La suite, c'est juste au cas où.

Il éjecta la cassette, la maniant du bout des doigts comme un produit contaminé. Il enfourna la suivante et appuya sur PLAY.

— Je me suis procuré ça auprès d'un de nos techniciens en analyse médias. C'est à usage interne, un pense-bête pour les gens de Washington. Un outil marketing, en quelque sorte. Un florilège de certains événements survenus au cours des dix, quinze dernières années, constamment réactualisé.

Je reconnus aussitôt le sujet de la première séquence, pour y avoir eu droit plusieurs fois la semaine précédente. La tuerie en Angleterre. La luminosité laissait à désirer, une lueur de petit matin, mais la caméra était remarquablement fixe, sans doute l'œuvre d'un pro de la BBC. Des groupes qui s'étreignaient. Des secouristes massés autour d'une porte par où l'on sortait des corps, certains recouverts d'un drap, d'autres baignant dans leur sang. Deux autres équipes de reporters endimanchés. Un cordon de police à un carrefour bondé. Peu de cris et de pleurs. On entendait surtout le bruit de la circulation : des gens attendus en réunion, rentrant du club de gym, ou partant livrer des litres et des litres de Coca Light.

Nous n'eûmes pas longtemps à attendre, mais le plan était flou et peu concluant. Un travelling sur le cordon de sécurité, depuis l'intérieur de celui-ci, montrant les badauds attroupés. Parmi eux, un grand blond. Bobby arrêta l'image, la fit avancer, reculer. Le visage était trop petit. Et l'objectif passait trop vite.

— C'est lui, affirmai-je néanmoins.

Pendant les deux heures suivantes nous regardâmes la suite, une tapisserie de mort tout en points lumineux. Je finis par perdre le compte, mais au moins trente carnages défilèrent sous nos yeux, jusqu'à ce que leurs particularités respectives – lieu, sons, mode vestimentaire – s'effacent devant leurs similitudes. La plupart ne nous avançaient pas, mais quelques-unes comportaient un élément suffisamment proche pour qu'on l'ajoute à la liste dressée par Bobby sur le bloc à en-tête de l'hôtel.

Une cafétéria de Panama City, Floride, 1996. Une grand-rue du nord de la France, 1989. Un centre commercial de Düsseldorf, 1994. Une école du Nouveau-Mexique, l'année précédente. Une ruelle dans un lotissement de La Nouvelle-Orléans, en 1987, où un présumé trafic de drogue avait dégénéré jusqu'à faire seize morts et trente et un blessés.

— C'est lui, répétai-je encore et encore. C'est lui.

Enfin la cassette s'arrêta, sans cérémonie. A priori très peu la regardaient jusqu'au bout.

— Il nous en faut d'autres, dit Bobby.

— Oh non. Je t'assure que non.

— Si. Pour toutes les dates où il n'apparaît pas ici.

— C'est qu'il ne devait pas y être. Ils sont forcément plusieurs. Ils doivent se partager le boulot.

Je me rendis à la salle de bains et bus environ deux litres d'eau tiède au moyen d'un verre minuscule.

— Les crashes d'avions, reprit Bobby à mon retour. Les attentats en Irlande du Nord, en Afrique du Sud. Les guerres civiles des dix dernières années. Les épidémies de grippe. Il faut bien que quelqu'un les déclenche. On a peut-être cherché du mauvais côté. Il ne s'agit peut-être pas de fondamentalistes d'un camp ou d'un autre, mais de gens qui détestent tout le monde.

Je fis une moue dubitative, mais il avait peut-être raison.

Bobby sortit la cassette de l'appareil et la fit tourner entre ses doigts.

— Mais pourquoi reste-t-il planté là ? s'interrogea-t-il. Et quelle chance a-t-il de se faire piéger par la caméra si souvent ?

— Ce n'est pas une question de chance, répondis-je. Il s'agit d'une signature, adressée à ceux qui savent. Une façon de dire : « Ce sont les Hommes de Paille qui ont fait le coup. »

— Mais on le tient, maintenant.

— Ah bon ? Un type blond, des plans trop courts et trop lointains pour qu'on distingue quoi que ce soit, et une série d'événements sans liens entre eux, répartis sur une dizaine d'années et à travers la moitié du monde occidental ? Tu veux appeler Langley, pour voir si ça intéresse quelqu'un ? Ou bien tu préfères essayer CNN ? On n'est pas Woodward et Bernstein, et ce truc aura l'air d'un délire de conspirationnistes tant qu'il se fondera sur de simples coups d'œil. Même après une journée entière sur ta bécane, tu ne pourras pas poser le moindre nom sur ces images.

— Et la page Web, alors ? Le Manifeste ?

— Il a disparu, Bobby. On aurait aussi bien pu le taper nous-mêmes.

— Alors on laisse tomber, c'est ça ?

— Non. (Je m'assis au bord du lit et décrochai le téléphone de la chambre.) Il y a peut-être une personne qui pourra nous aider. Deux, en fait. La paire qui nous a débusqués à Hunter's Rock.

– Pourquoi ? Ils courent après un serial killer.

– Et quelle définition donnes-tu à ce terme ?

– C'est pas pareil de tuer plein de gens d'un coup.

– Peut-être. Mais personne n'a dit qu'on ne pouvait faire les deux à la fois. Ce mec est un organisateur. Logisticien, incitateur, prêcheur – le type qui choisit les pigeons, mène le projet à bien. Du terrorisme sans revendication. Tuer pour tuer. Puis il se pose et regarde les pompiers extraire les restes humains. Et tu dis que ce genre de type ne donnerait pas dans le meurtre en série ? Je crois que ce type est bien leur tueur. Que c'est lui, l'Homme Debout.

– Enfin, Ward, tu ne pourrais même pas lui coller une prune de stationnement avec de tels arguments !

– Peut-être pas. Mais on a besoin d'aide, et Nina est la seule personne qui me vienne à l'esprit. Ces enfoirés ont tué mes parents. Peu importe ce que je devrai lui raconter pour gagner ses faveurs.

Bobby me dévisagea un instant, puis hocha la tête.

– Vas-y, appelle.

CHAPITRE 28

Par moments, c'était comme d'être morte. Par moments, c'était comme d'être quelque chose d'autre, un poisson ou un arbre ou un nuage ou un chien, un sale clebs. Les chiens sont des maniaques qui prêchent dans les rues mais il vaut mieux être un sale clebs que morte. La plupart du temps, c'était comme de n'être rien du tout, un petit paquet de néant emporté par une rivière sous un ciel où aucun oiseau ne chantait.

Sarah était très malade à présent. Elle se rappelait où et qui elle était de manière épisodique. Son estomac avait renoncé aux crampes. Elle ne le sentait même plus. Elle supposait qu'il comptait toujours parmi ses organes, ainsi que ses bras et ses jambes. Parfois elle en obtenait une preuve accablante, une douleur indicible qui jaillissait de ses orteils pour remonter tout son corps. On aurait dit des aiguilles ou des épingles, sauf qu'elles étaient en fer rougi et longues de trente centimètres, et que quelqu'un les lui enfonçait sous la peau en poussant de toutes ses forces, puis les abandonnait là. La douleur finissait par se dissiper, mais Sarah n'était jamais présente pour cette phase-là : entre-temps elle avait repris le chemin de la rivière, dérivant au gré du courant.

Il arrivait qu'on lui parle tandis qu'elle flottait. Elle percevait des voix, en tout cas. Elle entendait ses amis, parfois sa grand-mère et sa sœur, le plus souvent son papa et sa maman. Ils parlaient généralement de choses futiles, comme s'ils bavardaient pendant qu'elle faisait ses devoirs sur la table du salon. On distinguait rarement tout ce qu'ils disaient. C'étaient des bribes de phrases de-ci, de-là. « Charles pense que Jeff va exploser avec cette version... OK pour un brunch, mais celle-ci pourrait valoir le coup... Ce n'est qu'un truc de troisième acte. » Sa mère évoquait sa journée, disait où elle était allée et qui elle avait vu : « On peut se faire tirer le visage, mais les mains ça trompe jamais. » Puis son père lâchait une pensée qui venait d'éclore dans sa tête, et là Sarah en captait l'intégralité : « Tu sais ce que je ferais si j'étais célèbre ? Je harcèlerais les gens. Je choisirais une cible et je passerais mon temps à m'immiscer dans sa vie. Qui va la croire ? "Eh, monsieur l'agent, Cameron Diaz n'arrête pas de m'embêter." Ou bien... "Écoutez, je croule sous les lettres de Tom Cruise. Sérieux. Il me poursuit. Regardez, c'est son écriture. Je vous jure !" Je pourrais pousser quelqu'un complètement à bout. En un rien de temps. »

Avait-elle vraiment entendu ces mots dans la bouche de son père avant de partir à vau-l'eau ? Elle en doutait. Elle y voyait plutôt une attention d'aujourd'hui, un moyen de lui tenir compagnie pendant qu'elle voguait au fil de l'eau. Papa lui parlait beaucoup, lui confiait les trucs qui lui passaient par la tête. Maman ne comprenait pas toujours qu'il s'agissait de plaisanteries, et ne les trouvait pas souvent drôles. Sarah, si.

Puis les voix finissaient par s'éteindre.

À d'autres moments elle entendait des pas et savait que ses parents venaient la sauver. Elle les écoutait s'approcher, s'approcher encore, prête à les abreuver de paroles dès que la trappe s'ouvrirait sur le visage de son père. Ils se tenaient juste au-dessus d'elle, frottant leurs pieds sur le plancher. Mais ils ne la trouvaient jamais. Les pas s'éloignaient, puis elle repartait à la dérive.

De temps en temps la douleur physique s'emparait d'elle, en général après les visites de Touche. Des haut-le-cœur qui lui tranchaient l'estomac comme un couteau glacé, menaçant de sectionner tout son corps. On ne pouvait espérer aucun remède, pas même l'eau, car son organisme l'absorbait à toute vitesse. Celui-ci s'était mis au diapason. Parfois il décidait de lui parler, de l'asticoter. Il faisait son possible pour se tenir tranquille, mais cette situation le contrariait fort. On ne pouvait décemment lui imposer ça. Son corps avait une voix comme celle de Gillian Anderson. Il était très réfléchi et s'exprimait au moyen de longues phrases qu'il avait dû peaufiner à l'avance. Mais il n'était pas content, et avait cessé de croire en des jours meilleurs. Sarah écoutait ce qu'il avait à dire et tâchait de s'y intéresser, mais elle ne voyait pas du tout comment l'aider.

Touche était son seul véritable ami, et même lui ne venait plus très souvent. Sarah craignait de l'avoir déçu. Il continuait de parler et de lui donner à boire, mais elle sentait qu'il le faisait surtout par intérêt personnel. Il prétendait être une vraie personne, et avoir rencontré, plus jeune, des gens constitués de foin. C'est eux qui l'avaient trouvé, ou bien l'inverse. Il avait beaucoup appris d'eux, et à présent ils apprenaient de lui. Touche recevait des gens, désormais. C'est ce qu'il prétendait, en tout cas. Elle savait ce qu'ils étaient : des lutins. Ils suivaient ses ordres et ratissaient un vaste territoire, guettant les sots qui avaient la faiblesse de se croire chanceux, comme Sarah autrefois. Ils surveillaient les gens à l'aide de micros et de chauves-souris espionnes qui survolaient toutes les maisons du monde. Certains de ces lutins étaient gigantesques, et capables de déclencher des séismes et des éruptions volcaniques rien qu'en tapant du pied. D'autres étaient carrément minuscules : ils volaient dans les airs et s'infiltraient par les pores de la peau pour agiter les cellules et faire pousser des masses noires dans les poumons, le cœur et le foie. Les grands lutins avaient des voix tonitruantes. Les petits parlaient comme des Gallois. Quand Sarah toussait, elle gardait la bouche fermée pour éviter qu'ils ne s'introduisent en elle. Quelques-uns de ces lutins avaient taille humaine. Mais ils étaient rares. Elle n'en voyait jamais aucun, mais devinait leur présence. Elle cognait son front contre la trappe pour les chasser.

Puis tout le monde s'en allait, le noir revenait et elle flottait de plus belle. La première fois, elle avait eu l'impression de dériver sur le dos, maintenue à la surface de l'eau. Une sensation fort agréable, à vrai dire. Mais il lui semblait désormais s'enfoncer de plus en plus, comme si elle coulait. Ses oreilles étaient déjà immergés, et ce seraient bientôt les yeux.

Quand le bout de son nez aurait sombré, elle saurait qu'elle ne flottait plus.

CHAPITRE 29

Zandt était campé devant une porte d'entrée de Dale Lawns. Son premier coup de sonnette demeurant sans effet, il récidiva, s'appuyant de tout son poids sur le bouton jusqu'à distinguer, à travers la vitre granulée de l'imposte, une silhouette s'avançant à contre-jour d'une lumière blanche.

Gloria Neiden portait un ensemble de grand couturier, pour une banale soirée à la maison. Il apparut à ses premiers mots qu'elle était ivre. Non pas gaie, ou pompette, ni même ivre morte. Ivre comme une âme esseulée.

— Z'êtes qui, vous ?

— Je m'appelle John Zandt. On s'est rencontrés il y a deux ans.

— Je crains de ne pas m'en souvenir. En tout cas, je n'ai pris aucune disposition pour renouer le contact.

Cela débité sans heurt, à peine une ou deux syllabes escamotées. Elle commençait à refermer la porte. Zandt intercala sa main.

— Je faisais partie des policiers qui ont enquêté sur la disparition d'Annette Mattison.

Mme Neiden cligna des yeux, et ce mouvement parut répandre un pigment gris sur son visage, comme un baume inégal.

— Mais oui, fit-elle en croisant les bras. Ça me revient maintenant. Un beau succès. Une affaire rondement menée, n'est-ce pas ?

— Non. Et c'est pourquoi que je viens vous voir.

— Ma fille est sortie avec des amies. Et même si elle était là, je lui interdirais de vous parler. Il nous a tous fallu du temps pour surmonter cette tragédie.

— Je n'en doute pas. Et ça a marché ?

Elle le considéra, momentanément dégrisée.

— Qu'entendez-vous par là ?

— Ce que j'entends par là, c'est que ma fille a disparu elle aussi, et que le verbe surmonter ne fera jamais partie de mon vocabulaire. J'aimerais prendre un tout petit peu de votre temps, pour que vous m'aidiez à trouver celui qui a détruit nos vies.

— Pourquoi ne pas vous adresser aux Mattison plutôt qu'à moi ?

— J'ai une question à vous poser, une seule.

Elle se déroba, rabattant la porte plus fort qu'auparavant.

Zandt la bloqua de plus belle et n'écouta que ses tripes :

— Une question qui pourrait empêcher votre mari d'entamer ou de poursuivre une liaison. Qui pourrait éviter à votre fille d'avoir honte quand elle ramène ses copines à la maison. Ce qui signifie, si vous préférez, que vous risqueriez moins de lancer votre voiture contre un mur un de ces quatre parce que vous auriez mal évalué le virage ou que l'idée vous aurait séduite.

Gloria Neiden le dévisagea. Il lui fallut quelques secondes pour recouvrer la parole.

— Allez vous faire foutre, grogna-t-elle. Vous n'avez aucun droit de me parler comme ça. Vous auriez dû le trouver. Ce n'est pas ma faute. Rien n'est ma faute dans cette histoire.

— Je sais, admit Zandt tout en observant les transformations de ce visage : successivement animal, fille apeurée, puis femme à nouveau, tel un masque de glaise trituré par un gosse vicieux. Rien de ce qui est arrivé n'est votre faute, madame. Je le sais bien. Votre famille le sait. Tout le monde le sait à part vous. Car vous avez beau l'affirmer, vous n'y croyez pas vraiment. Et c'est ce qui vous tuera.

Ils tinrent la pose pendant un moment, de part et d'autre du seuil, à pousser chacun sur la porte. Puis ils ne poussèrent plus.

Il appela Nina en chemin vers Santa Monica. Il lui trouva une voix distraite, mais elle accepta de le retrouver à Bel Air. L'adresse figurait au dossier.

Michael Becker ouvrit à Zandt, et accepta de le suivre sans connaître la raison. Ils abandonnèrent Zoe sur le perron, qui tenait leur fille cadette par la main. L'épouse ne fit pas d'histoires, n'exigea aucune explication. Zandt comprit qu'il en eût été de même si c'était Zoe qu'on venait débaucher, et Michael qu'on laissait disparaître dans le rétroviseur de la voiture familiale. Les Becker se faisaient mutuellement confiance pour garder la maison, et se transféraient les responsabilités selon les impératifs du moment. Quand plus rien n'a de sens, seule votre relation avec un être, et un seul, peut encore vous protéger du monde. Zandt regrettait de ne pas avoir eu cette révélation avant le départ de Jennifer.

Vu l'approche post-euclidienne de Becker quant à la géométrie de L.A., il leur fallut près de quarante minutes pour gagner l'autre bout de la ville, après quoi ils grimpèrent dans les hauteurs et longèrent des maisons qui s'élargissaient à chaque virage, jusqu'à devenir si grandes qu'on ne les distinguait même plus depuis la route.

Ils arrivèrent enfin dans un cul-de-sac. Des deux côtés se dressaient de hautes grilles. Les phares révélèrent un autre véhicule discrètement garé un peu plus haut. Nina y était accotée, les bras croisés et le sourcil levé. Nina dans toute sa splendeur.

– Nous y sommes, dit Michael Becker. C'est ici qu'il habite.

Becker n'avait rien d'un idiot. Il avait parcouru une partie du chemin dans sa tête, même si celui-ci demeurait enfoui dans son inconscient.

– Qu'est-ce que je lui dis ?

Zandt sortit de la voiture. Nina avait une question à poser, mais il l'en empêcha d'un geste.

– Faites-nous entrer, c'est tout, suggéra-t-il à Michael.

Becker s'approcha de la grille et appuya sur un bouton. Il prononça quelques mots, et le portail s'ouvrit au bout d'une ou deux secondes.

Zandt remonta l'allée d'un pas vif, talonné tant bien que mal par sa suite.

La porte de la maison était ouverte, et un homme longiligne les attendait dans le halo des lumières intérieures. Le terrain alentour s'étendait à perte de vue. Zandt attrapa le bras de Michael et le ramena devant lui pour parcourir les derniers mètres.

– Salut, Michael, lança le type. Qui sont tes amis ?

Surgissant de derrière Becker, Zandt jeta sa main à la gorge de Charles Wang. De l'autre, il lui colla deux directs au visage.

Nina écarquilla les yeux.

– Mais qu'est-ce qui te prend, John ?

– Ferme la porte.

Zandt repoussa Wang dans l'immense entrée. Il le boxa de nouveau, l'envoyant s'écraser dans le mur de marbre blanc. Puis le ramassa et le projeta contre une grande psyché, dont la moitié supérieure se brisa.

Un jeune garçon en veste blanche accourut d'une porte sous l'escalier menant à l'étage. Il constata que Zandt avait un flingue et qu'il le lui pointait en pleine figure.

– Retourne à l'intérieur, Julio, dit Wang d'une voix égale.

– C'est ça, Julio, fit Zandt. Tu te casses et tu la boucles, pigé ? Si tu oses décrocher le téléphone, dès que j'ai fini avec ce connard je te retrouve et je fais sauter ta putain de cervelle.

Le garçon disparut sans demander son reste.

Zandt ramena l'arme sur Wang, à demi couché au pied du miroir, tordu comme s'il s'était rompu le dos.

– Tu ne vas pas détaler ? demanda Zandt avant de lui envoyer son pied dans les côtes. Essayer de te sauver ?

– Arrête ça ! tonna Nina. Dis-moi ce qui se passe.

Tout à coup, Wang s'animait, se relevait d'une poussée fluide. Zandt lui abattit son canon en pleine face, stoppant net son ascension. Wang émit un claquement guttural avant de retomber.

Zandt lui releva la tête de force. Les yeux de Wang le fixèrent à travers le filet de sang qui lui coulait du front. Zandt n'y lut que peur et duplicité.

— On a merdé, expliqua-t-il aux deux autres. On a cherché au niveau un. On a loupé le niveau deux. Et on n'a même pas osé imaginer un niveau trois.

Wang lui sourit, comme s'il se demandait combien acheter cet adversaire. Zandt lui lâcha la gorge pour le gifler.

— C'est lui qu'il faut regarder ! lui cria-t-il. Pas moi. Regarde Michael.

Un instant Wang parut envisager la fuite, mais la pression du flingue sur sa trachée le convainquit de rester. Il tourna lentement les yeux vers Michael Becker.

— Nous n'avons jamais coincé l'Homme Debout, expliqua Zandt, parce que nous cherchions le ravisseur des filles. Et la raison pour laquelle nous n'avons pas trouvé le ravisseur, c'est qu'il n'y a aucun lien entre les victimes, pour la bonne et simple raison qu'elles ont été kidnappées par des types différents. Aujourd'hui, je me suis penché sur des cas analogues, des filles du même âge disparues à la même période. Deux d'entre elles ont particulièrement retenu mon attention. Deux petites New-Yorkaises, qu'on ne pouvait rattacher à l'Homme Debout puisqu'elles ont disparu à l'autre bout du pays alors même qu'il sévissait ici.

Wang cligna des yeux, pour fuir ceux de Becker. Zandt renfonça le canon dans sa pomme d'Adam et le regard se rétablit.

— Le père d'une de ces filles est directeur du développement pour la côte est chez Miramax. La mère de l'autre fille est cadre dans une société de courtage qui traite principalement avec des banques privées suisses, mais elle arrondit ses fins de mois – je l'ai vérifié cet après-midi même – en cherchant dans ses fichiers clients des bailleurs de fonds pour produire de petits films en Europe. Mais il s'agit là de New-Yorkaises, n'est-ce pas ? Or ce sont des filles de la côte ouest qui nous intéressent. Alors je suis passé voir Gloria Neiden avant de t'appeler. Je lui ai demandé de lister toutes les personnes avec qui elle a bossé au cours des douze mois précédant l'assassinat de la fille de sa meilleure amie. Le moindre partenaire, semi-partenaire, agent, directeur, financier, fifre ou sous-fifre. Ça a pris du temps, parce que Mme Neiden est un peu à cran ces temps-ci, et c'est difficile de demander à quelqu'un de remuer ses souvenirs. Mais un nom a fini par sortir.

Michael se tenait quelques mètres derrière Zandt, les yeux rivés sur un homme qu'il avait côtoyé dans des bureaux enso-leillés, abreuvé d'e-mails rigolos, serré dans ses bras après des essais quasi transformés dans l'arène télévisuelle. L'homme qui était venu à la maison des centaines de fois, qui avait dîné à la table familiale, qui s'était assis dans la chambre de sa fille pour bavarder de son fantastique séjour britannique. Qui avait compris que l'Angleterre serait un bon moyen de retenir son attention, en attendant l'instant propice pour la kidnapper.

Wang ne dit rien.

– Charles ne tue pas les filles, poursuivit Zandt. Pas plus qu'il ne les enlève. Ce serait trop risqué. Charles n'aime pas le vrai danger. Il veut du pouvoir, du bon temps, une vie empreinte de mystère. Tout ce que fait Charles, c'est trans-mettre des renseignements. Charles peut trouver des filles par-ticulières, des filles de qualité. Charles travaille à la commis-sion, sans doute, mais Charles travaille surtout pour le plaisir.

– Charles... balbutia Michael. Dis quelque chose. Dis-moi que c'est faux.

– Dis-nous plutôt combien tu touches par fille, reprit Zandt. Explique-nous pourquoi, alors qu'il serait tellement plus facile de ramasser des filles à la rue, ils préfèrent piocher dans les bonnes familles. Anéantir des gens censés être tes amis. Explique-nous pourquoi c'est si bandant, parce qu'on a une putain d'envie de savoir, Charles.

Sans prévenir, il recula d'un pas et aplatit sa semelle sur le torse de Wang. Puis il se rapprocha de son visage en hurlant :

— Qui les prend ? Qui les enlève ? Où est-ce qu'on les emmène ?

Sans quitter Michael Becker des yeux, Wang se lécha les lèvres.

— Vous croyez que je connais leurs noms ?

Zandt :

— Décris-les.

— Et si je refuse ?

Zandt écarta le flingue de trois centimètres et pressa la détente. La balle s'écrasa dans le marbre, juste derrière la tête de Wang, puis ricocha à travers la pièce. Des bris de pierre et de verre saupoudrèrent son crâne. Le pistolet retrouva aussitôt sa gorge.

— J'en connais trois, débita Wang. Il y en avait un quatrième, mais il a disparu voilà deux ans. Ils ont tous l'air différent... Que voulez-vous que je vous dise ? Vous croyez peut-être qu'on buvait des bières ensemble ?

— Décris celui qui a pris la fille de Michael. Tu dois être en contact avec lui.

— Tout s'est passé par mail et par téléphone.

— Mon cul. Les mails peuvent être lus et les téléphones écoutés. Mais deux types qui se rencontrent au bar d'un hôtel quelconque, personne n'y prêtera attention, pas vrai ?

Wang se lécha de nouveau les lèvres. Zandt rehaussa l'extrémité du flingue, lui dessinant un rectangle au milieu du front. Wang regarda le doigt serrer la détente. Quand il rouvrit la bouche, le flic leva l'index de sa main libre.

— Ne me dis pas ce que tu penses que j'aimerais entendre, prévint-il. Si j'ai l'impression que tu mens, t'es mort.

— C'est un grand gaillard. Blond. Costaud. Son nom est Paul.

Zandt se redressa, essuya de sa main la sueur du type. Puis recula d'un pas vers Nina, laissant Michael face à Wang.

— Alors c'est vrai ? demanda le père de Sarah d'une voix à peine audible. Comment... Comment peux... Mais pourquoi ? Pourquoi, Charles ? Je veux dire... (Abasourdi, perdu dans une maison qu'il n'aurait jamais les moyens de s'offrir quel que soit le nombre de culs qu'il lécherait, il se raccrocha à une chose triviale mais concrète :) Me dis pas que c'est pour ce putain de pognon ?

— Tu es un homme médiocre, avec des ambitions médiocres, répondit Wang d'un ton amer, tout en frottant sa lèvre ensanglantée du dos de la main. Des petites idiotes qui n'ont jamais été baisées. Une imagination de vieilles filles. Tu n'as jamais rien touché de grand, et tu ne le feras jamais. Tu ne la toucheras pas, *elle*, en tout cas, plus maintenant. (Il lui fit un clin d'œil.) Tu ne sauras jamais ce que tu rates.

Zandt fut le plus rapide. Il intercepta Becker, l'attrapant par les épaules pour le faire virevolter d'un coup. Zandt était bien plus lourd que Becker, mais il parvint de justesse à le contenir.

— Il vous raconte des conneries, Michael. Des conneries.

Au bout d'un moment, l'énergie de Becker sembla retomber. Par-dessus l'épaule de Zandt, qui le maintenait fermement, il toisait le sourire de l'homme à terre.

— On ne va pas le tuer, compris ? (Zandt tourna la tête de Becker pour lui parler droit dans les yeux. Ceux-ci étaient écarquillés, aveugles.) Je ne peux pas promettre de ramener votre fille vivante. Elle est peut-être morte, auquel cas cet homme porte une responsabilité écrasante. Mais nous allons quitter cette maison sans faire d'histoires. C'est la seule chose que je sois sûr de pouvoir vous offrir : vous empêcher de repartir dans la peau d'un meurtrier.

Le regard de Becker se rajusta lentement. Son corps mollit quelques instants, puis se raidit de plus belle. Il finit par reculer d'un pas, relâchant ses bras le long du corps.

Zandt rangea son flingue. Le trio considéra le type allongé par terre.

— Tu auras de la compagnie très bientôt, promit Zandt. Des flics, des fédéraux. Munis de mandats de perquisition. À ta place, je ferais un peu de ménage.

Là-dessus ils tournèrent les talons, laissant dans leur sillage un visage blême, interdit.

Aucun mot ne fut échangé jusqu'à la voiture. Michael regarda la maison.

— Que suis-je censé faire ?

Nina ouvrit la bouche, mais Zandt la prit de vitesse :

— Rien du tout. N'en parlez pas à la police. Ni à votre femme. Je sais que vous en mourez d'envie. Mais pas pour l'instant. Et surtout, ne revenez pas ici. Ce qui doit être fait le sera.

— Par qui ?

— Montez dans la voiture, Michael.

— Je ne peux pas vous laisser faire ça pour moi.

— Remontez dans la voiture, je vous dis.

Becker finit par obéir et reprit la route, s'éloignant d'un train lent et sinueux.

Nina sortit son téléphone et composa un numéro. Zandt lui dégomma l'objet des mains, l'envoyant ricocher sur l'asphalte.

— Laisse ça, dit-il.

Elle le fusilla du regard, sans ramasser l'appareil.

— Tu as vraiment appelé les flics ? demanda-t-elle.

— Tu sais bien que non.

Zandt alluma une cigarette et ils patientèrent. Au bout de dix minutes ils entendirent le bruit que Zandt avait escompté, la détonation assourdie sans laquelle il serait retourné à l'intérieur pour commettre ce qui s'imposait, quels que soient les efforts de Nina pour l'en empêcher.

Et pourtant, dès qu'il perçut ce bruit, Zandt fut pris d'une immense lassitude, loin de tout triomphalisme. Comme si, en se rapprochant de la source des événements, il était juste parvenu à se compromettre davantage ; comme si la vase tapie sous la surface de l'humanité dégageait une odeur si forte qu'il ne pourrait jamais s'en défaire.

Nina se retourna vers lui.

— Alors il est mort.

— Il se contentait de sélectionner les filles pour les échelons supérieurs. On aurait pu passer des jours entiers à l'interroger, et il nous aurait menés en bateau.

— Je ne te reproche rien. Je te demande simplement ce que tu comptes faire ensuite.

Zandt haussa les épaules.

– Parfait, dit-elle en se baissant pour récupérer son télé-phone. (Des porches s'illuminaient de l'autre côté de la rue.) Parce que les flics ne vont pas tarder à rappliquer, et je n'ai pas très envie d'être là pour les accueillir.

Elle s'éloigna à grands pas vers sa voiture, ajoutant par-dessus son épaule :

– Et j'ai deux personnes qui pensent avoir localisé un grand blond, un peu du genre de celui qu'on vient de te décrire.

Zandt ouvrit de grands yeux.

– Quoi ?

– Hopkins et son acolyte. Ils m'ont appelé juste avant toi. Ils possèdent une vidéo montrant ce type sur les lieux de toute une série de boucheries top niveau, la moitié de celles qui ont marqué ces dix dernières années, y compris celle de ce matin dans une école du Maine. Ward croit justement l'avoir croisé dans ce fameux endroit à la montagne.

– Si tu savais tout ça, pourquoi m'as-tu laissé Wang ?

Elle le considéra par-dessus le toit de la voiture.

– Je ne tenais pas plus que toi à l'épargner.

CHAPITRE 30

Ni Zandt ni Nina ne savaient que, juste avant de se supprimer, Wang avait passé un dernier coup de fil.

D'abord il était laborieusement remonté sur ses jambes, les mains patinant dans son sang. Il était incapable de se tenir vraiment droit. Il s'était déjà fait rouer de coups, en avait même réclamé plus d'une fois, mais là c'était différent. Le flic n'avait pas agi en songeant au plaisir de Wang, et il y avait de la casse.

Il resta debout un moment, se regarda dans les restes du miroir sous lequel il avait livré son plus grand secret. Son visage était boursouflé, entaillé. Pire, il paraissait vieux. Le dispendieux vernis des régimes et de l'exercice, des onguents et de l'obsession de soi s'était soudain dissous. Wang faisait son âge, d'une façon dont seul un homme ayant commis ce qu'il avait commis, et gardé ses secrets aussi longtemps, était capable.

Il n'avait jamais tué. Ni même blessé. Pas de ses propres mains. Mais il avait assisté à certaines séances où de jeunes hommes étaient laissés gisants dans des mares d'urine et d'autres sécrétions. Où d'autres types de son espèce s'esquivaient dans des voitures de luxe, heureux de ne pas être poursuivis pour complicité de meurtre. Il possédait une collection pléthorique de vidéos relatant de tels événements. Si pléthorique, à vrai dire, qu'il doutait de pouvoir toutes les rassembler, sans parler de les détruire, avant l'arrivée de la police.

Son père ne comprendrait jamais.

Pas plus, présumait-il, que les hommes et femmes avec lesquels il commerçait de manière plus honnête – même s'il savait que certains possédaient leurs propres secrets, que la flamme intérieure qui les menait à la gloire et au succès les poussait aussi à des actes plus sombres, comme moyen de se prouver qu'ils étaient au-dessus de la mêlée. Car la gloire ne suffit jamais. Tôt ou tard tout le monde a besoin de s'idolâtrer soi-même, sans quoi les regards extérieurs versent dans l'absurde. Marchandises et matières premières avaient été obtenues, des femmes en pleurs avaient été rétribuées, parfois par Wang lui-même, qui se montrait toujours enclin à devenir l'ami des gens. Un confident pour ceux dont les désirs outrepassaient les normes fixées par la société. Pour ceux qui voulaient vivre plus fort, plus vite, plus intensément. Pour qui le sexe n'était jamais aussi bon que dans la peur.

C'était l'un d'eux, un homme qui savait combien Wang pouvait se montrer dévoué, qui l'avait mis en relation avec plusieurs de ses collègues. Le représentant de ce groupe était un grand blond. Le dénommé Paul. Leur rencontre n'avait eu lieu qu'après plusieurs années de collaboration, et il fallut plus de temps encore à Wang pour comprendre que cet homme n'était pas tout à fait ce qu'il paraissait, et que lui et ses amis visaient davantage que le simple plaisir. Il n'avait jamais été convié parmi eux, ce dont il concevait une certaine amertume. Mais il avait accepté de leur pourvoir des objets de distraction, d'aider ces entremetteurs à dégotter des joyaux particuliers, et cette brute de flic ne s'y était pas trompé : l'argent n'avait rien à voir là-dedans.

Chacun a son propre cheminement, et vient au monde deux fois. La seconde naissance de Wang s'était produite voilà trente-cinq ans. Il en avait alors dix, et avait surpris une servante nue derrière une vitre. Un matin de printemps dans un autre pays, une image qui lui avait coupé les jambes, ébloui par la conscience subite que le monde regorgeait de trésors cachés. Son père se trouvait alors dans le bureau de la maison, d'où s'échappait un filet de musique baroque, juste et cadencée, claire et joyeuse. Wang s'était figé un instant, perdu dans ces quelques secondes de délice. Chez la plupart des gens, une telle expérience serait demeurée sans suite, mais Charles ne fut plus jamais le même. Les plus petites graines donnent parfois les arbres les plus sombres.

Il avait alors goûté au voyeurisme, puis aux revues, aux cassettes, et aux virées en solo dans des recoins peu connus de Hong-Kong et plus tard de Los Angeles. Une panoplie qui, là encore, aurait contenté – pour ne pas dire écœuré – la majorité des gens. Le péché ne résidait pas dans l'objet, ni même dans sa convoitise, mais dans son besoin. En avoir besoin à tout prix, avant même d'en connaître l'existence, au point qu'on l'aurait inventé s'il n'existait pas. Accuser la pornographie, c'est comme accuser un pistolet. Aucun des deux ne s'est créé lui-même. Aucun n'est capable de presser sa propre détente. Il faut une main pour cela. C'est l'esprit de l'homme qui fournira cette main chercheuse, aux doigts suffisamment fins pour déceler les petites brèches, et suffisamment forts pour extraire ce qui s'y cache. La comparaison vaut jusque dans les durillons qui se forment parfois, à force de manipulations, et qui réduisent la sensibilité du toucher. Un cal qui impliquera de recourir, pour le même résultat, à des expédients plus chauds ou plus perçants – et vient ainsi le temps où, pataugeant si profond dans le sang, la portée de vos prochains pas devient indifférente.

Cette semaine-là, Wang n'avait songé qu'une seule fois au sort de la fille de Michael Becker, en formant le vœu que Michael se remette vite au boulot, car le studio semblait de plus en plus réceptif au projet *Dark Shift*. Aussi risible que fût Michael à bien des égards, il travaillait dur et il avait des idées. Mieux, des idées acceptables pour un esprit lambda. Wang possédait sa propre version de *Dark Shift*, qu'il avait rédigée pour s'amuser. Mais elle eût paru moins acceptable.

Rien de tout cela n'eût paru acceptable. Rien de ce qu'il avait fait par goût ou par plaisir. Or, privé de ces choses, il lui restait bien peu à découvrir, et rien qui puisse motiver son existence. Privé du souvenir et de l'héritage d'un certain matin de printemps, d'une vision bercée de musique et des chuchotis d'une fontaine toute proche, il ne lui restait rien.

À l'heure où Zandt allumait sa cigarette dehors, Wang s'était traîné jusqu'à son bureau. Le choc initial commençait de se dissiper, et ses côtes le mettaient au supplice. Il composa un numéro et prévint un ami que quelqu'un était à deux doigts de lire dans leur jeu, si ce n'était déjà fait.

Puis il reprit son fauteuil. Aucun signe de Julio, qui devait pourtant savoir que les visiteurs étaient partis. L'espace d'un instant, Wang regretta de ne pas avoir, pour une fois, une compagnie ne relevant pas de la seule domesticité. Le gosse avait sans doute quitté la propriété par la grille du fond, pour dévaler la route vers une nouvelle vie. Comme un sourire d'hier, il avait disparu.

Wang déverrouilla le tiroir central de son bureau et sortit son revolver. La crosse était en cerisier sculpté.

Un objet magnifique. C'était toujours ça de pris.

CHAPITRE 31

À 8 h 45 le lendemain matin, nous poireautions dans la voiture au bout de la rue d'Auntie's Pantry. Il faisait froid et les nuages noirs crachaient de la neige fondue depuis deux heures. J'avais acheté un paquet de cigarettes, que je fumais à la chaîne. Bobby n'y trouvait rien à redire. Son flingue sur les genoux, il regardait droit à travers le pare-brise.

– Alors, ils arrivent à quelle heure ?

– Je ne te garantis pas qu'ils viendront, répondis-je.

Il secoua la tête.

– Un flic sans insigne et une meuf. Putain, on est invincibles. Envahissons l'Irak.

– On n'a personne d'autre, Bobby.

Une auto quelconque déboucha au coin de la rue. La conductrice, une femme d'âge mûr, nous croisa sans même remarquer notre présence. Nous attendions qu'une certaine personne se pointe à son bureau, et ce depuis 8 heures précises. Nous étions sur les nerfs. Ni lui ni moi n'avions très bien dormi.

– OK, fit Bobby en indiquant le trottoir d'en face. Une grande asperge aux cheveux roux. C'est notre homme ?

Nous attendîmes que Chip ait pénétré dans l'agence, puis nous quittâmes la voiture sans la fermer à clé. La rue était relativement déserte. Ce n'était pas une artère principale, et le temps ne se prêtait pas au lèche-vitrine.

J'enfonçai la porte et foulai la moquette de Farling Realty, talonné par Bobby. Chip avait disparu dans le bureau du fond. La grande pièce centrale était bordée de quatre bureaux, dont deux étaient occupés par des quadragénaires très bien coiffées vêtues de petits tailleurs carrés, l'un vert et l'autre rouge. Elles nous accueillirent avec des yeux brillants, fin prêtes à nous vendre notre rêve.

— On cherche Chip, annonçai-je.

L'une d'elles se leva.

— M. Farling sera à vous dans un instant, gazouilla-t-elle. Puis-je vous offrir un café pour vous faire patienter ?

— M. Hopkins ne compte pas s'attarder.

Chip se tenait au seuil de l'autre bureau. Une vilaine ecchymose lui courait de la joue au front.

— Je crois même qu'il va repartir très vite.

— C'est bien ce que nous avions en tête, Chip. Mais tu viens avec nous. On va voir les Halls, et on a besoin de quelqu'un pour nous faire entrer. En vertu de ton exclusivité si chèrement acquise, tu tiens la pole position. Alors soit tu nous suis de ton plein gré, soit on te traîne dans la rue en t'étranglant.

— Je ne pense pas, dit-il d'un air agacé.

À cet instant, la sonnette signala une nouvelle visite. Je me retournai pour découvrir deux flics. L'un était grand et brun. L'autre plus petit et blond. Ce dernier prit la parole :

— Bonjour, monsieur Hopkins.

— On se connaît ?

— Je vous ai eu au téléphone.

— À quelle occasion ?

— Vous avez contacté le commissariat. On a discuté de la mort de vos parents.

Derrière moi, j'entendis Bobby fureter dans son blouson.

— Officier Spurling, devinai-je.

— Il est ici à ma demande, expliqua Chip. Je vous ai vu posté dehors avec votre ami. Je lui ai rapporté que vous m'aviez agressé.

— Je parlerais plutôt d'une légère divergence de vues. Puis votre corps a été pris d'étranges convulsions.

— Je n'ai pas vu ça comme ça, moi. Ni la police, du reste.

— Il bluffe, Ward, murmura Bobby.

Chip se tourna vers les deux femmes, qui suivaient l'échange telle une paire de chattes curieuses.

— Doreen ? Julia ? Si vous alliez dans le bureau du fond quelques minutes ?

— C'est vous qu'on est venus chercher, Chip. Personne d'autre n'a à bouger.

— Maintenant, ordonna Chip à ses deux employées, qui se levèrent et se hâtèrent vers l'autre pièce.

Il referma derrière elles.

— Il serait préférable que vous nous suiviez au poste, dit Spurling sur un ton calme et conciliant. Vous l'ignorez peut-être, mais la maison de vos parents a subi des dégâts, et un hôtel a brûlé. Il semblerait que les deux incidents soient liés. L'officier McGregor et moi aimerions vous aider.

— Le problème, voyez-vous, c'est que je ne suis pas convaincu sur ce dernier point, répondis-je.

— Et c'est quoi, le problème avec votre partenaire ? ajouta Bobby. Il est pas très causant, dites-moi.

Le second flic considéra Bobby, mais sans dire un mot. C'est là que j'ai commencé à tiquer. Un type qui soutient le regard de Bobby d'un air tout sauf respectueux est soit inconscient, soit extrêmement dangereux, soit les deux.

— Simple répartition des tâches, lançai-je, espérant que la situation était encore récupérable. McGregor est peut-être un as de la paperasse.

— Vous êtes un trou du cul, Hopkins, dit Chip. Il faut croire que c'est de famille.

— Alors, monsieur Hopkins, fit Spurling en ignorant l'interruption, vous voulez bien me suivre ?

— Non, répondit Bobby.

Chip sourit. McGregor dégaina son flingue.

— On se calme, plaidai-je, dans mes petits souliers.

L'officier Spurling semblait encore plus surpris que moi, les yeux rivés sur l'arme de son équipier.

— Euh, George... commença-t-il.

Mais McGregor ouvrit le feu.

Nous étions déjà en mouvement quand Chip réitéra son petit rictus hautain, mais c'était encore trop lent. Il n'y avait nulle part où se réfugier. Se planquer n'était pas à l'ordre du jour.

Pistolet en main, Bobby toucha McGregor dans la cuisse et la poitrine. Mais les impacts ne sonnaient pas comme d'habitude, et je compris que le flic portait du Kevlar. Sous la force des coups, il heurta un fauteuil et bascula sur le dos, mais il se remit vite debout. Pendant tout ce temps, Spurling restait figé, bouche bée.

J'eus trente centimètres d'avance sur la balle de McGregor, m'étant jeté à terre en roulant. Je me rétablis derrière le bureau de Doreen et retournai le coup, l'atteignant à l'épaule. Quelque chose siffla tout près de mon oreille, et je vis que Chip était, lui aussi, en possession d'un petit flingue. Après ça, mes souvenirs sont confus. J'ai simplement vidé mon arme sur tout ce qui bougeait. Dans une bataille au beau milieu d'une plaine, vous avez peut-être le temps de cogiter, d'analyser la situation entre deux tirs. Mais prenez le temps de réfléchir dans un espace confiné face à deux gars qui vous canardent, et vous n'irez jamais au bout de votre raisonnement.

Au bout de dix secondes, la fusillade cessa. J'étais alors coincé derrière le bureau de Julia, la joue et le front en feu, comme lacérés. Non par une balle, a priori, mais plutôt par les fragments d'une explosion. J'étais surpris de m'en tirer à si bon compte. La tête de Chip était répandue sur le mur du fond. McGregor n'était plus en vue, et la porte de l'agence étaient grande ouverte.

Spurling avait reçu une balle dans la jambe avant de passer par-dessus un bureau. Il remuait, mais pas très vite. Sa tête était toujours en place. Je la laissai comme ça.

Bobby était adossé au mur près de l'entrée, la main pressée sur son bras, ses doigts dégoulinant de sang. J'accourus et l'agrippai.

Nous déboulâmes sur le trottoir, trottant jusqu'à celui d'en face. J'ouvris la portière de droite et poussai Bobby à l'intérieur. Deux passants en combinaison de ski orange promenèrent leurs regards éberlués entre nous et les vitres étoilées de l'agence.

– On tourne un film, dit l'homme. Je ne vois que ça.

– Ça va aller, murmura Bobby tandis que je sautais derrière le volant avant de mettre les gaz. Ça va aller.

– Tu t'es fait tirer dessus, imbécile.

– Ralentis...

Il y avait un stop juste en face, et un trafic avec lequel il fallait composer. Je relâchai la pédale et parvins par chance à m'insérer dans un trou sur la file de gauche.

– Où tu vas ?

– À l'hosto, Bobby.

– T'es fou. Pas après ça.

– Spurling nous défendra.

– Tout ce qu'il sait, c'est que ça a tiré dans tous les sens. Les deux keufs ont été touchés, et un civil a trouvé la mort.

– Il sait que McGregor a tout déclenché. Si tu préfères, je vais prendre l'autoroute pour rallier le premier hôpital hors de la ville.

– Où les toubibs devront quand même déclarer l'incident, et où on aura toujours tué quelqu'un.

– Mais tu as reçu une balle, Bobby ! C'est la dernière fois que je te le répète.

Comme je poursuivais ma percée vers l'ouest, slalomant entre les voitures, Bobby ôta délicatement la main de son bras. Un filet de sang frais s'en échappa, mais moins nourri que je ne l'avais craint. Avec une grimace de dégoût, il écarta le tissu entourant la plaie pour mieux l'examiner.

– Il manque un bout, avoua-t-il. Ce qui n'est pas idéal. Mais je survivrai. Et il y a plus urgent que les soins médicaux.

– Quoi donc ?

– De l'artillerie, dit-il en se carrant dans son siège. Une putain de grosse artillerie.

Laissant Bobby dans la voiture, je me ruai vers la boutique. Il pleuvait à verse et les nuages viraient au noir. Avant de pousser la porte, je pris le temps de me recomposer. La plupart des armuriers cultivent une illusion selon laquelle ils ne vendent que des pistolets à eau. Inutile de leur montrer qu'on a la gâchette qui démange.

À l'intérieur, un espace tout en longueur. Un comptoir en verre où des armes de poing s'alignaient tels des bijoux ; derrière, des râteliers de fusils à perte de vue. Ni clients, ni guichet blindé. Juste un gros gars aux cheveux blancs en chemise bleu foncé, attendant la prochaine transaction.

— J'peux vous aider ?

Il plaqua deux grosses mains sur le comptoir. Au mur derrière lui s'affichaient les visages de deux célèbres terroristes du Moyen-Orient. « Mort », requérait chaque légende, « ou vif » ayant été barré d'une croix.

— J'aimerais acheter des armes, dis-je.

— On ne vend que du yaourt glacé, ici. Depuis le temps que je dois démonter cette foutue pancarte.

Je ris de bon cœur. Il rit aussi. C'était vraiment très cool. On se payait un chouette moment.

— Bon. Vous recherchez quel genre de truc ?

— Deux fusils avec huit cents cartouches, quarante chargeurs de 45, n'importe quelle marque, ce que vous avez de moins cher. Et deux gilets pare-balles, de bonne qualité, un L et un M.

— Ben mon vieux, fit-il, toujours goguenard. On veut déclencher une guerre ?

— Non. Mais pour sûr qu'on a de sérieux ennuis.

Son sourire s'évanouit, et je vis qu'il observait ma joue. J'y passai ma main, et recueillis une fine trace de sang.

— Comme vous le voyez, ça commence vraiment à dégénérer, ajoutai-je.

Il ne rit pas ce coup-ci.

— Je ne sais pas si je peux vous vendre tout ça.

Alors je brandis une American Express Gold, et son sourire réapparut. Il calcula l'addition à la main, en m'accordant une ristourne sur les munitions. Quand on achète en gros, le prix unitaire de huit cents morts potentielles est à vrai dire très raisonnable.

Il m'annonça le total et j'agitai la main, pressé d'en finir. Je jetai un coup d'œil sur Bobby par la fenêtre. Il avait retiré son blouson et déroulait une bande autour de son biceps. J'avais acheté celle-ci dans une pharmacie vétérinaire en arrivant dans cette ville, ainsi que des épingles à nourrice et de la gaze. Il grimaçait beaucoup. Je me retournai juste à temps.

– Ne faites pas ça, dis-je en braquant mon flingue sur la poitrine du type.

Il s'immobilisa, les yeux rivés sur moi, la main à quelques centimètres du téléphone.

– Laissez-moi deviner. Il y a deux jours, un flic s'est pointé et vous a dit de ne rien vendre à un certain Ward Hopkins ?

– C'est exact.

– Mais vous allez quand même le faire, pas vrai ?

– Non, monsieur. Je refuse.

Je m'avançai d'un pas, visai son front. J'étais vanné et j'avais peur. Il secoua la tête, rapprocha sa main du téléphone.

– Je vous vendrai rien, je vous dis.

Le combiné était un très vieux modèle, qui émit un son remarquable quand la balle le perfora. Effaré, le type recula d'un bond.

– Oh que si ! rétorquai-je. Autrement je vous descends et je me sers. Et puis vous n'êtes pas en position de pleurnicher parce que le flingue que j'ai entre les mains provient précisément de cet établissement. Vous savez quoi ? C'est à ça que ça sert.

Le type resta figé un instant, se demandant de quel côté plonger. J'espérais de tout mon cœur qu'il allait m'obéir, parce que je n'avais aucune intention de l'abattre et il devait s'en douter.

Puis son regard cilla. Je repérai du coin de l'œil un jeune type qui s'approchait de la boutique. Il portait un sac de sandwiches et le même genre de chemise que son copain ventru.

Je poussai un juron, me penchai en avant et raflai un maximum de boîtes.

– Vous ne m'avez vraiment pas aidé, pestai-je avant de

franchir la porte en trombe, précipitant de plein fouet le jeunot dans une flaque.

Je sautai dans la voiture, jetai les boîtes de munitions sur les genoux de Bobby.

– Ça a merdé, mec.

– Je vois ça, répondit-il en avisant le gros lard qui sortait de la boutique en agitant un tromblon.

Je lançai la voiture en marche arrière, tandis qu'un premier tir frôlait le toit. Le jeune collègue remonta sur ses jambes et fonça dans la boutique en bousculant l'autre. J'écrasai le frein, réussis mon tête-à-queue et mordis la route alors qu'une balle explosait l'une des vitres arrière.

– Le vendeur avait mon nom sur une liste. (Je virai brusquement à droite, sans but précis, sinon m'éloigner du centre-ville.) Voilà au moins une première question de réglée : comment les Hommes de Paille ont rappliqué si vite chez mes vieux après que j'ai brutalisé Chip. Pas besoin de quitter leur montagne. Ils avaient McGregor dans la place.

– Ça se tient.

– Une autre chose qui se tient : McGregor et Spurling étaient les premiers sur les lieux quand mes vieux se sont emplafonnés. Sauf que McGregor est peut-être arrivé un peu plus tôt...

– Et se trouve en ce moment même au commissariat de Dyersburg, ruisselant de sang, à balancer nos noms. On s'est fait mettre profond, Ward – très profond. Qu'est-ce qu'on va faire, maintenant ?

Je ne voyais qu'une personne en ville qui puisse éventuellement nous aider. Je prononçai son nom.

– Bonne pioche, opina Bobby, qui grimaçait en se rajustant sur son siège. Vu la tournure des événements, un avocat ne sera pas du luxe.

Selon la carte qu'il m'avait remise après l'enterrement, Harold Davids habitait de l'autre côté de la ville. À la différence du quartier de mes parents, tout en collines et rues serpentines, celui-ci formait un quadrillage régulier – aux cases néanmoins vastes et plantées de pavillons coquets.

Le perron était éclairé, ainsi que l'intérieur. Une voiture semblable à celle que conduisait Davids était garée un peu plus bas dans la rue. Nous restâmes quelques instants dans la nôtre, le temps de vérifier que nous n'étions pas suivis, puis nous sortîmes.

J'actionnai la sonnette. Pas de réponse. Évidemment.

— Merde, pestai-je. Qu'est-ce qu'on fait ?

— Téléphone-lui, suggéra Bobby tout en surveillant la rue.

Je sortis le cellulaire, essayai le numéro de son cabinet ; puis celui d'ici, au cas où Davids ignorerait les coups de sonnette nocturnes ou serait captivé par une émission géniale à la télé. Au moins deux appareils retentirent sur divers paliers de la maison, et à la huitième sonnerie un répondeur s'enclencha. L'annonce indiquait ses coordonnées professionnelles, mais aucun numéro de portable.

— On ne peut pas rester plantés là, dis-je. Vu le lotissement, tu peux être sûr qu'un voisin va appeler les flics.

Bobby tourna la poignée de la porte. Elle était fermée à clé. Il fouilla dans sa poche et sortit un petit outil. Je faillis protester, mais on n'avait nulle part où aller. Il venait de glisser l'outil dans la serrure quand nous entendîmes tourner le verrou. Nous sursautâmes.

La porte s'entrouvrit d'une dizaine de centimètres, sur le visage de Harold Davids.

— Harold, dis-je.

— Ward ? C'est vous ? (Il ouvrit la porte un peu plus grand, l'air agité comme une puce.) Seigneur, mais que lui est-il arrivé ?

— On lui a tiré dessus, expliquai-je.

— Tiré dessus, répéta-t-il à mi-voix. Qui donc ?

— Des sales types. Écoutez, je sais que vous n'aviez pas ça en tête quand vous me proposiez vos services. Mais on est dans le pétrin. Et il ne me reste plus personne.

— Ward, je...

– S'il vous plaît. Si vous ne le faites pas pour moi, faites-le pour mon père.

Il me dévisagea longuement, puis s'écarta et nous laissa entrer.

Sa maison était sensiblement plus petite que celle de mes vieux, mais à lui seul le vestibule semblait contenir trois fois plus de choses. Des estampes, des objets d'art régional, des livres rangés dans une petite bibliothèque en chêne qui semblait construite sur mesure. En arrière-fond sonnait du piano classique.

– C'est tout droit, dit-il. Et faites attention au tapis. Vous pissez le sang. L'un comme l'autre.

Des reproductions de tableaux ornaient les murs du salon. Je n'en reconnaissais aucun. L'éclairage était faible, fourni par deux lampes à abat-jour. Pas de téléviseur, mais un poste CD d'aspect coûteux d'où s'échappait la musique. Il y avait un vieux piano coiffé d'une série de photos, certaines encadrées, d'autres simplement posées à nu. Au pied du canapé s'étendait un tapis ornementé dont les bords s'effrangeaient un peu.

– Je vous apporte une serviette, dit Davids.

Il hésita un instant dans l'embrasure de la porte, puis disparut dans le couloir.

Pendant son absence, Bobby resta au milieu de la pièce, la main sur son bras, s'assurant que tout ce qu'il perdait atterrissait sur le parquet. J'embrassai la pièce du regard. Les affaires des autres sont toujours inexplicables. Surtout celles des vieux. Je me souviens, un Noël, d'avoir offert sur un coup de tête une vieille calculatrice à mon père, repérée dans la vitrine d'un antiquaire ; je lui avais trouvé de la gueule, et m'étais dit qu'elle pourrait lui plaire. Quand il l'eut déballée, il me remercia en me considérant d'un air bizarre. Je lui avouai ne pas avoir l'impression que c'était le plus chouette cadeau qu'il ait jamais reçu. Alors, sans ajouter un mot, il m'emmena dans son bureau, ouvrit un tiroir. Là, sous un amas de stylos et de trombones accumulés au fil des ans, se trouvait une vieille calculette. C'était carrément le même modèle. L'intérieur de Davids était une brocante à mes yeux ; ce que je voyais rétro, mon père l'avait vu moderne. On est isolé de ceux qu'on aime par d'incompressibles décennies, un mur de verre immaculé mais incassable, épais de trente centimètres. Vous croyez vous tenir tout près, mais essayez de les toucher et votre main sera immédiatement bloquée.

Davids réapparut avec un linge que Bobby s'enroula autour du bras, puis s'assit dans un fauteuil et contempla le sol. Il paraissait fatigué, pâle, et bien plus âgé qu'à notre dernière rencontre. La lampe jouxtant son siège creusait les lignes de son front et marquait les plats de son visage.

— Il va falloir que vous me racontiez ça, Ward. Et je ne promets pas d'être d'un grand secours. Mon domaine, c'est les contrats, non les... fusillades.

Il se passa les mains dans les cheveux puis releva les yeux vers moi, et c'est là qu'une étincelle jaillit au fond de mon crâne.

Je me retournai, examinai le dessus du piano, puis Davids de nouveau.

— Vous me dévisagez, Ward.

J'ouvris la bouche pour dire quelque chose, mais rien ne vint. Je la refermai.

— Qu'y a-t-il ? Si vous me disiez enfin pourquoi vous êtes venu ?

Ce choix de mots, bien que sûrement fortuit, acheva de me convaincre. La façon dont ils rimaient avec « ce que tu es devenu ».

Je recouvrai l'usage de la parole.

— Quand avez-vous connu mes parents, au juste ?

— En 1995. L'année de leur emménagement.

— Pas avant ?

— Non. Comment aurait-ce été possible ?

— Vous auriez pu les croiser à un autre moment de votre vie. Allez savoir. Les routes des individus se recoupent parfois de façon mystérieuse, répondent à certaines mécaniques dont ils n'ont pas toujours conscience.

Son regard retomba.

— Vous m'intriguez, Ward.

326

— Depuis combien de temps habitez-vous à Dyersburg ?

— Depuis que je suis né, comme vous devez le savoir.

— Alors le nom de Lazy Ed ne vous dit rien ?

— Non, répondit-il sans quitter le sol des yeux, mais sans hésitation ni fausse note. C'est un drôle de nom, si vous voulez mon avis.

Bobby me fixait d'un air intrigué.

— C'est terrible, continuai-je. Je n'ai même pas connu son nom de famille. Juste Lazy. On fait mieux comme épitaphe, mais j'imagine que ça n'a plus grande importance maintenant qu'il est mort.

— Je suis désolé d'apprendre que vous avez perdu un ami, Ward, mais je ne vois vraiment pas où vous voulez en venir.

Je pris une photo sur le piano. Ce n'était pas une vue de groupe. Il y en avait deux de ce type-là, en noir et blanc, des traces déclinantes d'anciens aïeux, roides devant une technologie dont ils se méfiaient un peu. Le cliché que j'avais entre les mains était en couleur et figurait un seul individu, dans une pose informelle, pris par quelque ami voilà bien longtemps, avec ces teintes pastel et délavées, où les rouges conservent leur éclat et les bleus leur richesse, mais où le reste semble retenu dans une autre époque, comme si la lumière reflétée par ces surfaces-là s'effaçait, n'ayant plus la force de se maintenir dans le présent ; comme si cette ère se disloquait à mesure que s'éteignaient ses survivants, ceux qui se souvenaient de son soleil sur le visage. Un jeune homme, dans une forêt.

— « Mets celle qui parle de sodomie, récitai-je tout en examinant le Harold d'antan. Allez, Don, mets-la, Don, qu'on s'bidonne, Don. »

— Taisez-vous, Ward.

Sa voix chevrotait un brin.

Bobby m'emprunta la photo.

— Elle doit dater de quelques années plus tôt, dis-je. Harold est plus jeune et plus fin que sur la vidéo. Il n'avait pas encore laissé pousser ses cheveux.

Je me tournai vers Davids.

— Vous deviez avoir, quoi ? cinq ou six ans de plus qu'Ed

et mes parents, comme Mary. Et maintenant il ne reste plus que vous. Voilà pourquoi vous n'avez pas répondu à notre coup de sonnette et ne décrochez pas votre téléphone.

Davids soutenait mon regard. On aurait dit un centenaire. Un centenaire terrorisé.

– Et merde... expira-t-il.

Je brûlais de l'empoigner, de le secouer jusqu'à ce qu'il parle, jusqu'à ce qu'il m'explique tout ce cirque, qu'il me donne les clés de ma vie. Mais de la même façon qu'il avait fondu de quarante kilos en l'espace de trente ans, en vingt secondes son visage perdit tout ce que j'y avais lu précédemment, cet air forgé par une vie passée à dire aux gens où ils se situaient vis-à-vis de la loi. Je le trouvais maigre, frêle, et plus effrayé que moi encore.

– Racontez-moi, furent mes seuls mots.

Ce fut somme toute assez rapide.

Il me dit que, voilà bien longtemps, il y avait un groupe de cinq amis.

CHAPITRE 32

Harold, Mary et Ed étaient nés à Hunter's Rock, où ils avaient grandi ensemble. Une enfance paisible dans l'Amérique profonde – on faisait bien pire. Parvenus à l'âge adulte, ils firent la connaissance de deux nouveaux venus dans un bar, et de ce jour tous les cinq devinrent inséparables.

Mes parents, qui étaient déjà mariés, apprirent très tôt qu'ils ne pouvaient avoir d'enfants. Faisant contre mauvaise fortune bon cœur, ils décidèrent que ce n'était pas la fin du monde. Ils étaient là l'un pour l'autre, et savouraient la vie en tant qu'amis et amants. Il y avait des tas de choses à entreprendre et à découvrir : les années n'allaient pas s'écouler lentement, et ils n'allaient pas déprimer au seul motif que lorsqu'ils refermeraient la porte le soir ce ne serait jamais que sur eux deux dans leur grotte. Ils allèrent de l'avant, tâchèrent d'accepter les cartes qu'on leur avait distribuées. Et traversèrent ainsi deux années de travail, de sommeil et de vendredis soir, de longues parties de billard où personne ne perdait.

Puis le monde changea, et ils s'aperçurent que transmettre un capital génétique n'est pas la seule façon d'imprimer sa marque à l'univers. On assistait alors à l'avènement d'une ère que je n'ai jamais dû bien comprendre. En plein désert culturel, des montagnes et des ravines apparurent, éventrant le sol où dormaient les masses. Des manifestations de rue. Des sit-in sur les campus, l'alliance inédite entre les étudiants et le corps professoral. Des bagarres dans les restaurants qui refusaient d'installer Noirs et Blancs au même comptoir. La police qui tirait sur les citoyens, les enfants qui se révoltaient contre leurs parents. Les marches. Les invectives baiseur-de-nègres, fasciste, pédé, coco. Des idées érigées en missiles. De longues soirées dans des maisons à se défoncer, à discuter de ce qu'il fallait faire, à discuter de modes de vie alternatifs, à discuter de discuter de discuter.

Ils étaient plus vieux que la moyenne des activistes. Ils avaient du temps et de l'énergie à dépenser – et davantage de perspectives que les adolescents ou les opprimés en colère. Beth Hopkins s'investit dans la syndicalisation des employés de maison noirs. Harold dispensa des conseils juridiques gratuits aux démunis, ou à ceux dont la couleur de peau les plaçait toujours sur le mauvais plateau de la balance. Don Hopkins lança une campagne pour empêcher la démolition de quartiers entiers au profit de ceintures autoroutières qui constituaient le premier pas vers la ville américaine post-moderne, où les indésirables sont refoulés du centre par des rivières à six voies charriant des bolides d'acier, et où les inégalités sont inscrites dans le paysage. Mary et Ed étaient surtout des sympathisants, mais ils donnaient un coup de main dès qu'ils le pouvaient, chaque fois qu'Ed était sobre. Mary était amoureuse d'Harold, et Ed cherchait simplement des gens avec qui traîner. Ils allaient gagner leur vie puis travaillaient sur leur temps libre, ces vieux combattants, ces gens qui, ayant franchi le cap fatidique de la trentaine, étaient capables d'arrêter leurs priorités : se concentrer sur les activités les plus socialement utiles, plutôt que de céder à l'ivresse de la foule et aux occasions d'emballer une jeune chose sexy empourprée par l'adrénaline de la protestation.

Deux années durant ils levèrent poings et banderoles, firent don de leur temps, de leur argent et de leur cœur. Certaines choses changèrent. La plupart, non. Le statu quo a de la ressource. La guitare bruyante et l'amour libre ne peuvent pas tout. Petit à petit le goût de l'époque tourna, alors que nos cinq infatigables rempilaient pour une année. Ce fut Harold qui le premier prit la mesure de la situation. Il remarquait que les gens qui venaient solliciter ses conseils, ces vétérans des après-midi ensoleillés passés à insulter les flics, lui arrivaient dans un état de plus en plus déplorable. Que leur résistance pacifique commençait à faire du grabuge, et que les hématomes et cicatrices qu'il constatait n'étaient pas tous le fait de la police. Qu'il existait plusieurs factions au sein des *beautiful people*, et que leur confrontation devenait plus âpre que celle avec les autorités. Qu'il y avait certains groupes dont les objectifs semblaient plus simplistes et rétrogrades, dont le programme ne comprenait aucune revendication, seulement de la noirceur.

Au début les autres ne furent pas du même avis. Il ne fallait y voir, d'après eux, que l'essoufflement d'un rêve, tel que Don l'avait toujours prédit. Les clivages naturels réapparaissaient, voilà tout : l'ardeur retombait devant le triste constat que la République populaire d'Amérique n'avait jamais été aussi lointaine. Mais c'est alors que la mort s'en mêla. Des manifestations où l'on retrouvait aussi bien des flics que des étudiants gisant à terre, un tesson de bouteille planté dans le visage. Les rixes en pleine rue qui semblaient éclater spontanément. Les concerts de rock qui se transformaient en pugilats, et où l'on retrouvait des corps et un revolver après dispersion de la foule. Les explosions qui ôtaient la vie d'innocents sans servir la moindre cause. Certains incidents étaient dus à des militants sincères, persuadés que la lutte armée était le seul moyen d'avancer. Mais les pires atrocités étaient l'œuvre d'individus servant un tout autre projet. Les gens avec les flingues et la dynamite étaient mieux organisés que les guérilleros, et combattaient tout autant ces derniers que leurs causes. Il y avait un coucou dans le nid à fleurs, qui s'échauffait les ailes et préparait son envol.

Beaucoup jetèrent l'éponge à cette époque. L'Été de l'Amour se dissolvait dans l'Automne de l'Apathie, et la drogue en avait mis plus d'un sous terre. Ed disait stop. Mary aussi. Ils ne s'étaient impliqués que pour le plaisir, après tout, pour partager quelque chose avec leurs amis. La politique comme vie sociale, le slogan comme accessoire de mode. Même Harold vacillait. Il était avocat. Son âme aspirait à l'ordre.

— Mais Beth et Don, dit Davids d'une voix sèche et faible, ils ne voulaient pas lâcher prise.

Ils posèrent des questions, cherchèrent les lignes de démarcation. De certains tracts haineux ils retrouvèrent les imprimeurs, ainsi que les auteurs, et découvrirent que les fautes de grammaire et le ton démentiel étaient souvent délibérés. Ils pistèrent l'ami d'un ami d'un ami, celui que d'aucuns soupçonnaient d'avoir apporté le flingue à la manif, ou qui avait brisé la première bouteille, ou qui pouvait vous introduire auprès de ceux qui ne se contentaient pas de palabrer mais agissaient vraiment. Ils cherchèrent, et commencèrent à trouver.

Ils finirent par recevoir des menaces. Deux de leurs amis furent tabassés, laissés pour morts à l'arrière d'une voiture. Un autre disparut un après-midi pour ne jamais revenir. Harold se retrouva au chômage, preuve que ces gens-là avaient de bien meilleures relations que les étudiants et hippies dont ils sabotaient les actions.

Un soir, ma mère fut suivie, enlevée, conduite loin de la ville et retenue sur une banquette sous la menace d'un couteau, pendant qu'un individu au visage masqué lui expliquait que s'ils persistaient à fouiner, leur prochaine demeure serait exiguë, définitive, et logée au cœur d'une forêt où personne ne s'aventurait jamais. Elle fut ensuite violée, par quatre hommes, avant d'être jetée de la voiture à l'orée de la ville, nue et les cheveux taillés.

Après cela mon père changea. Il se lança à leurs trousses. Pendant quatre mois, lui et ma mère prirent congé du monde et de ses habitants, s'enfonçant dans les ténèbres jusqu'à trouver la bougie qui en éclairait le centre. Les autres ne surent jamais les détails de cette phase, constatèrent seulement que mes parents n'étaient plus les mêmes après. On voyait toujours les Hopkins, mais maintenant qu'ils ne menaient plus le bon combat, les liens du groupe s'effilochaient. Don se mit à parler de choses étranges, d'une conspiration vaste et floue ourdie par des gens qui voulaient détruire la société de l'intérieur. Les trois camarades n'y prêtèrent pas attention, au début tout du moins. Ils y voyaient juste le délire d'un couple qui n'était plus en phase avec la réalité.

Un soir, Beth et Don se rendirent au bar où se retrouvait la petite bande. Ivre suite à une dispute avec Davids, Mary ne leur adressa même pas la parole. Mon père prit Harold à part pour lui parler de toute urgence. D'abord réticent, celui-ci accepta de repartir avec eux, abandonnant Mary et Lazy Ed au comptoir. Ce qui devait arriver arriva : ces deux-là se finirent à la bière avant de gagner les bois où ils couchèrent ensemble. Au bord de la mare perdue, d'ailleurs. Harold et Mary mettraient fin à leur concubinage peu de temps après.

Les trois autres avaient roulé pendant quatre heures jusque dans les collines du sud de l'Oregon. Armés, ils approchèrent leur cible en silence. À ce stade, mon père et ma mère avaient tourné le dos à leurs convictions, même s'ils pensaient au contraire les avoir trouvées – ayant compris, au prix fort, qu'à l'heure du combat entre les partisans de la vie et les partisans de la mort, la bataille se menait sur le terrain de cette dernière.

Le camp se trouvait dans une clairière distante d'un petit kilomètre de la route, au beau milieu de la forêt. Une grappe de cabanes, bâties à la main et disposées en cercle, comme à une lointaine époque. Après que ma mère eut observé chaque homme et confirmé sa participation au viol, tous trois lancèrent l'offensive et tirèrent dans le tas.

Le silence emplit le salon de Harold.

– Vous avez abattu tout le monde ? Mes parents ont tué des gens ?

– Pas les femmes ni les enfants, rectifia Davids. Et le but n'était pas de les tuer. Mais on a tiré sur les hommes. Tous. Dans la jambe. Ou dans l'épaule. Ou dans les couilles. Ça dépend.

– Je ne leur jette pas la pierre, dis-je. (Le pensais-je vraiment ? J'imagine que oui.) Si ce que vous me dites est vrai, je ne peux rien leur reprocher, ni à l'un ni à l'autre.

– Bien sûr que c'est vrai. J'y étais. Le dernier homme que nous ayons trouvé était celui qui avait maintenu le couteau sous la gorge de votre mère. On n'en avait pas encore conscience, mais il ne s'agissait pas d'une vulgaire bande de culs-terreux livrés à eux-mêmes. Ils défendaient une cause. Ils ont toujours existé. Donc, vos parents ont débusqué cet homme assis tout seul dans sa cabane. Et là, votre père, le grand Don Hopkins, jeune agent immobilier, a posé un flingue sur son visage et l'a abattu.

J'essayai de me figurer cette nuit-là, de voir mon père dans cette position. En fait, je ne l'avais jamais vraiment connu.

Cet afflux d'informations semblait me déborder des yeux.

– Puis ils ont entendu du bruit dans l'autre pièce de la cabane, et Beth est allée voir. La femme du type l'avait quitté, ou alors il l'avait tuée. Quoi qu'il en soit, elle avait laissé ses enfants derrière elle. Des jumeaux, âgés de six mois tout au plus, enveloppés l'un contre l'autre dans un petit lit, et désormais orphelins. Deux jolis bébés, c'est-à-dire ce que Beth avait tant désiré mais ne pouvait avoir. (Davids secoua la tête.) Du moins, c'est ainsi qu'ils me l'ont raconté. Je n'ai pas assisté à cet épisode-là. Peut-être ont-ils d'abord aperçu les enfants. Beth aura trouvé les bébés, et votre père aura peut-être entrevu un moyen de la venger. Peut-être se sont-ils dit qu'ils avaient droit à une balle mortelle.

– Mes parents n'étaient pas des menteurs, protestai-je.

– Alors vous saviez tout ça ?

– Ce n'étaient pas des menteurs, répétai-je inutilement. Toute cette histoire est un tissu de conneries.

– Que sont devenus les enfants ? demanda Bobby.

– On les a ramenés à Hunter's Rock. Don et Beth les ont élevés pendant quelque temps. Mais finalement il fut décidé qu'il valait mieux les séparer. Beth n'était pas trop d'accord, pas plus que votre père, mais le reste du groupe jugeait trop risqué de les garder ensemble. Outre ces bébés, nous avons mis la main sur des tas de papiers et de bouquins. Certains étaient très, très vieux. Ils fournissaient la preuve que vos parents avaient vu juste. Il y avait bel et bien conspiration. Ces hommes dans les bois en faisaient partie. Beth et Don se sont dit qu'ils parviendraient à changer votre nature, que l'environnement était le facteur le plus déterminant. C'était alors très en vogue, ce genre d'hypothèses. Ça l'est beaucoup moins aujourd'hui, bien sûr, avec tout ce foin sur l'ADN et la génétique. De nos jours, on prétend tout expliquer par la chimie.

— Donc, les bébés ont été séparés, relança Bobby.

— Ils en ont gardé un, et l'autre a été emmené loin. L'idée était de mettre toutes les chances de leur côté en évitant qu'ils se renforcent mutuellement tels qu'ils étaient. Ou peut-être s'agissait-il d'une jolie petite expérience, Ward, mitonnée par votre père. Nature contre culture. Je n'ai jamais très bien compris.

— Mais quelle nature, Harold ? À quoi rime cette angoisse autour de la nature des bébés ?

— Eh bien, à cause de vos gènes, voyons. Parce que vous étiez tellement non-viraux. Si purs.

— Bon sang de merde, me dites pas que vous croyez à toutes ces conneries ! Vous ne pensez pas sérieusement que...

Je m'interrompis, frappé d'un éclair.

— Attendez un peu. Y aurait-il un rapport avec ce fameux concept de « virus social » ?

— Tout à fait. Mais comment êtes-vous au courant ?

— Nous avons trouvé le site Internet des Hommes de Paille.

— Et comment avez-vous entendu parler d'eux ?

— Papa a laissé une vidéo. Je venais de la trouver quand vous êtes arrivé à la maison. Vous figurez tous dessus, même si je ne l'ai pas vu tout de suite. Il m'a aussi laissé un mot. Disant qu'ils n'étaient pas morts.

Davids secoua la tête dans un léger sourire.

— Ah, Don... Toujours ce besoin d'anticiper.

Son visage dénotait de l'affection, mais pas seulement.

— Attendez, intervint Bobby, si tout cela s'est déroulé à

Hunter's Rock, comment se fait-il que vous ayez tous atterri ici ?

— Nous avons continué à nous voir pendant quelques années. Il y eut de bonnes soirées, mais ce n'était pas comme avant. Au bout de quelque temps je suis parti. Pour Dyersburg. Prendre un nouveau départ. Mary m'a rejoint l'année suivante. Ça n'a pas marché. Mais elle est restée en ville. Nous allions demeurer longtemps sans nouvelles des autres. En partie parce que nous pensions que c'était mieux ainsi. Et aussi, eh bien... nous avions commis des choses fort répréhensibles. Sur le coup, cette nuit-là, nous étions pourtant convaincus d'avoir raison. Nous nous sommes laissé prendre dans un engrenage, je suppose. La frustration de voir que rien ne changeait en ce bas monde, en dépit de tous nos efforts, et puis d'être à la merci de ce genre de types. Mais, après coup, aucun de nous ne tenait vraiment à s'en souvenir. Pour Mary et Ed, ce n'était pas si terrible. Ils n'avaient pas participé. Mais c'étaient nos amis, si bien qu'ils durent eux aussi endosser une part de culpabilité. Ils étaient au courant, et ils ont gardé le secret.

— Mon père et Ed sont tombés nez à nez un jour. Il y a longtemps de ça. J'étais là. Ils ont fait mine de ne pas se connaître.

— Ça ne m'étonne pas, dit Davids. Je ne pense pas que votre père avait totalement confiance en Ed pour tenir sa langue. Il l'a fait, pourtant.

— Vous saviez qu'il était mort ?

— Pas avant que vous n'en parliez. J'étais au courant pour Mary. Je ne pensais pas qu'ils remonteraient jusqu'à lui. Il n'avait même pas assisté à la scène.

Une voiture passa dans la rue, et la tête de Davids se tourna, comme tirée par une ficelle. Il attendit jusqu'au bout que le son se dissipe. Jamais un homme ne m'avait paru si sûr de déguster.

— Si vous aviez décidé de rester dispersés, pourquoi mes parents se sont-ils installés ici ?

— Après plus de vingt ans sans souci particulier, sans que personne vienne nous chercher, Don a dû se dire que c'était terminé. Il passait parfois dans le secteur pour son travail, et il m'a rendu visite une ou deux fois. On a fait un petit billard, on s'est souvenus du bon vieux temps. D'avant cette sale nuit. Combien on s'était amusés. Cette période où l'on se voyait déjà transformer le monde. Cette évocation a été d'abord étrange, mais très vite on a eu l'impression que ces dernières décennies n'avaient jamais existé. Don est revenu ici passer un week-end avec votre mère, et ils ont finalement décidé de déménager. De reconstituer la vieille bande. De retrouver la jeunesse.

— Alors pourquoi ne m'ont-ils jamais dit que vous vous connaissiez d'avant ?

— Parce que... (Il soupira.) Parce que la construction des Halls a commencé juste avant leur arrivée ici, et Don en a entendu parler. Il a pris contact, les a démarchés. Il voulait ce contrat. Il l'a obtenu. Et au bout d'un moment il a commencé à flairer des choses louches. Alors il a décidé que nous devions à nouveau faire semblant, comme avant. Don n'a jamais vraiment vieilli. Pas comme nous autres. Ni comme votre mère, je suppose. En général il vient un âge où l'on devient plus coulant, où l'on accepte de lâcher prise. Mais pas Don. On lui mettait un secret sous le nez, et il fallait qu'il le perce. Il fallait qu'il comprenne.

Je hochai la tête. C'était tellement vrai.

— Et qu'est-il arrivé ?

— Il s'est mis à fureter. À chercher qui se cachait derrière ce projet, ce qu'ils manigançaient. Il a acquis la conviction qu'il s'agissait bien des types qu'il avait traqués jadis dans l'Oregon. Enfin, pas les mêmes types, mais leurs frères d'armes, cette fois-ci mieux organisés. Et qu'ils appartenaient à une sorte de mouvement planétaire. Un groupe clandestin, agissant en sous-main.

Il secoua la tête.

— Vous n'étiez pas de cet avis ?

— Je ne sais pas quel était mon avis. Je voulais juste qu'il laisse tomber. Certaines personnes accordent trop d'importance à la vérité, Ward. Il arrive que la vérité ne soit pas bonne à connaître. Qu'il vaille mieux la laisser tranquille.

— Et ils l'ont démasqué.

— Ils ont découvert l'existence d'un fouineur. Rien ne l'accusait directement, mais la taupe se cachait dans un cercle très restreint. Les choses ont commencé à se compliquer pour Don. De petites choses. Je pense qu'ils ont quelqu'un ici, en ville.

— Je vous le confirme. L'homme qui a tiré sur Bobby. C'est un policier.

— Seigneur ! glapit Davids. Dites-moi qu'il est mort.

— Mais qu'est-il arrivé à mes parents, Harold ? Que s'est-il passé cette nuit-là ?

— Don a décidé qu'ils devaient partir, disparaître. Il ne pouvait soumettre cette histoire à personne. Quand bien même on l'aurait cru, c'eût été signer son arrêt de mort. Je le soupçonne d'avoir également voulu négocier avec eux, en face. Je n'ai aucune idée de la façon dont il comptait s'y prendre. Mais à nous quatre, nous avions un âge cumulé d'environ deux cent cinquante ans. Alors nous avons décidé, en fin de compte, de simuler leur mort, de faire croire qu'ils n'étaient plus de ce monde. On avait tout organisé.

Mon cœur fit un bond ; je songeai au billet caché dans le fauteuil, et comprenais que papa aurait pu fermer UnRealty pour faire croire aux Hommes de Paille que c'était terminé, avant de revenir les liquider d'une manière ou d'une autre. Il avait agi ainsi pour me protéger. Ce n'était pas par défiance vis-à-vis de moi, et ça ne voulait pas dire qu'ils...

Voyant mon expression, Davids secoua la tête.

— Ils l'ont eu avant, dit-il. Deux jours avant la date qu'on avait retenue. Ils auraient dû se rendre au lac Ely le dimanche, et faire du bateau l'après-midi. Avoir un accident. Corps jamais retrouvés. Mais voilà que le vendredi... bref, vous connaissez la suite. Ils sont morts, Ward. Je suis navré. Ils n'auraient pas dû. Mais ils sont vraiment morts. Et bientôt, ce soir sans doute, ce sera mon tour. Et alors ce sera fini pour de bon.

– C'est ce qu'on va voir, lança Bobby. C'est ce qu'on va voir tout de suite. (Il détacha la serviette de son bras. Elle était souillée de sang, mais plus rien ne suintait.) Je suis prêt à repartir. Allons là-bas et niquons tous ces braves gens.

Davids se contenta de secouer la tête. Il paraissait à cran.

– On est aussi bien ici.

– Sauf votre respect, monsieur, je ne suis pas de cet avis. Ces deux derniers jours ont vu l'élimination en règle de votre vieille bande de potes. Or, si ces mecs étaient rencardés sur Lazy Ed, ils le sont forcément sur vous.

C'est à peine si j'entendais leur échange. J'essayais d'assimiler ce qu'on venait de m'apprendre, de réajuster tout ce que j'avais cru savoir sur ma famille. Sur moi-même. Davids me regarda.

– Tout cela est vrai, Ward. Et je peux le prouver. Accordez-moi une minute, et je vous apporte les preuves.

Il se leva et quitta la pièce.

– Quelle histoire de merde ! murmura Bobby. Tu y crois, toi ?

– Pourquoi pas ? répondis-je, ne sachant trop sur quel pied danser. Ça colle, plus ou moins. Pourquoi mentirait-il ? On sait que c'est lui sur la vidéo, ce qui prouve qu'il les connaissait à l'époque. On sait que je ne suis pas né à Hunter's Rock. Et je l'imagine mal improviser un tel récit.

Une nouvelle voiture passa dehors, sans suite. Je fixai le mur jusqu'à ce qu'il se mette à pétiller sur mes pupilles.

– Ma mère m'a contacté, à peu près une semaine avant l'accident.

– Elle n'a fait aucune allusion à tout ceci ?

– Je ne lui ai pas parlé. Elle a laissé un message. Je n'ai pas pris la peine de rappeler. Mais elle ne téléphonait pas, d'habitude. C'était papa qui s'en chargeait, et le plus souvent ils attendaient que ce soit moi qui les joigne.

– Alors tu crois que...

– Je ne sais pas ce que je dois croire, Bobby, et c'est trop tard pour le découvrir.

– Alors qu'est-ce qu'on fait, maintenant ?

— Aucune idée.

Bobby se leva à son tour.

— Je vais voir si je peux dégotter du café, annonça-t-il. Ce putain de bras devient une torture.

J'écoutai ses pas s'enfoncer dans le couloir. Une partie de moi-même, contre toute raison et toute évidence, avait visiblement espéré que cette sombre farce, depuis que Mary m'avait arraché à la torpeur de Santa Barbara, n'était qu'une méprise. Des mensonges. Cette partie de moi-même avait créé le rêve de la piscine, tenté de me convaincre que j'avais raison de foncer, que des vies pouvaient encore être sauvées. Je savais désormais que c'était faux, qu'il n'y avait pas de place pour un ultime effort. Mon père avait échafaudé un plan, bien entendu. Comme toujours. Mais le mot que j'avais trouvé en était l'unique reste.

La sonnerie du portable me fit bondir. Je ne reconnus pas le numéro affiché.

— Qui est à l'appareil ?

— Nina Baynam. Tout va bien ? Vous avez une drôle de voix.

— Plus ou moins. Qu'est-ce que vous voulez ?

Je me sentais las, et pas d'humeur à écouter de pauvres histoires de serial killers.

— Nous sommes à Dyersburg. Où êtes-vous ?

— 34, North Batten Drive, répondis-je.

Elle marqua un temps d'arrêt.

— Pourriez-vous répéter ? dit-elle sur un ton bizarre. J'ai cru entendre 34, North Batten Drive.

— C'est bien ça.

— Mais ceci est l'adresse d'un certain Harold Davids, déclara-t-elle.

Mon cœur dédoubla ses coups.

— Comment vous savez ça, bordel ?

— Restez où vous êtes, dit-elle. Faites attention à vous. On arrive.

Elle raccrocha. Je me tournai vers la porte quand Bobby réapparut. Son visage me cloua le bec.

— Davids n'est pas là, déclara-t-il. Il est parti.

— Où ça ?

— Parti. Il y a une porte à l'arrière.

Je courus à la fenêtre côté rue, écartai le rideau. Là où j'avais repéré la berline noire, ce n'était plus qu'une place vide.

Nous retournâmes toute la maison. Il n'y avait rien à trouver – rien qui nous intéresse. Ce n'était qu'une vieille baraque en ordre, pleine de vieilleries.

Au bout de dix minutes, on entendit tambouriner en bas.

CHAPITRE 33

Nina martelait encore la porte quand je l'ouvris d'un coup sec. Zandt s'engouffra aussitôt dans la maison, sautillant de pièce en pièce. Je pivotai d'un mouvement gourd et lent. J'avais l'impression de dormir, comme si un rêve s'était imbriqué dans un autre.

– Qu'est-ce qu'il fait ?

Nina ignora ma question.

– Où est Davids ?

– Parti.

Ses yeux s'écarquillèrent, bordés de larges cernes. À croire qu'elle avait enchaîné les nuits blanches.

– Parti ? s'étrangla-t-elle. Mais pourquoi l'avez-vous laissé filer ?

De colère, elle frappa du pied. Bobby émergea de la cuisine.

– Ça ne s'est pas passé comme ça, expliqua-t-il. Il s'est juste volatilisé. Et puis, qu'est-ce que ça peut bien vous foutre ? Comment se fait-il que vous le connaissiez, d'abord ?

Elle sortit un calepin de son sac à main, l'ouvrit et le lui fourra sous le nez.

– Les promoteurs des Halls se cachent derrière une myriade de sociétés écrans. Mais dans l'avion j'ai remonté la piste, et on est arrivés tout près. Il semble que la société gestionnaire soit Antiviral Global Inc., domiciliée aux Caïmans. Le sieur

Harold Davids qui habite ici en est le représentant légal pour le Montana.

– Merde, pesta Bobby.

Il repartit rageusement vers la cuisine.

Je fixai Nina.

– Vous vous trompez. Je viens de lui parler. À Davids. Il m'a dit... eh bien, il m'a dit pas mal de choses. Il a entendu parler des Halls, c'est certain. Mais de l'extérieur. Il n'est pas avec eux. Il a justement voulu aider mes parents à leur échapper.

– J'ignore ce qu'il vous a raconté, dit Nina avant de se tourner vers Zandt, qui émergeait de la pièce du fond. (Il secoua la tête puis s'élança dans l'escalier.) Mais je doute que M. Davids soit ce qu'il prétend.

– Que cherche Zandt ?

– Un corps, répondit-elle sans ambages. Vivant, tant qu'à faire.

Sa voix était un rien trop plate, et je compris qu'elle tremblait presque, tant elle était tendue. Son détachement de façade ne trompait personne.

– Vous ne la trouverez pas ici. Harold n'est pas votre tueur. Ce n'est qu'un vieux bonhomme. Il...

– Vous avez le numéro des Halls, Nina ? lança Bobby depuis l'embrasure de la porte, le téléphone de maison à la main.

Elle feuilleta son calepin, tourna une page.

– Nous avons un 406-555-1689. Mais on n'obtient qu'un message enregistré et un système de menus interminable. Pourquoi ?

Bobby sourit, si l'on peut dire. Il eut une expression faciale, en tout cas.

– Harold a joint ce numéro, dit-il. C'est inscrit sur le journal d'appels, il y a vingt minutes de ça. Pendant que nous étions ici.

– Mais... (Un court moment, ma bouche remua à vide, muette, comme j'essayais de formuler mes objections.) Davids avait l'air pétrifié. Tu l'as vu comme moi, Bobby. Il restait assis, à attendre, persuadé qu'ils allaient venir lui régler son compte. Comme ils l'ont fait à Mary et Ed. Tu l'as vu comme moi, nom d'un chien ! Tu as bien vu la tronche qu'il tirait !

— C'est sûr qu'il avait peur, Ward. Mais de nous. De *nous*. Il pensait qu'on l'avait démasqué. Que *nous* allions le dérouiller.

Zandt redescendit l'escalier.

— Elle n'est pas ici.

Davids m'avait surpris un canif à la main. Il savait que nous avions des flingues. Mais j'y voyais toujours aussi flou.

— Pourquoi m'aurait-il révélé quoi que ce soit, s'il était avec eux ?

— Tu as découvert qu'il faisait partie de la clique de Hunter's Rock, dit Bobby. Tu as mentionné une vidéo, et le message du fauteuil. Tu l'as reconnu. Il ignorait ce que tu savais, et tu aurais pu le bluffer. Alors le plus simple était de te confier les trois quarts de la vérité, puis de modifier la fin.

Il conclut d'une bordée de jurons bien sentie : il prenait ce revers comme un échec personnel.

Le visage de Nina était une suite de points d'interrogation.

— C'est quoi, cette clique de Hunter's Rock ?

— Plus tard, dis-je. Il faut d'abord retrouver Davids.

Un portable sonna. Nous dégainâmes à l'unisson, comme dans un western. C'était celui de Zandt.

— Ouais ? fit-il.

— Bonjour, officier, dit une voix suffisamment forte pour qu'on l'entende tous.

Zandt croisa le regard de Nina.

— Qui êtes-vous ?

— Un ami, répondit la voix. Même si nous n'avons pas eu le plaisir de nous rencontrer. Mais ce n'est pas ma faute. C'est toi qui n'étais pas assez doué.

Zandt se tenait parfaitement immobile.

— Qui êtes-vous ?

On entendit pouffer à l'autre bout de la ligne.

— Je pensais que tu l'aurais deviné. Je suis l'Homme Debout, John.

La mâchoire de Nina tomba.

— Foutaises.

— Non, pas foutaises. Bien joué pour Wang. Et pour l'avoir encouragé à faire le bon geste. On t'est redevables, sur ce coup-là. Il aurait pu devenir gênant.

La bouche de Zandt était sèche, et claqua quand il parla.

— Si vous êtes l'Homme Debout, prouvez-le.

Bobby et moi le dévisageâmes.

— Je n'ai rien à prouver, répliqua la voix. Mais je vais te confier quelque chose pour ton bien. Si vous n'avez pas quitté cette maison d'ici deux minutes environ, vous serez morts. Tous autant que vous êtes.

Sur ces mots il raccrocha.

— On se tire d'ici, dit Zandt. Maintenant.

De retour dans la rue, nous entendîmes approcher des sirènes. Un paquet de sirènes. Je déverrouillai la voiture et sautai derrière le volant.

Nina resta plantée dehors.

— Je suis du FBI. Rien ne nous oblige à partir.

— Ben voyons, railla Bobby. Je vous signale qu'on a tiré sur deux flics tout à l'heure. Ils ne sont pas morts, mais on leur a quand même tiré dessus. Si tu veux rester au milieu de la route à brandir ton badge, fais comme chez toi. Mais on n'est pas dans une série de HBO, princesse. Ils vont t'éclater ta putain de cervelle.

La police n'ayant pas prévu d'approche en souricière, nous atteignîmes la grand-rue sans encombre. Puis je virai à droite et posai le pied au plancher.

Vingt minutes plus tard, nous avions quitté la ville et suivions la route qui sinuait lentement vers les contreforts. Personne ne demanda où j'allais. Tout le monde savait.

Nina nous expliqua ce qui s'était passé à L.A. Je lui rapportai les propos de Davids. Et Zandt retraça, avec une économie de détails, son histoire avec l'Homme Debout.

— Merde alors, expirai-je.

Bobby fronça les sourcils.

– Mais comment s'est-il procuré ton numéro ? demanda-t-il à Zandt.

– S'il est de mèche avec les Hommes de Paille, il n'aura pas eu grand mal. Ces gens-là ont monté une véritable filière d'approvisionnement en chair humaine. Ils font péter des choses à gauche, à droite et au milieu. Alors dénicher un numéro de portable est pour eux un jeu d'enfant.

– OK, mais pourquoi t'appeler ? Pourquoi te sauver la mise avant l'arrivée des flics ?

– On ne peut jamais deviner ses intentions. Mais je n'étais pas le seul en cause. Vous étiez avez moi.

– Davids leur a dit qui se trouvait chez lui, suggérai-je. Il nous a balancés. (J'étais si furax que je pouvais à peine articuler.) Et puis, vous ne trouvez pas cocasse que les Hommes de Paille mettent la main sur mes parents deux jours avant leur projet de disparition ? Ils ont tout planifié, tout préparé, mais voilà qu'au moment de tourner la page McGregor fomente un accident fatal.

– Davids les aurait tuyautés ? Pourquoi ?

– Il connaissait depuis le début la vraie nature des Halls. Puis papa en entend parler, y voit une opportunité juteuse, avant de se rendre compte que ce n'est pas ce qu'il croyait. Ça met Davids dans une position délicate. Supposons qu'il s'agisse des gars qu'ils ont combattus trente ans plus tôt. Davids a prétendu que seul leur chef avait été abattu. Si les autres ont survécu, ils ont pu raconter leurs malheurs à quelqu'un. La bande qui a créé les Halls aura ainsi découvert que Davids a participé à cette descente – c'est peut-être même pour cette raison qu'ils l'ont pris comme avocat.

– Mais s'ils ont leurs entrées partout, pourquoi faire appel à Davids ? Ils auraient pu embaucher n'importe qui.

– Certes. Mais les stars du barreau sont elles aussi bien introduites. Certaines se piquent même d'intégrité. Les Hommes de Paille peuvent pousser Davids du haut d'un ravin à la première occasion, et il le sait. « Travaille pour nous ou on ébruite ce que tu as fait une certaine nuit en forêt. Ou bien, plus simple, on te crève direct. » Que veux-tu qu'il dise ? Il est vieux, il flippe, et il a tout à perdre. Il a également du talent. La recrue parfaite, en somme.

— Puis ton père s'approche un peu trop, et Davids sait qu'il risque gros s'il n'avertit pas les Hommes de Paille. Alors il leur révèle que les Hopkins s'apprêtent à mettre les bouts.

Un long silence emplit la voiture.

— Il les a fait tuer, conclut Nina. Le seul être qui leur inspirait une confiance totale.

— C'est un homme mort, déclarai-je. Vous pouvez me croire.

Le temps d'aborder la montagne, il s'était mis à pleuvoir, de froides traînées argentées qui rayaient l'obscurité derrière nos vitres. La rivière bordant la route devenait un torrent. Nous étions les seuls sur la chaussée.

— On n'est que quatre, observa Nina.

Je me tournai vers elle.

— T'as qu'à appeler des renforts.

— Si tu crois qu'ils vont envoyer les hélicos pour mes beaux yeux ! Je n'obtiendrai pas mieux qu'une paire d'agents blasés qui mettront deux heures à arriver et dont le seul souci sera de me faire passer pour une gourdasse. (Elle regarda par sa vitre quelques instants.) Personne n'aurait une cigarette ? Je me disais que c'était le bon moment pour commencer.

Je plongeai la main dans ma poche, sortis le paquet cabossé et le plaquai sur le tableau de bord.

— Entre nous, je te le conseille pas, dis-je.

Elle me rendit faiblement mon sourire, mais laissa les cigarettes où elles étaient.

Cinquante minutes après avoir fui la maison de Davids, nous prîmes un long virage. J'avais ralenti l'allure et Bobby s'était redressé pour scruter la paroi des collines bordant la route.

— On y est presque, promis-je.

Nina regarda Bobby et Zandt charger leurs flingues, puis à contrecœur elle vérifia le sien. Ses doigts tremblaient. Les deux autres paraissaient moins troublés, mais j'aurais pu lui dire combien les pensées d'un garçon sont impénétrables parfois. Il n'y a pas un type de notre génération qui ne puisse réciter le fameux « Si tu veux savoir, dans tout ce bordel j'ai pas très bien compté non plus » de *L'Inspecteur Harry*. On s'imagine tous capables de demander à des paumés s'ils veulent tenter leur chance ou pas, tous capables d'être son propre Clint de poche. Et on croit tous que quelqu'un, quelque part, va nous regarder de haut si on n'assure pas.

Puis Zandt croisa son regard. Il lui fit un clin d'œil, et le visage de Nina montra qu'elle comprenait sa méprise. Le cinéma nous dicte peut-être notre comportement, mais ce sentiment-là se logeait bien plus profond, remontait aux jours où personne ne portait de vêtements, où chacun avait sa fonction, où les uns gardaient le feu tandis que d'autres traquaient le gibier. La seule différence réside dans la taille du groupe auquel on se sent appartenir, et dans l'intensité de l'amour qu'on porte à ceux qu'on défendrait jusqu'à la mort. Zandt était aussi tendu qu'elle. Et moi donc.

Je rangeai la voiture sur le bas-côté.

— Nous y sommes.

Cinquante mètres plus loin se trouvait le portail.

— Personne dans les parages, releva Bobby. Redis un peu comment c'est foutu.

— Tu franchis la grille, puis tu roules sur de l'herbe. Tu vires à gauche et tu tombes sur une route cachée, dissimulée derrière les arbres. Elle tortille jusqu'au plateau.

— Autrement dit, il pourrait y avoir des gens dans les arbres, ou n'importe où sur le trajet.

— En effet.

— Faisons vite, alors.

J'acquiesçai.

— Tout le monde est prêt ?

— Comme jamais, répondit Zandt.

Je pressai l'accélérateur.

La voiture bondit en avant, dérapant sur la route mouillée. Je parcourus la distance restante à tombeau ouvert, puis virai droit sur le portail.

— On baisse la tête, commanda Bobby.

Nina et Zandt s'exécutèrent. Bobby se cala dans l'angle du dossier et de la portière, son arme au poing. La seconde d'après nous défoncions le portail, dont quelques lattes voletantes étoilèrent la vitre de Nina. Le véhicule s'enfonça dans les hautes herbes, menaça de s'embourber. Je me débattis et parvins à nous dégager.

Je relâchai la pédale pour reprendre le plein contrôle, puis mis le cap sur le bouquet d'arbres en regagnant un peu de vitesse. Au passage d'une bosse je vis Nina décoller de son siège. Elle était à peine retombée qu'elle s'élevait à nouveau. Un grognement à l'arrière : Zandt connaissait le même sort. Bobby semblait quant à lui vissé à son siège.

Une dernière bosse, plus modeste et ferme, puis le sol devint soudain tout lisse.

Je fonçai au milieu des arbres, les paupières plissées.

— Tu vois quelqu'un ?

— Non, répondit Bobby. Mais ne ralentis pas.

Au bout de cent mètres la route obliquait serré sur la droite, puis nous gravîmes la pente. Bobby balayait le paysage du regard tandis que je ballottais la voiture de virage en virage, mais les coups de feu se faisaient toujours attendre. Quand la tête de Zandt émergea doucement, au mépris de la consigne, Bobby la lui rabattit vers le plancher. Le geste lui arracha une grimace, mais son épaule ne semblait pas trop l'handicaper. Pour l'instant.

— Mais où sont-ils ? demandai-je.

— Tous regroupés au sommet, sûrement, alignés en rang d'oignons.

— T'es rassurant, comme mec. Mais je suis bien content de t'avoir, tu sais.

— Ce doit être une sorte de truc amical, répondit Bobby. Mais je te préviens : si ça finit mal, je reviendrai te hanter.

— C'est déjà le cas. Ça fait des années que j'essaie de me débarrasser de toi.

Les pneus raclèrent le dernier virage, et l'imposante entrée des Halls nous toisait au fond de la montée.

— Toujours personne, dis-je en ralentissant.

— Il y a quoi, maintenant ?

— Après l'entrée, la route part à gauche. Deux grands bâtiments. L'accueil, et ce qui ressemble à une remise. Il y a une grande palissade tout autour du pré. Les maisons se trouvent derrière.

Nos deux compagnons relevèrent la tête avec précaution.

— Alors ? fit Zandt.

— La grille de l'entrée, trancha Bobby. Impossible de franchir cette palissade.

— Mais c'est à l'entrée qu'ils nous attendront, objectai-je.

— On n'a pas le choix.

La voiture dépassa l'arche en pierre et fila droit vers les bâtiments en bois. Un projecteur teintait le parking d'un blanc lunaire et morbide. Je levai le pied. La voiture arrêta sa course au centre de parking. Il était complètement vide. Je coupai le moteur, laissant les clés sur le contact.

— Quoi ? demanda Nina.

— Pas la moindre bagnole. C'était pourtant plein quand je suis venu l'autre jour.

Zandt ouvrit sa portière et sortit sans attendre les instructions. Bobby jura avant d'émerger de l'autre côté, flingue en main. La lumière blafarde faisait d'eux des cibles faciles, mais révélait aussi qu'il n'y avait personne sur les toits. Pas de comité d'accueil. Juste deux gros chalets, reliés par un mur de planches.

Nina et moi sortîmes à notre tour. Son flingue semblait énorme et lourd dans sa main.

— On entre par ici, dis-je désignant de la tête le bâtiment de droite.

Ils me suivirent et se répartirent des deux côtés des portes vitrées. Bobby avança la tête, scruta l'intérieur.

— Personne à la réception, dit-il.

— On y va ?

— Ma foi, oui. Après toi.

— Comme c'est gentil !

Je tendis le bras, poussai doucement l'un des battants. Aucune alarme ne retentit. Personne ne me tira dessus. J'ouvris la porte plus avant et m'engageai à l'intérieur sur la pointe des pieds, talonné par les autres.

La salle d'accueil baignait dans le silence. La musique de fond s'était tue, et le feu était mort dans l'âtre de la cheminée en galets. La toile abstraite avait quitté le mur derrière le comptoir. La pièce entière semblait mise au garde-meuble.

— Merde, pestai-je. Ils sont partis.

— Tu parles, dit Bobby. Ça ne fait qu'une heure. Ils n'auront pas eu le temps de débarrasser le plancher.

— Peut-être que si, objecta Zandt. Quand on a laissé Wang, cinq ou dix minutes se sont écoulées avant qu'il se flingue. Il aura eu le temps de les appeler.

— Ça fait quand même court. Trop court pour tout empaqueter.

— Ou alors ils étaient déjà sur le départ, suggéra Nina. Tu as collé une raclée à leur agent immobilier. Le message leur a peut-être suffi, ce qui leur a laissé deux jours pour se retourner. Mais peu importe. On va quand même voir ce qu'il y a là-dedans.

Elle s'éloigna vers la porte du fond, qui débouchait logiquement au cœur des Halls. Elle semblait animée d'une sorte de rage affligée, épouvantée à l'idée qu'elle puisse arriver trop tard, que le fantôme qu'elle avait poursuivi jusqu'à en faire l'unique lueur au bout de son tunnel se dérobe à nouveau.

Nous restions immobiles. À l'évidence, elle se fichait qu'on l'accompagne ou non. Il fallait qu'elle y aille. Il fallait qu'elle voie.

Elle n'entendit pas le coup de feu.

Le temps que la détonation parvienne à ses oreilles, elle tombait déjà, projetée de guingois sur le plateau d'une table basse. Elle ouvrit la bouche pour crier, mais il n'en sortit rien. Zandt se rua auprès d'elle.

Je virevoltai pour découvrir un type dans l'embrasure des portes battantes. McGregor. Bobby vit pour sa part une femme derrière le comptoir, et dans son dos un jeune malabar surgissant d'une porte dérobée, camouflée dans le lambris.

Tous trois portaient des flingues. Tous trois en firent usage.

Le garçon mourut le premier. Sa technique n'était que pure télévision : l'arme tenue sur le côté, façon gang-bang. Bobby le descendit d'une seule balle.

Je me glissai derrière un pylône pour resurgir de l'autre côté, touchant McGregor d'abord à la cuisse, puis à la poitrine. J'évitai de justesse d'en prendre une en pleine face, la sentant siffler tout près. Je posai un genou à terre et me carapatai derrière un coin du comptoir, priant pour que la femme n'ait rien vu. Je rechargeai fébrilement, en laissant tomber la moitié des cartouches.

Zandt s'agenouilla à côté de Nina, étalée par terre, qui levait une main tremblante vers le trou dans sa poitrine. Assez haut, juste sous la clavicule droite.

— Nina... murmura-t-il, indifférent aux claquements qui criblaient l'air au-dessus de lui.

Elle toussa, le visage pris entre stupeur et déni.

— Ça fait mal, dit-elle.

McGregor continuait de tirer. La femme du comptoir faillit avoir Bobby avant que, respirant un grand coup, je me relève et lui vide un demi-flingue dans le corps. Ce n'est qu'après sa culbute par-dessus le malabar que je reconnus celle qui m'avait exposé les conditions d'admission bidons. J'ignorais toujours son nom.

Bobby maintenait McGregor au sol, écrasant le poignet du flic avec sa botte. Un pistolet gisait un ou deux mètres plus loin.

— Où est-ce qu'ils sont partis ? demanda Bobby. Et il y a combien de temps ? Dis-moi tout ce que tu sais, ou il va faire tout noir.

— Je t'emmerde, dit le flic.

— Comme tu voudras, fit Bobby en haussant les épaules.

Et il l'acheva.

Pendant qu'il vérifiait les autres corps, s'assurant qu'aucun d'eux n'allait se réveiller pour rouvrir les hostilités, j'accourus au chevet de Nina. Zandt comprimait la plaie.

— On se tire d'ici, décrétai-je.

— Non, protesta Nina d'une voix étonnamment forte.

Elle tenta de se redresser.

— T'es dans un sale état, Nina. Il faut te conduire à l'hôpital.

D'une main elle agrippa un pied de table, et de l'autre mon poignet.

— Faites vite. Mais allez voir.

J'hésitai. Je voulus interroger le regard de Zandt, mais je restais bloqué sur celui de Nina.

Bobby arriva.

— Merde, Nina !

— Je reste ici, vous entrez là-dedans, dit-elle à Zandt.

Elle en bavait, mais n'était pas au bord du coma.

— S'il te plaît, John. Emmène-les. Allez-y tous. Regarde si elle est là. Il le faut, je t'en supplie. Puis on ira à l'hosto. Promis.

Zandt tergiversa une seconde ou deux, puis se pencha pour l'embrasser sur le front et se releva.

— On fait ce qu'elle dit.

Je rechargeai mon flingue.

— Bobby, tu restes avec Nina. (Il se mit à protester, mais je continuai de parler.) Essaie de stopper l'hémorragie, et zigouille tous ceux que tu croises en dehors de nous. Tu seras plus utile que nous ici.

Il s'accroupit à côté d'elle.

— Fais gaffe à toi, mec.

Zandt et moi gagnâmes en hâte les portes du fond.

— Quoi qu'il arrive, on reste ensemble. Pigé ?

Il hocha la tête, ouvrit la porte. Elle donnait sur un chemin. La lumière blanche du parking en révélait une cinquantaine de mètres, suggérant en arrière-plan les contours de grands pavillons. Aucun ne semblait éclairé.

Nous nous élançâmes.

CHAPITRE 34

— On aurait dû prendre une lampe torche.

— On aurait dû prendre plein de choses, répliquai-je. De plus gros flingues, des renforts, une idée de ce qu'on fabrique...

Nous étions arrêtés à la première fourche du chemin. On aurait dit la grand-rue d'une minuscule ville où personne ne possédait de voiture. De part et d'autre le gazon était impeccable. Cette pâture encaissée dans les montagnes, une zone de quatre ou cinq hectares seulement, était conçue pour garantir à chaque habitation de l'intimité et un paysage au déroulé harmonieux. Je ne voyais pas comment caser un golf, ce qui signifiait que même leur agent préféré – le regretté Chip – n'avait jamais été admis dans cette enceinte. En retrait de chaque côté se dressait une maison. Le chemin s'enfonçait dans l'obscurité, où de nouvelles ramifications desservaient de nouveaux foyers, que l'on ne distinguait pas encore.

— Toi, tu vas voir à gauche.

— T'as écouté ce que je t'ai dit ? On ne se sépare pas.

— Mais t'as vu le nombre de maisons, Ward ? Nina en mène pas large, là-bas.

— C'est pas en se faisant tuer qu'on pourra l'aider. Tu veux inspecter ces machins ? OK, mais on le fait ensemble. On commence par où ?

Zandt opta pour la droite. À l'approche du pavillon, je révisai mentalement les plans qu'on m'avait montrés. Cet édifice semblait importé d'Oak Park, la banlieue de Chicago où Wright avait signé de nombreuses réalisations dans la première moitié de sa carrière. C'était une demeure splendide, et j'en voulais à ses auteurs d'avoir ainsi dévoyé la grammaire du maître. Celle-ci célébrait la vie et la communauté, pas l'individu et la mort.

Zandt était moins sensible à l'architecture :

– Où est cette putain de porte ?

Je le guidai à travers la terrasse du bas, puis suivis une allée de jardin qui longeait le flanc gauche, sous un balcon. Quelques pas supplémentaires nous menèrent au coin suivant, où se trouvait une large porte en bois. Elle était entrouverte.

– Entrée principale ?

J'opinai du bonnet. Pris ma respiration, et poussai doucement du bout du pied. Il ne se passa rien.

Je hochai de nouveau la tête. Zandt me précéda à l'intérieur.

Un petit couloir, une lueur filtrant du plafond à travers un vitrail à l'effet vert et froid. Au fond, une autre vitre bigarrée, faisant lucarne sur la pièce suivante.

Nous la contournâmes prudemment, pour découvrir une salle profonde et dénivelée. De nouveaux vitraux, et des fenêtres à claire-voie perchées en hauteur. Une cheminée sur la gauche. Des étagères à livres et un coin détente. Les étagères étaient vides. Le mobilier n'avait pas bougé, mais il n'y avait aucun tapis en vue.

Nous arpentâmes la pièce sur la pointe des pieds. Il régnait un silence parfait. Je levai la main, pointai du doigt ; Zandt avisa l'entrée d'une autre pièce, à moitié cachée derrière un panneau de bois. Il me rejoignit, et nous l'approchâmes ensemble, Zandt surveillant les arrières.

La porte débouchait sur une cuisine. Il y faisait plus sombre sans la lumière des hautes fenêtres. Elle était répartie sur deux niveaux, avec un coin repas. Sur la table trônait une unique tasse, pile au milieu. L'intérieur était sec et l'anse cassée. J'ouvris un placard, puis un tiroir. Rien.

– La maison a été vidée.

Zandt hocha la tête.

– Possible. Mais on va quand même vérifier.

Nous fouillâmes le reste de la maison.

– Il y a quelqu'un dehors, dit Nina pendant ce temps-là.

Elle était avachie dans un gros fauteuil en cuir, Bobby accroupi derrière elle. L'accueil baignait dans l'obscurité. Bobby s'était posé un dilemme à ce sujet. D'un côté, la lumière du parking étant allumée à leur arrivée, l'éteindre signalerait leur présence à quiconque rôdait dans le secteur. D'un autre côté, la bonne minute de fusillade aurait déjà rempli cet office. Pour finir, il avait farfouillé derrière le comptoir et coupé les lampes une à une. Cela paraissait ainsi plus sûr, à défaut d'être parfait. Le mur du fond n'était qu'à demi vitré, et là où ils étaient Nina et lui devaient échapper aux regards, même s'ils demeuraient des proies faciles. La loge était vaste, sombre et peuplée de trois cadavres.

– J'ai bien entendu quelque chose il y a une minute, avoua-t-il. J'espérais que c'étaient eux qui revenaient.

Nina secoua la tête.

– John va vérifier toutes les maisons. Ça va leur prendre un peu de temps, même s'il n'y a rien à trouver. *Surtout* s'il n'y a rien à trouver. Et le son provenait plutôt de devant.

Il opina.

– Ward va me tuer s'il apprend que je t'ai laissée toute seule, mais il va falloir que j'aille voir.

– Si tu dis rien, je dirai rien. Mais ne traîne pas trop.

Bobby s'assura qu'elle avait un flingue chargé, puis s'éloigna vers le mur, qu'il longea en se courbant. Parvenu aux portes vitrées, il avança lentement la tête. La voiture demeurait isolée sur le parking. Aucun signe de vie. Très bien.

Puis il entendit un nouveau bruit. Faible, mais il ne pouvait être dû aux seuls éléments. Ce n'était pas la pluie, plutôt un bref *pop* mécanique. Qui semblait provenir de l'autre côté du parking, près du second bâtiment.

– C'était quoi ?

Maintenant qu'il ne la veillait plus, Nina laissait la douleur envahir son esprit. En conséquence de quoi la tête lui tournait, et sa voix se brisait.

– J'en sais rien, répondit-il.

En pivotant il vit que Nina était bien cachée dans la profondeur du gros fauteuil. On ne pouvait mieux faire.

– Maintiens la pression sur la plaie.

Toujours accroupi, il poussa la porte vers l'extérieur. Il sentit s'engouffrer un souffle d'air glacé, sous le roulement de la pluie.

Le reste de la maison était vide. Quatre chambres, un bureau, une bibliothèque, une salle de musique. Vides et lessivées. Débarrassées de tout signe distinctif, alors qu'à l'évidence elles avaient été occupées tout récemment encore. Aucune poussière. Je redescendis avec Zandt par l'escalier central, moins soucieux du bruit désormais, et nous gagnâmes l'arrière du rez-de-chaussée. Un deuxième salon s'étendait là, vaste et un peu moins sophistiqué que celui du devant. Une large baie vitrée révélait un jardin paysagé d'environ deux mille mètres carrés. Je rétablis la sécurité de mon arme.

– La suivante ?

Il était clair que cette maison ne contenait rien d'intéressant. J'en avais fait mon deuil. J'étais disposé à aider Zandt à retrouver la fille, si tel était son souhait, mais pour ma part je brûlais de dégotter un ou deux Hommes de Paille en vie. De les asseoir par terre, et de leur soutirer quelques explications. Je ne pensais qu'à ça. Mais il semblait déjà trop tard.

– Je jette un œil derrière, répondit Zandt. Puis on fera la suivante, d'accord. Même si ça s'annonce mal.

Il ouvrit la porte qui coupait la baie vitrée en deux, et disparut sous l'averse. Je lui emboîtai le pas, mais restai contre le mur. J'adhérais de plus en plus à la thèse de Nina : ce fameux Wang avait peut-être hâté le mouvement, mais l'évacuation avait débuté dès que j'avais corrigé Chip. J'avais merdé, en somme. Je leur avais donné l'alerte, et le temps de fuir. Je ne m'étais pas attendu à une telle réaction. Ils vivaient dans un bunker ; ils étaient riches et puissants ; c'était leur territoire. Pourquoi fuir ? N'empêche que j'avais bien merdé. Il n'avait pas abordé la question, mais je soupçonnais Zandt d'être du même avis. Le regard de cet homme se remplissait d'une fureur animale.

Comme il s'affairait dans le noir, je remarquai un long câble courant au pied du mur. Il émergeait du coin de la baraque, et l'autre bout semblait s'enfoncer dans les massifs. La télé, peut-être. Ou bien l'accès ADSL tant vanté. Je m'apprêtais à y regarder de plus près quand Zandt émit une sorte de toussotement.

Je me ruai dans le jardin. Zandt se trouvait en plein milieu, droit comme un piquet.

— Quoi ?

Il ne dit rien. Pointa du doigt.

Je ne compris pas tout de suite, avant de découvrir que le sol était légèrement bombé sur notre droite.

Je me rapprochai. Déglutis.

— Dis-moi que c'est juste un animal là-dessous.

Mais Zandt secoua la tête, et je vis qu'il avait toujours le bras en l'air. Il m'indiquait un autre coin. Un autre monticule.

— Nom de Dieu, fis-je d'une voix étranglée. Vise un peu ça...

Je distinguais les autres, à présent. Trois courtes rangées de monticules. Douze au total.

Zandt posa un genou à terre, s'attaquant à la première bosse. L'herbe lui glissait des doigts, mais il parvint à extraire une motte. Le sol en dessous était lourd et humide.

Je me laissai choir pour l'aider à creuser. La tâche était âpre et il fallut deux bonnes minutes pour arriver au point où nous touchions soudain autre chose que de la terre, et où l'odeur devenait atroce. J'eus un geste de recul, mais Zandt arracha deux nouvelles poignées. Avant de renoncer.

— Il nous faut une pelle, dis-je.

Il secoua la tête.

— Tout ce qu'il y aura dans ces trous est mort. Sarah est peut-être en vie ailleurs.

— Arrête, mec. Il y a toutes les chances qu'elle soit enterrée ici.

Mais déjà Zandt rebroussait chemin vers la maison. Je le suivis, en tâchant d'éviter les monticules, même si je dus en piétiner au moins un.

De retour à l'intérieur, il fila droit au premier salon.

– Il faut recommencer la fouille, dit-il. On a loupé quelque chose.

– Je ne vois pas où.

– Alors commençons par ici.

Nous prîmes chacun un côté de la pièce, retournant les étagères, déplaçant les meubles. Je fus vite persuadé qu'il n'y avait rien pour nous, mais Zandt tenait à scruter chaque centimètre carré.

– Il y en a pour des heures. Franchement...

Je m'interrompis. Zandt releva les yeux.

– Quoi ?

Ce n'était pas dans la maison, mais derrière les baies vitrées de devant. Zandt me rejoignit.

– Tu vois, là-bas ?

Je désignai la fourche du chemin, à une vingtaine de mètres. Là, à l'intersection des allées menant aux différentes maisons, reposait une forme, pas très large, impossible à identifier à cette distance. Un petit fagot, peut-être.

– Oui, je vois, dit Zandt.

Ce n'était pas là précédemment.

J'ôtai de nouveau la sécurité du flingue et ressortis par la porte de devant. Je remontai lentement le chemin, couvert par Zandt qui restait à l'entrée pour surveiller les autres bâtiments.

Cela ressemblait en effet à un tas de bâtons. Courts, recourbés, très blancs. Très propres. Mais à deux mètres j'avais déjà une petite idée de leur nature. Je m'accroupis devant, en ramassai un. Me retournai pour appeler Zandt.

Pendant qu'il accourait, c'est moi qui le couvris, prêt à tirer sur la première silhouette venue. Car il y avait bien quelqu'un, ça ne faisait pas un pli. Qui savait où nous étions, de surcroît.

Après un bref examen Zandt déclara :

– Ce sont des côtes.

– C'est ce que je me suis dit. Humaines ?

– Ouais.

– Qui les a mises là ?

– Ward, regarde.

Environ cinq mètres en amont du sentier se trouvait un autre bâton. Je m'y rendis, me baissai pour le saisir.

– Fille ou garçon ?

Zandt me prit le fémur des mains. À l'instar des côtes, cet os était immaculé, comme préparé pour être exposé dans un muséum.

– J'en sais rien. Mais quelqu'un de pas bien vieux. Un ado.

Nous restâmes immobiles, à scruter les deux côtés du chemin.

– On veut nous conduire quelque part, dis-je.

– La question est de savoir si on dit oui.

– Je doute qu'on ait le choix.

– Mais on a déjà trouvé la maison aux cadavres.

– Une maison, rectifiai-je. La première qu'on ait visitée. Soit c'est une chouette coïncidence, soit il y en a davantage.

Au carrefour suivant nous attendait un nouvel os, sur le côté gauche du sentier, comme s'il nous indiquait la maison la plus proche. Nous la vérifiâmes en vitesse. Ici les tombes étaient dispersées sur le côté, et mieux – ou plus dignement – camouflées. Il fallut que Zandt s'étonne que les petites dalles ne forment pas un chemin sensé pour que nous comprenions qu'il s'agissait de stèles.

De l'autre côté du pavillon nous trouvâmes un nouvel os, qui invitait à s'enfoncer plus avant dans les Halls. Il s'agissait d'un demi-pelvis. Aucun de nous deux ne sut déterminer le sexe de son propriétaire, bien que l'état et la largeur de l'échancrure sciatique eussent probablement suffi à Nina pour reconnaître une fille de l'âge de Sarah Becker.

Cela faisait au moins dix minutes que Bobby était tapi dans l'ombre de la voiture. Pas de nouveau bruit depuis sa sortie, ni le moindre signe de mouvement. Mais le problème demeurait entier : les sons précédents avaient bien une cause, et il doutait qu'elle se soit envolée comme par magie. Il gardait sa planque pour voir si cette cause allait se découvrir ; la laissait venir à lui avant qu'il n'aille à elle. Possible qu'il s'agisse simplement d'un animal. Un cerf, par exemple. Peu probable, mais possible.

Encore deux minutes et il s'ébroua. Nina allait s'inquiéter s'il s'éternisait dehors, et il grelottait sous ses vêtements trempés. Son épaule l'élançait méchamment. Mais pas question de faire demi-tour. Il fallait d'abord vérifier le second bâtiment. Il remonta la suite de petits plots délimitant les places de parking. Il s'exposait dangereusement, mais il n'y avait pas d'autre accès possible. Le bâtiment ressemblait à un vaste hangar, sans les finitions du précédent, et sans fenêtres. Il longea la façade jusqu'au coin gauche, où il trouva enfin une porte.

Un gros cadenas, détaché. Bobby voulut appeler le nom de Ward, au cas où il eût atterri dans ce bâtiment, mais c'était impossible : il serait d'abord repassé par l'accueil. Non, il y avait forcément quelqu'un d'autre là-dedans. Il poussa la porte avec le coude et posa le pied à l'intérieur.

Il se retrouva dans un petit couloir, dont les murs ne dépassaient le sommet de sa tête que de cinquante centimètres avant de laisser place au vide. Comme dans une sorte d'écurie. Mais l'odeur puissante ne rappelait en rien celle des chevaux. Une faible lumière suintait d'une autre partie de l'édifice. Trois mètres plus loin, le couloir en croisait un autre, en angle droit.

Avant ce carrefour il trouva deux portes, qu'il ouvrit l'une après l'autre. L'une abritait le genre de fournitures nécessaires aux structures collectives, ainsi qu'un long mur couvert de dossiers. L'autre, plus petite, devait être une cave à vin. Les casiers étaient vides, et cela ne présageait rien de bon. S'ils avaient eu le temps de remballer le château-lafite, c'est qu'ils étaient partis depuis longtemps. L'abandon des dossiers n'en était que plus surprenant. Il regagna la première pièce, ouvrit une boîte d'archives au hasard. Elle ne contenait pas le moindre document, seulement deux cartouches Zip étiquetées « Scottsdale ». Il les mit dans sa poche et rangea la boîte.

Il reprit le couloir à pas feutrés jusqu'au carrefour. Avant de s'y risquer il s'immobilisa un instant, laissant sa mâchoire tomber. On entend mieux de cette façon, jusqu'aux sons les plus faibles – une histoire de trompes d'Eustache. Il ne capta aucun bruit, mais remarqua un câble tendu au sol devant lui. S'il alimentait l'éclairage, il lui faudrait le couper. Il semblait toutefois plus récent que le reste de la structure, comme un ajout ultérieur. En avançant la tête il vit qu'il longeait le couloir de gauche. Il entreprit de le suivre. Mais après deux ou trois pas son esprit s'arrêta sur tout autre chose.

Cette partie du bâtiment était bel et bien organisée en écurie : une succession de petits box de part et d'autre du couloir, divisés en cages d'un demi-mètre carré environ. Dans la première reposait une forme. On aurait dit une personne. De petite taille.

Bobby s'agenouilla à ras des barreaux. La forme était un garçon. Cinq, six ans à la rigueur. Nu. Pieds et mains ligotés avec de l'adhésif. Sa bouche semblait recouverte de la même matière, mais ce n'était pas évident car il ne restait plus grand-chose de sa tête. Le sang qui imbibait la paille était encore frais. On avait scotché aux barreaux la photo d'un mignon petit garçon dans un pays chaud. Il ne fixait pas l'objectif, ne semblait même pas conscient d'être photographié. Bobby comprit qu'il s'agissait du même enfant, dans une vie antérieure. Il s'appelait Keanu.

Bobby détourna les yeux. S'aida de ses mains pour quitter la stalle, et passer à la suivante. Un autre garçon, un peu plus âgé, mais tout aussi mort. Une autre étiquette sur la cage. Celui-ci souriait au photographe, mais d'un regard voilé par le doute. Comme si un inconnu l'avait abordé dans la rue au retour de l'école, en lui demandant s'il voulait bien être pris en photo, et qu'il avait accepté tout en jugeant cela un peu louche.

Bobby crut défaillir en percevant un léger bruissement. Il se figea, avant de comprendre que celui-ci provenait de l'autre côté du couloir, quelques mètres plus loin.

Dans cette troisième cage reposait une fille d'à peu près huit ans. Elle aussi était dûment référencée. Ginny Wilkins.

Elle n'était pas tout à fait morte, malgré la balle qu'elle avait reçue dans l'œil. Son autre pupille était sèche et vitreuse, mais ses membres inférieurs remuaient faiblement. Une fraction de son système nerveux fonctionnait encore, pour un petit moment encore.

Bobby savait qu'il y avait d'autres box. Au moins deux de plus. Il savait aussi qu'on n'aurait pas laissé ce lieu ouvert par inadvertance. Que même du temps où les Halls étaient en activité, on n'en aurait autorisé l'accès qu'à une poignée d'individus triés sur le volet. Mais il ne pouvait détacher son regard de cette fillette dans son clapier, dans cette prison où elle avait été livrée et conservée, à la disposition du pensionnaire des Halls qui l'avait commandée.

Il se sentait idiot, petit, et malade. Il se sentait ignorant et naïf. Il avait cru connaître les horreurs du monde, s'être colleté les pires en arpentant la face sombre de la planète. L'amitié de Ward l'avait préservé. Il savait que Ward le respectait, lui et son curriculum sulfureux, et cela l'aidait à accepter l'idée de grandir, de se ranger des voitures un jour. Mais là, comme il fixait l'intérieur d'une cage, et un morceau de viande à peine animé qui rendait ses dernières contractions, Bobby se rendit compte qu'il avait à peine gratté la surface de l'imaginable – que les guerres et les meurtres montrés aux infos tenaient du résultat sportif, de la mort spectacle ; que la plupart des terroristes qu'il avait interrogés n'étaient que des amateurs au royaume des ténèbres. Eux voulaient au moins faire connaître leurs crimes. Ils les commettaient au nom d'un dieu, d'une idéologie, de camarades tombés ou de griefs ancestraux. Ils n'agissaient pas par pur égoïsme. Bobby comprit que cela faisait une différence, et que si nous appartenons tous à la même espèce, comme on le dit, nos chances de salut sont bien minces : ce que nous accomplissons le jour ne rachètera jamais ce que nous commettons la nuit. Certains aspects du comportement humain étaient inéluctables, mais ceci ne l'était assurément pas. Ou c'eût été admettre que nous ne possédions aucune limite. Le fait que nous soyons doués pour l'art n'autorisait pas à qualifier ce spectacle-ci de simple aberration ; à ranger sous la bannière « humain » ce que nous admirions, et le reste dans la catégorie « monstrueux ». Les deux étaient l'œuvre des mêmes mains. L'intelligence n'endiguait pas la barbarie, elle la perfectionnait. En tant qu'espèce nous en étions totalement responsables, et chacun portait en lui son frère des ténèbres.

Un nouveau bruissement, dans son dos, mais il ne releva pas les yeux tout de suite. Il se demandait encore s'il devait achever Ginny pour abréger son supplice – ou son supplice à lui – ou si elle survivrait à son retour dans la civilisation (et, le cas échéant, ce qu'il y aurait à sauver).

Il tergiversa trop. Ce n'était pas un autre enfant derrière lui. C'était Harold Davids, qui abattit Bobby d'une balle dans la nuque.

Les jambes de Ginny Wilkins remuaient encore, se tortillant lentement à des milliers de kilomètres de sa maison et de ceux qui la pleuraient, plusieurs minutes après que Robert Nygard eut trouvé la mort.

Zandt avait traversé la dernière maison sans même regarder les chambres. Indifférent à la pluie, il suivait seulement la piste d'ossements, muet depuis cinq minutes.

Je cavalais sur ses talons. La piste avait cessé de jouer avec nous, de nous faire crânement tourner en rond ; elle se contentait de nous guider vers le bout du sentier. Un petit carré, formé par des métacarpes, avec une rotule au centre. Une suite serpentine de vertèbres, une tous les soixante centimètres, a priori dans le bon ordre. L'Homme Debout avait dû tracer l'essentiel du parcours longtemps à l'avance, n'ajoutant le fagot du début qu'à la dernière minute, quand il nous avait sus prêts pour le voyage. Le reste avait exigé temps et minutie. Le tueur ne nous avait pas extirpés de chez Davids pour notre bien, mais pour ceci : il avait déjà préparé la rencontre, et ne voulait pas voir son travail gâché. Il avait, d'une façon ou d'une autre, dicté notre conduite depuis un bon bout de temps.

Enfin, une paire de clavicules, disposées en V inversé, transformées en flèche par le second fémur. Une flèche indiquant la dernière bifurcation du sentier, vers une maison distante de trente mètres.

Je rattrapai Zandt et l'agrippai par l'épaule.

– On ne va pas là-dedans, dis-je.

Il m'ignora, se libéra de ma main et fonça vers les marches de la terrasse.

Je lui empoignai le bras.

– Il nous attend, John, tu le sais comme moi. Il a déjà tué la fille, et maintenant c'est nous qu'il va tuer, puis il ira chercher les autres et les tuera aussi. Je sais que tu tenais à cette fille mais je ne vais pas te laisser...

Il fit volte-face et me frappa au visage.

Je m'étalai sur le sentier mouillé, plus hébété que blessé, me demandant si je n'avais pas loupé un épisode. On aurait dit que Zandt ne me voyait même plus, n'avait pas la moindre idée de qui j'étais.

Je remontai sur mes jambes et me lançai à sa poursuite.

Zandt gravit les marches d'un pas lourd. Au contraire des autres, cette maison possédait une porte en plein milieu de sa façade. L'escalier de la terrasse y menait tout droit, comme un long entonnoir jeté spécialement à notre intention. La mâchoire de Zandt semblait lui rentrer dans le cou, retenue par les seuls spasmes de son visage et de sa peau.

On avait posé quelque chose en haut des marches.

Cette fois je ne tentai pas de ceinturer Zandt, je restai seulement derrière lui. Je n'avais qu'un pas de retard lorsqu'il atteignit la pièce finale de la piste.

Un pull de fille, gorgé de pluie. Mais plié avec soin, un nom brodé sur le devant. Le pull était couleur pêche. Le nom était Karen Zandt.

CHAPITRE 35

Le petit doigt de Nina lui dit de se taire. De ne plus faire un bruit quand elle entendit s'ouvrir la porte de l'accueil. Elle avait mal au thorax, et la douleur irradiait dans son corps, lui rongeait le ventre et se propageait dans son bras droit qui tenait l'arme. Elle n'osait imaginer le résultat si la balle l'avait perforée un peu plus bas.

La porte se referma dans un souffle bref. Quelques pas sur le sol, mais personne ne prononça son nom. Elle sut alors que Bobby était mort. Elle ne pouvait distinguer cette partie de la pièce sans se redresser et tourner la tête, mouvement qui l'aurait à la fois suppliciée et trahie. Alors elle essaya de s'enfoncer dans le coussin du fauteuil. Les pas continuèrent, accompagnés d'un autre bruit. Comme un roulement. Puis on posa quelque chose au sol. S'ensuivit un silence.

— Je sais que vous êtes là, dit une voix.

Son cœur fit un bond, et elle faillit répondre. Faillit avouer. Faillit admettre que oui, elle était bien là, comme on l'avait obligée à faire durant son enfance. Mais ce temps-là était bien loin, et aujourd'hui elle serrait ses lèvres et le flingue de toutes ses forces. Sa main semblait moins opérationnelle que d'habitude.

— Ils n'auraient pas laissé Bobby ici, déclara la voix, s'il n'y avait pas quelqu'un à veiller.

De nouveaux pas. D'exploration. Le type ne l'avait pas localisée. Mais elle serait là, et il obéirait aux ordres. Comme à son habitude. S'il renvoyait une image d'homme fort, capable et meneur, en vérité il avait toujours suivi. Cela faisait si longtemps qu'il vivait dans la culpabilité et sous la menace ; le reste n'avait plus grande importance. Voilà ce que lui avait infligé le père d'Hopkins : la mise à sac d'une vie honnête et rangée. On ne savait rien refuser au Don d'autrefois. On était aspiré dans sa roue. On se réunissait chez lui, on buvait sa bière, on se laissait gagner par ses idées. Jusqu'au jour l'on ne se reconnaissait plus soi-même, mais alors il était trop tard. On en venait à haïr le suiveur qui sommeillait en soi, et on savait qui blâmer.

— Peut-être avez-vous déjà succombé, lança-t-il. Mais j'en doute. Quoi qu'il en soit, je dois m'en assurer.

Nina tenta de sombrer dans le coussin, mais c'était douloureux. Et le moindre geste efficace aurait fait chuinter le cuir.

— Bobby est mort, répéta l'homme d'une voix âgée mais ferme, qui ne laissait aucune place au doute. Et ce sera bientôt le tour des autres. On pourrait vous épargner. Mais il ne faut rien laisser au hasard, et c'est à cela que je sers.

Ses pas se firent plus glissants : l'homme progressait par foulées minuscules pour maquiller la direction de son approche. Nina avait si peur qu'elle fondit en larmes, réaction surgie des profondeurs de son corps et de son passé, sans crier gare.

Elle recula lentement son bras gauche, le calant contre le bord du fauteuil. Puis ramena ses pieds vers elle, millimètre par millimètre. Sa main tremblait, et les nerfs de son bras semblaient en feu.

— C'est une bonne nuit pour mourir, susurra l'homme d'un peu plus près. Il ne s'agit pas d'une fin. Loin de là. C'est un nouveau départ. Un nouveau monde tout propre qui commence par un *bang*. (Il eut un petit rire.) Elle n'est pas mauvaise, celle-là.

Le patinage cessa.

Nina déploya tout ce qu'il lui restait d'énergie. Son corps partit vers l'avant. Entravé, verrouillé, basculant du fauteuil pour s'écraser sur le verre de la table basse. Elle savait qu'elle avait foiré, mais elle pouvait au moins distinguer l'ombre sur sa droite.

Davids hocha la tête.

– Ah, vous voilà.

Elle souleva sa main et pressa la détente. Une, deux, trois fois.

Elle ne suscita qu'un tir en retour, qui ne l'atteignit pas.

Un moment long comme l'éternité, dans l'attente du deuxième coup. Il ne vint jamais. Elle s'agenouilla, se hissa sur ses pieds, pivota.

À deux mètres d'elle, gisait un corps. Maintenant qu'elle bougeait, la perspective d'un mouvement prolongé devenait presque crédible, même assommée par un voile blanc de douleur.

Elle planta ses pieds dans le sol et s'ébranla.

Un vieil homme aux cheveux gris. Il n'était pas tout à fait mort. Elle le toisa, le dos voûté. Harold Davids croisa son regard.

– Vous n'y changerez rien, dit-il avant de céder au silence.

Mais Nina ne l'écoutait pas. Elle observait une chose posée près du comptoir de la réception. Incapable d'en déterminer la nature, elle se rapprocha de quelques pas.

Un petit tambour. Relié à un câble. Lui-même relié à une série de fiches encastrées dans le comptoir, qui ressortaient ensuite par la porte.

Le début d'un nouveau monde.

Elle se pencha par-dessus le comptoir, mais ne vit rien qui puisse servir de détonateur. Le déclenchement devait se commander ailleurs.

Elle parvint jusqu'au parking avant qu'une de ses jambes ne lâche, la rabattant violemment sur l'asphalte.

Le regain de douleur, mêlé au rebond de la pluie glaciale sur son visage, coupa court à sa confusion. Elle se mit à ramper vers la voiture.

Je retins Zandt de franchir la porte d'entrée de la maison. À ce stade, il était impossible de le raisonner, mais je savais qu'il ne fallait pas passer par là. Je l'avais déjà empêché de rebrousser chemin pour ramasser certains os, contraint de coller mon front contre le sien en hurlant le nom de Sarah Becker, pour lui rappeler qu'on pouvait encore trouver quelqu'un de vivant. Il ne m'importait plus vraiment qu'elle soit morte, à vrai dire. Il fallait juste la trouver. J'avais changé d'avis. Nous allions pénétrer à l'intérieur. Quoi qu'il arrive. Si le type était là, tant mieux, mais il fallait à tout prix terminer le parcours.

Je repoussai Zandt sur le côté de la maison, où nous trouvâmes une autre porte. Verrouillée. Dommage que Bobby ne soit pas là. Il aurait su l'ouvrir sans bruit. J'en étais incapable, aussi avertis-je Zandt d'un signe de la main avant d'enfoncer la lourde d'un coup de pied.

Personne pour nous accueillir. Nous nous engloutîmes sur la gauche dans un demi-escalier menant vers l'avant de la maison, là où quelqu'un nous aurait guettés derrière la porte principale. Mais la pièce était vide : juste un vieux fauteuil adossé à la porte et un luxueux bureau en bois étrangement marbré. Nous cavalâmes, nous couvrant l'un l'autre, à travers un agencement de pièces devenu familier. Puis, parvenus au vestibule du fond, nous fûmes pris d'une hésitation. Il faisait sombre et froid. Mais le silence était imparfait.

Nous perçûmes un bruit au-dessus de nos têtes. Comme des battements, sourds et lointains.

Nous revînmes sur nos pas, prîmes par la cuisine jusqu'à l'escalier central. Là-haut se trouvaient quatre chambres, avec des tapis. Rien à signaler. Salles de bains. Rien non plus. Bureau. Rien. Mais toujours ce bruit sorti de nulle part.

Retour dans la première chambre, où le son était plus fort. Il semblait à présent provenir d'en bas. Retour dans la deuxième chambre : le bruit faiblissait, mais s'élevait toujours du bas. Je tournai sur place, le pistolet dressé, conscient que d'un instant à l'autre quelqu'un allait surgir de l'ombre, que personne n'aurait tendu un tel piège sans tenir à le voir opérer.

Zandt fonça dans la première chambre, se laissa tomber à genoux.

– Ça vient de là-dessous.

– Du rez-de-chaussée, objectai-je, mais les battements suivants suffirent à me convaincre.

Nous dégageâmes le tapis. Découpée dans le parquet, une petite trappe. Zandt s'écorcha les doigts jusqu'à la soulever.

En dessous, le visage d'une fille. Livide, émacié. Son front était violet d'avoir cogné contre le plancher pendant Dieu sait combien de temps. Elle était en vie.

Sarah cligna des paupières. Dans le tréfonds de sa conscience, elle avait l'impression qu'on lui relevait la tête, juste assez pour que l'eau cesse de lui rentrer dans le nez. Elle remua les lèvres.

Zandt plongea la main et lui toucha le visage. Il prononça son nom et elle acquiesça, à peine capable de bouger la tête. Elle avait les yeux rouges et gonflés. Zandt approcha l'oreille. Elle articula quelque chose, mais je n'entendis qu'un chuintement éraillé.

– Qu'est-ce qu'elle dit ?

– « Faites gaffe à tache de bois. »

Zandt pressa son front contre le sien, comme pour le réchauffer. La fille se mit à pleurer.

J'agrippai l'extrémité des lattes bordant son cou et tirai. Elles résistèrent.

– Il les a clouées. Putain de Dieu. Aide-moi, Zandt.

Elles cédèrent, mais lentement, une à une. La fille voulut pousser, pour aider, mais elle était bien trop faible, et si elle avait pu faire quoi que ce soit dans cette position elle l'aurait fait depuis longtemps.

Les deux dernières lattes brisées, Zandt tendit les bras, glissa ses mains sous le dos de Sarah et la souleva. Il la cala sur son épaule, et c'est alors qu'elle hurla en voyant mon visage.

Il fallait que Nina se lève. Il le fallait, elle le savait. D'ici, elle ne pouvait atteindre la poignée, encore moins ouvrir la portière, sans parler de monter à bord. Elle avait déjà remarqué, de son point d'observation rasant, que le câble déroulé par Davids courait à travers le parking jusque dans l'autre bâtiment. Celui où devait reposer le cadavre de Bobby. Et elle devinait qu'il se prolongeait dans toute la résidence, en guise d'ultime défense, voire davantage.

Elle laissa retomber sa tête sur le bitume. Son bras droit, ce bras qui lui avait rendu de si fiers services durant toutes ces années, qui avait toujours accompli ce qu'elle lui avait demandé, s'était soudain mis en grève. Il appartenait désormais à une autre, à une personne qui n'était pas de son côté et refusait de l'écouter. La sensation évoquait tantôt un gant de latex rempli de gelée, tantôt une pince calcinée. Ce qui, a priori, n'était pas bon signe.

Nina déglutit deux fois, leva la tête. Le sol paraissait sec sous la voiture – du moins, plus sec que tout autour. Peut-être pouvait-elle s'y glisser le temps de reprendre quelques forces. Oui, bonne idée, lui dit son corps. Très, très bonne idée. Même son bras droit semblait reprendre vie à cette perspective.

Alors elle roula sur son coude droit et se hissa sur sa main gauche. L'espace d'une seconde, l'éclair de douleur lui lava l'esprit, et l'instant d'après elle se tenait sur ses pieds. De la main gauche elle se débattit avec la poignée, en vain, alors elle essaya la droite, et fut sidérée de voir qu'elle obéissait à nouveau. La portière s'ouvrit.

Elle tomba en avant, tâcha de se hisser sur le siège conducteur. Impossible. Elle se remit sur ses pieds, attrapa le volant et tira. Cette fois-ci, quand elle chuta, ce fut au moins sur le siège.

Elle parvint plus ou moins à se redresser, claqua la portière. Chercha les clés.

Elles n'étaient pas là.

– Écoute-moi, John, plaidai-je. Elle est malade. Elle ne sait pas ce qu'elle dit.

Zandt s'éloignait dans les escaliers à reculons, me tenant en joue avec son arme. Sarah s'abritait derrière lui, lui enserrait la taille, tant pour se protéger que pour se maintenir debout.

Elle trébucha, manqua de tomber. Zandt dut se tourner pour la rattraper, enveloppant ses épaules d'un bras en la pressant contre lui. Elle avait fini de crier, mais uniquement parce que sa voix s'était tarie, réduite en un simple grincement. Le bruit résonnait encore dans son crâne.

À mon tour, je descendis lentement les marches. J'avais les mains levées, je parlais d'une voix basse et calme :

– Je ne l'ai pas enlevée. Je n'étais pas à Santa Monica à cette période. J'étais à Santa Barbara, et je peux le prouver. J'ai la facture de l'hôtel.

– C'est à une demi-heure de voiture.

– Je sais, John. Je sais bien. Justement, pourquoi je te raconterais ça si je mentais ? Je te dirais que j'étais en Floride, putain ! Qu'est-ce qui te prend, John ? Tu crois que je t'amènerais ici, tu crois que je courrais après ces types si j'étais l'un d'eux ?

Zandt atteignit le palier. Sans lâcher Sarah, qui se cachait toujours dans son dos, il traversa le large couloir à rebours, jusqu'au vestibule de l'entrée. C'est par là qu'ils allaient sortir.

– On ne sait jamais de quoi les gens sont capables, répliqua Zandt. Y compris moi. Tu fais un geste et je te fais sauter la cervelle.

– Ce n'est pas moi.

– Elle dit que si. Elle dit que c'était toi à Santa Monica.
Je m'immobilisai.

– OK, alors voilà ce qu'on va faire. Je reste ici et toi tu te casses. Tu la sors, puis tu reviens et on discute.

– Ça, je reviendrai, répondit-il. Mais ce sera pas pour discuter.

Sarah se sentit flancher, mais le type gentil la redressa une fois de plus. Elle s'éloignait enfin de Touche Dubois, resté au pied de l'escalier. C'était une ruse, elle le savait. Il leur laissait croire qu'ils étaient libres, mais il les rattraperait. Il n'avait pas besoin de marcher. Il pouvait transpercer le toit et planer dans les airs. Il pouvait survoler les maisons, puis piquer du nez et les tuer par au-dessus. Ce n'était pas un être comme les autres. Il ne ressemblait à personne.

Elle voulait dire ça au type gentil, mais c'était trop dur. Alors elle essaya de lui dire d'abattre Touche, mais les mots ne sortaient pas et il n'en fit rien. Il se contentait de la porter vers la pièce située à l'avant de la maison. Sarah ne pouvait choisir sa destination. Ses jambes ne fonctionnaient plus. Elle était obligée d'aller là où on l'emmenait.

Nina pensait qu'il ne serait plus là. Tout le temps qu'elle s'était traînée sur le parking, avait rouvert la porte de la loge, et navigué entre les carcasses abandonnées des fauteuils et canapés géants, Nina s'était attendue que Davids se soit volatilisé, à ne retrouver qu'un emplacement vide. Mais ça ne changeait rien au problème. Elle ne pouvait faire démarrer la voiture sans les clés. Soit Bobby les avait, soit c'était Davids. Elle ignorait où était passé le premier. Restait à mettre la main sur Davids, en commençant par l'endroit où il s'était effondré.

Et c'est bien là qu'il reposait. Ébahie, Nina se courba pour fouiller ses poches. Il eût été plus simple de s'agenouiller, mais elle craignait de ne jamais pouvoir se relever. Elle avait réussi à regagner le bâtiment, mais ne connaissait pas l'état de ses réserves. Elle glissa les doigts dans la veste.

La main de Davids jaillit, lui captura le poignet. Il ouvrit la bouche.

– Mary, dit-il.

Terrifiée, elle fixa son visage. Il l'attira et la fit chuter.

Son genou écrasa le visage de Davids, dont le cou se tordit en craquant, mais elle s'en aperçut à peine, sa propre tête heurtant simultanément le sol.

Elle s'agita, sans trouver d'appui, avant de constater que rien ne la retenait. Elle tourna la tête. Replongea la main dans la veste. Il ne bougeait plus.

Elle devait impérativement trouver les clés. Fût-ce la dernière action de sa vie.

Elle les dénicha dans la poche droite du pantalon. Trois trousseaux. Elle les empocha et s'éloigna du cadavre, à quatre pattes, jusqu'au bord d'un fauteuil. Celui qu'elle occupait précédemment, peut-être, elle ne savait plus trop. Cela paraissait déjà lointain.

Grisée par son succès, elle mit à peine trente secondes à se relever. Puis elle traversa la réception, enjamba le corps d'un policier mort, poussa la porte et retrouva le parking. Son second souffle refluait, et elle le savait – non parce que la douleur augmentait, mais parce qu'elle ne la percevait plus. L'effet du choc et de l'hémorragie. Son corps remontait le pont-levis. Il avait besoin d'énergie, et elle la gaspillait.

Elle gagna la voiture, heureuse d'avoir laissé la portière ouverte. Grimpa sur un siège gorgé d'eau.

Le deuxième trousseau convenait au démarreur. Alors seulement elle referma la portière, sachant qu'elle n'aurait pas à chercher Bobby.

Le moteur démarra du premier coup, et elle bénit Ford et ses petits concepteurs futés. Ce n'était pas comme lorsqu'elle était môme, et qu'il fallait convaincre ces bestioles de se réveiller, à force de quoi on finissait par les aimer et leur donner des noms. Aujourd'hui, qu'il pleuve ou qu'il vente, elles démarraient au quart de tour. Pas besoin de les baptiser pour en tirer quelque chose. Suffisait de savoir où l'on voulait aller.

Elle appuya son front contre le volant, rien qu'un instant, et se sentit aussitôt sombrer. Releva la tête en sursaut, passa la marche arrière et recula d'un bond.

Puis enclencha la marche avant, enfonça la pédale, et fonça droit sur la palissade.

Je tins parole, malgré la peur et la perplexité, et ma répugnance à rester seul dans cette maison. Je restai en bas de l'escalier, à contempler l'épais câble qui s'y engouffrait, jusqu'à ce que me parvienne la voix de Zandt depuis la pièce de devant.

– Oh, mon Dieu ! disait-il, et la fille poussait un nouveau cri.

Suivit un bruit mat. J'accourus.

Dans la salle brillait à présent une lampe, qui projetait une lueur jaunâtre près de la fenêtre. Recroquevillée dans le coin, la fille poussait des miaulements plaintifs. Zandt était allongé sur le dos, à plusieurs mètres de son flingue. Le visage du flic arborait une expression insolite.

Planté au-dessus de lui, un homme armé, qui visait directement la tête de Zandt.

– Lâche-le, criai-je en tenant mon flingue à bout de bras, prêt à tirer. Lâche-le, fils de pute !

– Sinon quoi ? rétorqua le type sans même se retourner. Sinon quoi ?

– Sinon je t'explose le crâne.

– Tu crois ça ? (Il finit par me regarder.) Salut, Ward. Ça fait une paye, dis-moi.

Je vis mon propre visage. Le monde bascula, se disloqua.

Ses cheveux étaient plus longs, et leur blondeur rehaussée. Ses traits semblaient également altérés – pour avoir été animés par un esprit différent. Si vous m'aviez vu certains jours, ou dans certaines situations, vous auriez vu ce visage-là. C'étaient nos seules dissemblances. Même la carrure était identique. Je clignai des yeux.

– Eh oui, opina l'Homme Debout d'un ton indulgent. Alors, tu t'en crois toujours capable ? Assassiner le seul être qui ait ton sang ? (Ses doigts se raffermirent sur son arme.) Ta réponse m'intéresse au plus haut point, et le fait que cela revienne aussi à éliminer John ne doit pas t'influencer, d'accord ?

Il s'adressa de nouveau à Zandt :

– Je t'avais dit que je te la rendrais, un jour ou l'autre.

Et de lui flanquer son pied dans la mâchoire.

Je crus que la nuque de Zandt allait rompre, tant le coup était violent. Je voulus presser la détente. Mais j'en étais incapable.

– Tu as tué un de mes collègues, espèce d'enfoiré, poursuivit l'Homme Debout. Tu as liquidé des types qui valaient bien mieux que toi. Pour ta gouverne, j'ai essayé de changer Karen. Pendant longtemps. Ça n'a pas marché. Alors je l'ai bouillie. Mais maintenant je te la rends. Tu as aimé la « course » que j'ai laissée dehors ?

Zandt redressa son cou, écumant de douleur.

— Tu te donnes le nom que tu veux, répliqua-t-il avec sang-froid. J'en ai jamais rien eu à foutre. Tue cette merde, Ward.

Ma bouche était béante, les muqueuses asséchées. Mes bras ne tremblaient pas – ils étaient raides comme de la pierre. Pas moyen de bouger mes doigts. J'avais l'impression d'être lobotomisé, de ne vivre qu'avec les yeux.

Mon regard fit sourire l'Homme Debout.

— Ça fait drôle, hein ? On en a, des choses à se dire. Mais je sais que tu es un peu à cran, sans compter qu'il faut quitter les lieux. Alors pour te prouver ma bonne foi, je vais épargner une de ces deux salopes. T'as le droit de choisir laquelle et de buter l'autre. Le nombre de morts à ton actif est dramatiquement faible, mon vieux. Tu as besoin de quelques séances de rattrapage.

— Les fédéraux sont en route, dis-je d'un ton vague, faible et vide, même à mes oreilles.

— M'étonnerait, répondit l'Homme Debout. Ils seraient déjà là.

— Pourquoi t'as fait ça ? Pourquoi t'as tué mes parents ?

— C'étaient pas tes parents, abruti. Tu le sais très bien. Ils ont tué notre père et gâché nos vies. On était faits pour être ensemble, dès le début. Imagine tout ce qu'on aurait réalisé à ce jour. Les Hommes de Paille ont l'argent, frangin, mais nous, on a le sang. On est purs. On est le cœur de toute chose. On est le vrai.

Pelotonnée dans son coin, Sarah se bouchait les oreilles et serrait les paupières. La voix du type lui parvenait malgré tout. Cette voix tellement haineuse, cette voix qu'elle avait subie à n'en plus finir, qui l'avait inondée de paroles et de paroles et de paroles jusqu'à la convaincre que c'était ça qui la tuerait, et non la faim ; qu'il allait prononcer le mot de trop, ce mot qui, au lieu d'exciter ses tympans, lui fendrait la cervelle en deux.

– Si j'étais toi, je tuerais plutôt John, disait Touche. Il n'a plus aucune raison de vivre, de toute manière. Et de cette façon, tu peux garder la fille. Elle est pas au top de sa forme, mais on pourrait bien s'amuser, non ?

Sarah rouvrit les yeux.

– Flingue-le, Ward, disait l'homme à terre. Vas-y, flingue-le.

– Tu commences à me taper sur le système, John, répondit Touche en le frappant à nouveau. Toi aussi, Ward. Il est temps de passer à autre chose. J'ai bouclé ma mission dans cette montagne. Il est temps de décoller.

Sarah était perdue. Le type qui aurait pu être son père ne l'était pas, et il était couché par terre. Et l'autre type... elle ne savait pas qui c'était. Un homme miroir.

Touche s'adressait à l'homme miroir, qui ne bougeait pas.

– Allez, mec, finissons-en. Qu'est-ce que t'as ? Tu sais que tu en crèves d'envie. Tu as déjà tué, merde. Et ça n'a rien d'un hasard.

Touche braquait son pistolet sur la tête de l'homme au sol. Il allait le tuer puis décoller. C'est ce qu'il venait de dire. Or, si le type couché n'était pas son père, son père se trouvait peut-être à la maison avec sa mère et sa sœur. Le seul truc, c'est que leur maison avait un toit. Or, si la maison avait un toit, Touche pouvait le traverser, et vu ce qu'il lui avait fait à elle, comment imaginer ce qu'il leur ferait à eux ?

Sarah ôta les mains de ses oreilles. Elles ne bloquaient rien, de toute façon.

– C'est inscrit dans ton sang, disait Touche. Je sais que tu as lu le Manifeste. Tu l'as lu, et tu verras qu'il dit vrai.

– C'est de la merde en barre, lança le dénommé John.

Le pied de Touche riposta aussitôt, lui écrabouillant la main.

– Tant pis, Ward, je retire mon offre, lança le diable avec, pour la toute première fois, des fluctuations dans la voix. Si tu veux tuer quelqu'un, il ne reste que la fille. Ce type est à moi depuis trop longtemps.

Il rapprocha son flingue du visage de Zandt.

Puis releva brusquement la tête. Comme s'il percevait du bruit dehors.

Sarah ne réfléchit même pas. Elle s'arracha de son coin.

Je vis la fille jaillir de nulle part. Mais son corps n'était pas en état, et son élan périclita avant même qu'elle ne soit sur pied. L'impulsion la projeta néanmoins au-dessus des jambes de Zandt, et droit sur l'Homme Debout. Il tomba à la renverse, talochant la tête anguleuse de la fille, et ses dents qui tentaient de lui ronger le visage.

Un bon direct dans les yeux et elle repartit en arrière, et soudain mon sortilège se brisa.

Je fis feu, le ratai, puis Zandt était sur lui et je ne pouvais plus tirer.

Les deux hommes roulèrent, échangeant coups de poing et de pied. Je me postai sur le côté, préparant la balle que j'allais sûrement tirer, que j'allais devoir tirer à tout prix. Puis j'entendis le bruit dehors, celui d'un moteur à plein régime, sous une bordée de klaxons. Dieu merci, Bobby.

J'avisai la fille, gisant à terre, le nez dégoulinant de sang. Je me précipitai sur elle, convaincu de respecter les priorités de Zandt. Je la relevai en lui ceinturant la taille, et la traînai jusqu'à l'entrée.

J'ouvris la porte dans un bain de lumière. Ne compris rien à ce bordel avant de reconnaître les phares de la voiture louée la veille à l'aéroport.

J'entraînai la fille en bas des marches, me demandant à quoi jouait Bobby mais bénissant son nom. Puis je vis qu'il n'y avait qu'une personne dans la voiture et que ce n'était pas lui mais la nana du FBI et qu'elle avait une gueule de zombie.

Je courus à sa vitre.

— Où est Bobby ?

— Montez, répondit-elle seulement. C'est elle ?

— Ouais. Où est Bobby ?

— Où est Zandt ?

— À l'intérieur. Tu vas me dire où est Bobby, oui ou merde ?

— Bobby est mort, cria-t-elle. Davids l'a tué. Je suis désolée, Ward, mais je t'en supplie, va chercher John. Il faut partir. Tout le village est piégé et faut se barrer d'ici.

Des câbles. Dans tous les sens.

J'ouvris la portière de derrière et enfournai la fille délicatement. Sans refermer, je regagnai l'entrée en sprintant, scandant le nom de Zandt.

Tout en pensant : Bobby est mort.

Le vestibule était vide. Le pistolet de Zandt avait également disparu. Je courus dans la maison, sans cesser de crier, le flingue en avant, dévoré de honte par la part de mon âme retenue deux minutes plus tôt. Je ne l'avais pas fait, je n'avais pas abattu mon frère. Mais maintenant j'en étais capable. Je m'en savais capable. Maintenant j'en étais capable.

J'entendis soudain courir derrière moi, puis sur le côté. Je virai à fond vers l'arrière de la maison, où je tombai nez à nez avec Zandt. Je me souvins in extremis :

– C'est moi, John ! Ce n'est pas lui, c'est moi !

Son visage était injecté de sang. Il stoppa, le flingue à deux centimètres de ma tête, la gâchette à moitié relevée.

– Regarde mes fringues, John, mes putains de fringues !

Un temps d'arrêt, puis il me repoussa pour continuer son chemin. Je l'agrippai d'une clé au cou.

– Nina est dehors. Bobby est mort. Il faut partir.

Zandt se libéra en m'envoya son coude dans le ventre. Je le rattrapai aussitôt, pressai sa tête contre la mienne en hurlant :

– Cet endroit entier est sur le point de sauter ! Si on part pas, il nous aura tous ! Il aura Sarah !

Un bref instant sa rigidité faiblit, et je pus le tirer jusqu'à la porte d'entrée, où filtrait la lumière des phares.

Nina faisait vrombir le moteur, mais Zandt continuait de résister, se débattait tel un ours contre mon bras qui l'étranglait. L'espace d'une seconde, je crus voir filer une ombre dans l'embrasure d'une autre pièce, puis plus rien.

De retour dehors, Zandt semblait découvrir un nouveau monde, comme devant une lucarne révélant d'autres têtes que celle de l'homme qu'il devait tuer. Je le pressai vers la voiture, tout en me penchant pour ramasser quelque chose.

Zandt grimpa derrière à contrecœur, pestant et jurant, boxant le dossier du fauteuil d'en face. Nina s'était avachie sur le flanc, à demi juchée sur le siège passager. Je grimpai derrière le volant, la repoussai et l'attachai.

Je trouvai l'accélérateur, l'enfonçai de toutes mes forces, comme si je voulais me dresser. La voiture bondit en arrière, creusant un sillon circulaire dans l'herbe mouillée. Nina se cogna contre la portière et se mit à gémir, dans une plainte régulière mais faible.

– Tiens bien Sarah ! lançai-je à Zandt tout en bouclant ma ceinture.

Puis nous rebroussâmes chemin à travers les Halls, filant entre les maisons désertes et leurs secrets.

Il me semblait entendre craquer des os sous les pneus, mais ce devait être mon imagination, et j'espérais que Zandt n'entendait pas la même chose. J'espérais aussi ne pas avoir vu cette image furtive : les silhouettes d'un petit groupe posté sur la colline surplombant le pré, en train de nous observer.

Non, je roulais trop vite. Je n'aurais pu distinguer une telle chose. Quand je relevai les yeux, ils avaient disparu.

Je visai le trou que Nina avait enfoncé à l'aller, et mis presque dans le mille. Le pare-brise éclata quelques planches supplémentaires. Pire, j'entendis un vilain bruit de tôle là où le châssis percuta l'un des plots du parking, mais la voiture roulait toujours. Je manquai de partir en tonneau en virant à gauche vers la sortie, craignant déjà d'avoir vécu tout ça pour rien, mais les quatre roues retrouvèrent le plancher des vaches et je m'élançai dans l'allée, franchis l'arche, puis attrapai à droite la route menant en bas de la montagne. Je faillis de nouveau bousiller la bagnole au détour du virage, en tombant nez à nez avec la voiture stationnée de Harold Davids, mais je l'évitai d'un dérapage.

Une série d'épingles à cheveux, enfilées de plus en plus vite, puis la longue pente rectiligne menant à la futaie qui cachait la route. Je ne tentai même pas de négocier le dernier virage, conscient que c'était illusoire, mais coupai à travers les arbres, trouvant des espaces assez larges pour y engager la voiture, jusqu'à atteindre, après moult secousses et sueurs froides, la zone herbeuse précédant la sortie. Quelque part entre là et la chaussée, une pierre fit éclater un pneu arrière, et je parvins de justesse à ne pas gîter tandis que la voiture bondissait et chassait le long de la descente finale, jusqu'à défoncer la basse clôture dans un cri de métal rompu.

La voiture coupa la route verglacée et piqua droit dans les eaux vives, froides et peu profondes de la rivière Gallatin. Il y eut un instant figé, le temps de comprendre que nous étions tous vivants, puis la terre entière parut exploser.

Contorsionné comme j'étais, le volant dans les reins, je ne vis qu'un nouveau soleil, jaillissant de la montagne comme l'aube.

Houma, Louisiane

C'est un petit motel, sans service d'étage. Je dispose d'une petite chambre, au bout d'une aile de chambres tout aussi petites, qui s'étirent d'un bureau poussiéreux et minuscule. Le téléviseur est vieux et merdique. Il y a de l'eau dans la piscine, mais personne ne s'y baigne. Surtout pas moi.

Demain matin, de bonne heure, je repartirai. Je me rappelle le nom de la ville où vit la mère de Bobby, et me souviens vaguement l'avoir entendu décrire la rue de son enfance. Je saurai peut-être la trouver. J'aimerais pouvoir parler de son fils à cette dame. Lui dire comment il était, que c'était un homme bon, et comment il est mort. Avec un peu de chance, je retrouverai même le cimetière où repose son père, et je le dirai à lui aussi. C'est le seul hommage auquel mon ami aura jamais droit.

Il y a dix jours, assis dans une voiture à Santa Monica, j'ai regardé John et Nina ramener une fille à la porte d'un pavillon. Chacun lui donnait la main : pour Nina, la gauche, puisqu'elle avait le bras droit en écharpe. Sarah demeurait blafarde et très affaiblie, mais avait bien meilleure mine que lorsqu'on les avait conduites, Nina et elle, dans un hôpital de l'Utah. L'interne de garde avait voulu prévenir les flics. D'après ce qu'il voyait, Sarah n'avait rien avalé d'autre que de l'eau infestée de plomb et de diverses substances chimiques, dont

383

certains agents biologiques utilisés en thérapie génique. Quant à la finalité de ceci, outre l'empoisonnement pur et simple, il n'osait même pas l'imaginer. John la devinait, cependant : il comprenait désormais – si l'on avait correctement interprété les indices – que les corps des autres victimes de l'Homme Debout dénotaient la même volonté de créer un être à son image, via les traumatismes crâniens et les violences sexuelles.

Nina se servit de son badge pour empêcher l'histoire de faire les unes du pays. Les médecins admirent Sarah et Nina pour une semaine, mais dès le lendemain John et moi sommes venus les enlever. Certes, il leur fallait des soins. Mais les laisser toutes deux dans le même lieu était bien trop risqué. Zandt appela Michael Becker pour le prévenir de son arrivée, puis nous montâmes en voiture.

Nous traversâmes d'une traite l'Utah, le Nevada et la Californie, puis L.A. jusqu'à Santa Monica, en nous relayant au volant, Zandt et moi. Bien qu'elle dormît l'essentiel du trajet, je fis un peu connaissance avec Sarah. Elle se montra adorable, et me dit que j'étais très différent, ce qui faisait du bien à entendre. Je pense qu'elle se remettra avec le temps, et je prends le pari que la prochaine fois que mademoiselle dînera en ville (vers l'an 2045, probablement, si son père a son mot à dire), elle ne commandera pas une salade Cobb mais le gros hamburger de ses envies.

Une fois sur le perron de la maison Becker, Nina lâcha la main de Sarah et appuya sur la sonnette. Tous trois restèrent figés comme des images, puis la porte s'ouvrit et ce fut une explosion d'amour qui m'obligea à détourner les yeux. Je fixai un point à travers le pare-brise, en pensant aux derniers mots que m'avait glissés la fille.

Quand j'ai regardé de nouveau, Nina revenait vers la voiture, tête baissée. Zandt restait auprès des Becker. Sarah finit par le lâcher pour retrouver ses parents. Michael Becker a serré la main de Zandt et quelque chose est passé entre eux, mais j'ignore quoi.

John a reculé d'un pas pour laisser la famille regagner ses quartiers. Il est resté planté là un petit moment, même après que la porte se fut refermée. Puis il a redescendu l'allée, est remonté en voiture et nous avons repris la route. Il se trouve actuellement en Floride, en visite chez son ex-femme.

Quand j'ai vu sa réaction devant le pull, j'ai regretté de ne pas avoir ramassé un os à la place. Mais je n'avais pas les idées bien claires – ç'avait été une réaction spontanée, l'idée qu'il souhaiterait peut-être rapporter quelque chose de cette montagne. J'imagine qu'un os aurait mieux fait l'affaire, quelque chose qui ait vraiment appartenu à Karen. Mais je pense que ce pull suffira à leur travail de deuil. On a prévu de se revoir plus tard. On a échangé nos numéros de portable. Apparemment, il ne me tient pas rigueur de ne pas avoir su tirer, là-haut dans les Halls.

Mais nos retrouvailles attendront un peu, je pense. J'espère qu'il a pour priorité de retrouver Nina, quand elle aura viré son barda de L.A. En les observant tous deux sur ce perron, j'ai vu quelque chose qu'ils comprendront un jour, je l'espère. Ils sont déjà ensemble.

Quand je conduis, mon regard reste de longs moments bloqué droit devant, sans voir ce qu'il y a derrière la vitre ; un flot d'images me traverse la tête comme un film. Parfois je songe aux Hommes de Paille, et je tâche de démêler le vrai du faux à leur sujet. Je veux croire que ce qui sous-tend leur entreprise est plus profond que le Manifeste ; que les idées contenues là-dedans ne sont que les théories d'un psychotique au sujet des clivages qui semblent nous gouverner. Puis je me rappelle que cet ouvrage que beaucoup considèrent comme le tout premier roman, le *Journal de l'année de la peste* de Daniel Defoe, fut écrit au lendemain d'un fléau qui ravagea l'Europe entière et aurait pu être imputé à notre manière de vivre, les uns sur les autres ; et que nos principales industries du divertissement, le cinéma et la télévision, ont chacune pris leur essor dans la foulée d'une guerre mondiale. J'en viens à me demander si les paysages de fiction et les utopies n'ont pas fleuri sitôt que nous avons fondé les villages et les villes, et si cela n'explique pas l'émergence des religions à peu près à la même période. Plus nos espaces sont bondés, plus nous sommes interdépendants, et plus nos rêves deviennent importants – à croire que tout ceci n'est là que pour nous souder les uns aux autres, nous aider à éprouver un manque, et nous acheminer ainsi vers une humanité qui va au-delà du simple fait humain. À l'heure où l'Internet quadrille le globe, resserrant davantage encore les mailles du filet, je me demande si c'est par pure coïncidence que cela survient au moment où nous déchiffrons notre code génétique, et commençons à le bricoler. Plus nous nous rapprochons les uns des autres, plus nous cherchons à comprendre notre nature. J'espère sincèrement que nous savons ce que nous faisons avec nos gènes, et qu'en entreprenant de retirer ce qui passe pour des erreurs, des imperfections, nous n'éliminons pas ce qui nous rend viables. J'espère que c'est notre avenir, et non le passé, qui motive nos décisions. Et j'espère que dorénavant, quand je prendrai conscience qu'il manque une chose à ma vie, je continuerai de la chercher – même si je sais qu'il s'agira parfois d'une simple promesse, non d'une pièce à capturer. Sans ça nous devenons des hommes de paille, des femmes d'ombre, abandonnés dans des champs désolés que même les oiseaux désertent, à attendre un éternel été quand c'est déjà l'hiver. Vu notre façon de vivre, si éloignée de celle d'hier, il semble miraculeux qu'on s'en tire aussi bien. On fait des rêves pour préserver sa santé mentale, et aussi pour demeurer en vie. Comme l'avait dit un jour mon père, l'important n'est pas de gagner, mais de croire qu'il y a quelque chose à gagner.

Souvent je pense à lui, et à ma mère, deux êtres qui ne sont plus là. Leur mort, comme toutes les morts, n'est pas de ces choses que l'on peut arranger. On ne peut attraper la mort pour lui flanquer une correction, pas plus que la tristesse ou le dépit, pas plus que l'Homme Debout ni l'organisation dont il a pris la tête. Peut-être y parviendrons-nous un jour, peut-être pas. Peut-être y aura-t-il toujours des gens comme lui. C'est trop tôt pour le dire ; j'ignore encore si la destruction programmée des Halls était une tentative archi-réussie pour effacer toutes les traces, ou si l'explosion était censée libérer l'immense poche de roche en fusion qui s'accumule dans les sols de

Yellowstone – anéantissant ainsi notre culture et les fermes du monde occidental, pour nous ramener au mode de vie que prisent tant les Hommes de Paille. Nous renvoyant, ou nous précipitant, dans les ruines.

Nina penche pour la deuxième solution, à cause d'une phrase qu'aurait prononcée Davids : d'après elle, les Hommes de Paille se voient comme une nouvelle race de chasseurs-glaneurs, dont la fortune serait moins due à la destinée qu'à une « pureté » intérieure, et qui seraient capables de survivre dans n'importe quel milieu. Je ne sais pas. Il ne me reste personne avec qui en débattre.

Le message parvint à mon hôtel de Los Angeles le lendemain du retour de Sarah. Il provenait de mon frère. J'ignore comment il m'avait trouvé. Je rendis la clé de ma chambre dans l'heure, et depuis je ne cesse de bouger.

Ce message prenait la forme d'une cassette vidéo. La première séquence était postérieure à notre rencontre. Sa colère était patente, mais à l'évidence il ne désespérait pas d'un futur *rapprochement*[1]. Il me mettait au parfum sur certaines périodes que nous n'avions pas partagées. Sa découverte dans les rues de San Francisco, un petit enfant sans identité, hormis un prénom cousu dans son pull. Des familles d'accueil, un premier meurtre. Toute une phase sur laquelle il demeurait vague. Son dernier boulot d'entremetteur pour les riches et les sociopathes, la révélation d'un lien entre ses employeurs et son passé, son admission au sein d'un groupe clandestin et son premier triomphe en 1991 dans le McDonald's d'une petite ville de Pennsylvanie. Ses propres expérimentations d'évolution accélérée, à travers la violence et le viol ; son projet de se créer une compagne pure avec qui fonder une lignée non virale. Un projet dont il parlait avec une émotion dérangeante, pour ce qu'elle ressemblait à de l'amour.

Le reste de la vidéo est moins facile à décrire. Il y a quelque chose de très perturbant dans ces images, indépendamment de

---

1. En français dans le texte. (*N.d.T.*)

leur sujet ou de ce qu'implique leur existence. Voir mon sosie commettre toutes ces horreurs, c'est comme d'accéder à des ténèbres virtuelles, à un monde où ce que je crois être m'est refusé, où je deviens celui que j'espère ne pas être. Bobby et moi n'avions vu que de longs plans flous. Mais l'Homme Debout, peut-être devrais-je l'appeler Paul, avait veillé à laisser des images parfaitement nettes de ses exploits. Des bandes réalisées pas ses propres soins, le montrant tout sourire sur des parkings en feu, en train de dérouler des câbles et de poser des bombes, ou dans des pièces obscures en Amérique, en Angleterre et en Europe, distribuant armes et plans de bataille à des pigeons. Le montrant nu, accroupi au-dessus des viscères de jeunes disparus. Ou en train de manger certaines choses.

Le montrant lui, et donc moi. Moi, trônant sur une vertigineuse pyramide d'abominations, une demi-heure de preuves.

Même cette cassette ne m'est d'aucune aide. Je ne peux la montrer à personne, et pas seulement parce que les autorités de Dyersburg – voire toutes celles du Montana – ont grossi ma liste de gens à éviter. Cette cassette n'a qu'un seul pouvoir : m'incriminer. L'existence de mon jumeau n'est consignée nulle part. Ma propre existence n'est consignée nulle part, sauf sur cette bande et dans ma tête.

Avant de quitter la voiture, à Santa Monica, Sarah Becker s'est penchée pour me susurrer quelques mots :

– Tu dois le faire. Il n'y a que toi qui puisses tuer Touche Dubois.

Elle a raison. Je ne puis rien faire d'autre que ce qu'il attend de moi. Je ne puis rien faire sinon partir à sa recherche.

Dans le même temps, tandis que j'engrange les kilomètres, toujours sur le départ, j'écoute les voix du passé et je pense à ce que l'on m'a offert, à l'amour que j'ai reçu. Je ne saurai dire au juste ce que je suis devenu, et n'y parviendrai peut-être jamais, mais je sais au moins que ç'aurait pu être pire. Le billet laissé par mon père à mon intention, disant qu'ils n'étaient pas morts, reste vrai dans un sens qu'il n'avait pas prévu. Ces deux-là ne mourront pas tant que je serai de ce monde. J'aurais aimé mieux les connaître, mais les regrets de ce genre se heurtent à une double impasse : non seulement ils arrivent trop tard, mais ils ne seraient jamais apparus assez tôt.

L'image dont je me souviens le mieux est une image que je n'ai pas vue, sauf à travers un écran de télévision. Un couple de jeunes gens, tenant chacun une queue de billard, enlacés dos à la caméra. Quand ils se retournent, le sourire de mon père, le doigt qu'il brandit, ma mère qui tire la langue.

Et, plus tard, sa façon de danser.

REMERCIEMENTS

Merci à Doug Winter d'avoir prononcé une phrase qui a fait turbiner ma cervelle ; à Susan Allison, Chris Smith et Jim Rickards d'avoir alimenté la turbine, ainsi qu'à Linda Shaughnessy, Bob Bookman, Jonny Geller, et David et Margaret Smith pour leurs commentaires ; à Nicholas Royle, Howard Ely, Conrad Williams, Stephen Jones et Adam Simon pour leur soutien durant ce travail et d'autres.

Comme toujours, mille pensées affectueuses à ma famille, avec un grand merci à Paula pour m'avoir aidé à voir les failles dans le mur où je me cognais la tête, et pour sa présence quand j'ai cessé.

Composé par P.C.A.
44400 – Rezé

Impression réalisée sur CAMERON par

BRODARD & TAUPIN
GROUPE CPI

La Flèche

pour le compte des Éditions Michel Lafon
en avril 2003